CONFESSIONS D'UN MASQUE VÉNITIEN

DU MÊME AUTEUR

Leonora, agent du doge, Fayard, 2008.
La nuit de San Marco, Fayard, 2009.

Loredan

Confessions
d'un masque vénitien

Les mystères de Venise

Fayard

L'auteur a bénéficié, pour la rédaction de cet ouvrage, du soutien du Centre national du livre.

ISBN : 978-2-213-65455-3

Il n'est pas nécessaire d'avoir lu les précédents tomes des *Mystères de Venise* pour suivre cette nouvelle aventure. Leonora, fille adultérine du patricien Cesare dalla Frascada, vient d'épouser Lazaro Corner, un aventurier de mauvaise réputation. Or elle a récemment hérité du doge Loredan une belle maison gothique sur le Grand Canal, dont les loyers somptuaires ont aiguisé l'appétit de *ser* Cesare.

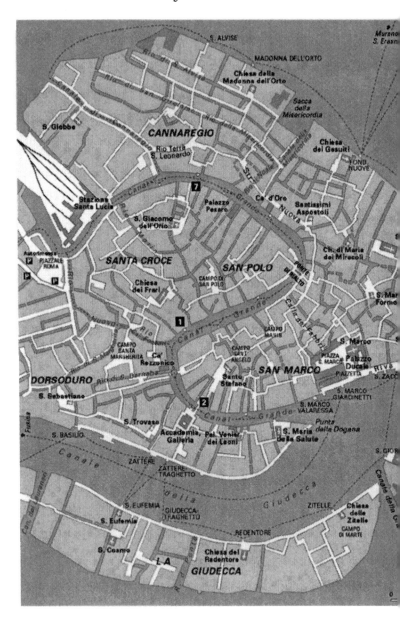

Sur les pas de Leonora dans la Venise d'aujourd'hui

Les mystères de Venise

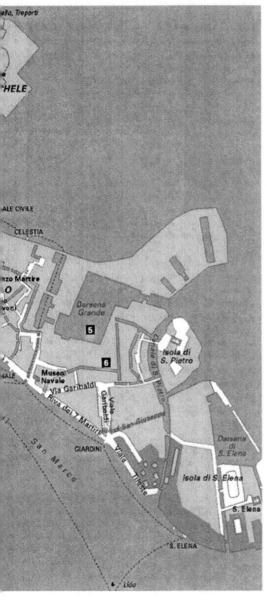

PERSONNAGES RÉCURRENTS

Cesare dalla Frascada, *patricien de Venise, membre du Conseil des Dix*

Leonora Agnela Immacolata, *fille adultérine de* ser *Cesare*

Soranza Soranzo, *femme de* ser *Cesare*

Lazaro Corner, *aventurier, mari de Leonora*

Flaminio dell'Oio, *courtisan vénitien, employé de Leonora*

Loreta, *servante des dalla Frascada*

Tomazo Zen, Bortolo Bon et Benvenuto Tron, *employés de* ser *Cesare*

Don Gaolezzo Diodati, *curé de San Lorenzo*

Saverio Barbaran, *Inquisiteur rouge*

NOUVEAUX PERSONNAGES

Don Anzolo Santibusca, *curé de San Samuele*

Mgr Giovanni Bragadin, *évêque et patriarche de Venise*

Mère Maria Nicopeia, *supérieure du couvent de San Lorenzo*

Sœur Arcangela, *nonne et écrivain*

Sœur Aracoelis, *cuisinière*

Epifania, *fillette cloîtrée*

Gaelazzo Premarin, *Magnifique Amiral*

Polisseno Vendelin, *l'un des trois* Padroni *de l'Arsenal*

11

Les mystères de Venise

Reno Reni, Elio Bora et Anacleto Pontano, *adeptes de la philosophie des Lumières*

Zancarol Usmago, *policier des* Signori di Notte al Civil

Tebaldo Sanguinazzo, *capitaine des* Signori sopra Monasteri

Michiel Lion Cavazza, *exécuteur aux blasphèmes, défenseur des bonnes mœurs*

Nulle autre ville n'a porté à ce degré de perfection l'art de vivre, d'être heureux, d'aimer et de mourir.

Maria Teresa Rubin de Cervin

I

Les gondoles noires étaient nombreuses à se croiser sur le Grand Canal en ce matin de l'été 1762. Une cabine tendue de soie cramoisie abritait Michiel Lion Cavazza, l'un des trois Exécuteurs chargés de faire la chasse aux blasphèmes, sacrilèges et autres entorses aux bonnes mœurs. Sa barque s'écarta doucement de celle où était assise la courtisane avec qui il venait de passer la nuit dans sa garçonnière de San Marco. Dans une troisième embarcation, aussi sobre et anonyme que les deux autres, se tenait un digne personnage, calme et bien vêtu. Cette gondole transportait un assassin.

L'assassin était en route pour commettre un forfait que rien ne semblait pouvoir empêcher – en tout cas pas les vaguelettes qui le berçaient de leur ressac. Son regard glissa sur les façades de marbre illuminées par le soleil de la mi-août, puis il s'arrêta sur le haut campanile de San Samuele, vieil édifice en brique d'un style simple et majestueux. Ce n'était pas l'une de ces églises prétentieuses et voyantes telles que la Salute, avec ses rouleaux baroques de pâtisserie géante, ou Saint-Siméon, au dôme de métal vert démesuré. San Samuele était un bâtiment modeste et dépouillé, un lieu dont la discrétion tranchait avec l'épouvantable crime que l'assassin avait en tête. Poussé par un irrépressible besoin de quiétude, il ordonna au *barcarol* d'accoster au débarcadère du petit *campo*.

Quelques instants plus tard, il posait le pied sur le dallage, devant le haut mur percé d'une fenêtre unique en arc de cercle. Peut-être le prêtre trouverait-il les mots capables d'atténuer son désarroi. Même les âmes perdues avaient le droit de s'adresser au Ciel.

En cette belle matinée que l'absence de vent rendait déjà bien chaude, Don Anzolo Santibusca était assis dans sa chaise de confesse adossée à l'une des colonnes de la nef. C'était une sorte de fauteuil aux montants latéraux percés de volets mobiles, derrière lesquels les fidèles s'agenouillaient pour lui susurrer leurs turpitudes, petites ou grandes.

Depuis son poste d'observation, le curé de San Samuele discernait, dans la lumière des vitraux, l'icône de la Madone des Grâces, miraculeusement préservée des Turcs à la chute de Byzance et déposée en lieu sûr dans la Dominante par le provéditeur vénitien de Nauplie. Des actions édifiantes comme celle-ci rappelaient au père Santibusca que, si tout n'était pas parfait en ce bas monde, rien n'était jamais désespéré, puisque Dieu veillait à la sauvegarde de ce qui importait véritablement. Cette conviction rassurante, alliée à la température de la mi-été, le portait à s'assoupir.

Un léger froissement de soie le tira de ses pensées. Il se redressa et vit un inconnu qui se tenait de profil, à quelques pas de lui, dans la travée centrale. Ses traits étaient dissimulés sous un *volto*, masque géométrique en forme de bec, et ses épaules revêtues de la *bauta*, ce voile noir très enveloppant qui achevait d'assurer l'anonymat aux fêtards, les jours de réjouissances publiques. Le visiteur perçut le mouvement du prêtre assis dans l'ombre entre ses parois de bois verni. Le visage au nez d'oiseau pivota avec la vivacité d'un rapace. Les yeux embusqués derrière la face de cuir bouilli examinèrent le curé avec l'acuité d'un aigle guettant sa proie. L'aspect inquiétant de cette silhouette provoqua chez le prêtre un frisson d'angoisse irraisonnée. Il songea qu'il aurait été fort intéressant de doter ces confessionnaux de rideaux ou de portes, afin que les serviteurs du Seigneur soient dispensés de voir à quoi ressemblaient les pénitents qui passaient devant eux. Les deux hommes étaient seuls au monde, dans ce fond d'église obscur. Peut-être ce détail plut-il à l'inconnu, car il vint s'agenouiller à côté du confesseur, qui se résigna à ouvrir le volet de sa croisée.

– Les masques sont interdits en dehors du carnaval, mon fils.

– Mon père, je ne suis pas venu entendre la loi des hommes, mais celle de Dieu.

Le curé soupira. Plus question de se défaire de l'importun. C'était le secours de la foi que cette âme était venue chercher dans cet accoutrement hors de saison.

– Bénissez-moi, mon père, car je suis un grand pécheur.

– Commencez donc par vous départir du péché d'orgueil, mon fils. Il y a dans cette ville bien d'autres pécheurs que vous, je vous l'assure.

– Mon père, je viens vous confesser un tort affreux dont j'ai accepté de souiller mon âme. Il s'agit d'un assassinat.

Comme il devait assistance même aux fous, Don Anzolo s'enquit de l'identité de la victime.

On la lui dit.

– Mais… c'est impossible ! Je l'ai vu sortir du Palais pas plus tard que tout à l'heure, alors que je traversais la Piazza !

– C'est que l'événement est encore à venir, mon père, murmura l'homme au masque.

Cette réponse confirma le prêtre dans l'idée qu'il écoutait un malheureux en plein délire. N'avait-il pas confessé la semaine précédente une dame qui s'accusait d'avoir commis le péché de chair avec l'archange saint Michel et l'archange Gabriel *ensemble*, entrés par la fenêtre de sa chambre à coucher sise au troisième étage ? Sans parler de toutes les fantaisies adultérines dont les adeptes se donnaient joyeusement rendez-vous entre ces murs sacrés pour l'accabler.

– Mon fils, il m'apparaît que vous perdez de vue le sens de la confession. Elle ne peut s'exercer que dans le cadre d'un repentir sincère.

– Je me repens, je me repens, je me repens ! répéta le masque avec des sanglots dans la voix, tandis que son poing frappait violemment sa poitrine recouverte de satin noir.

– Le repentir ne concerne que les fautes déjà commises, non celles que vous pourriez commettre dans l'avenir, précisa le père Santibusca.

Il y eut un silence. Le fou réfléchissait.

– Je tâcherai de repasser ce soir, dans ce cas. À quelle heure fermez-vous ?

Le petit confessionnal émit un craquement. Une paroissienne âgée, la tête enveloppée d'un châle sombre, venait de s'agenouiller de l'autre côté pour attendre son tour. L'homme masqué se pencha de côté et aperçut le pan d'une robe de deuil ainsi qu'une paire de souliers élimés.

– Holà, la vieille ! File de là ! Je n'ai pas l'intention de partager mes péchés avec toi !

Don Anzolo fut frappé de stupeur.

– Mais… mais… mais ! couina la dame, les mains crispées sur son missel.

Il y eut un froissement de soie. Le curé supposa que l'inconnu venait d'exhiber quelque chose d'effrayant, car la vieille femme s'enfuit hors de l'église aussi vite que ses jambes le lui permettaient. Il était donc armé. Le père Santibusca aurait voulu s'enfoncer dans la colonne qui s'élevait derrière lui. Il ferma les yeux et récita les premiers mots du Pater Noster.

– Pas encore l'absolution, mon père, l'interrompit le masque, revenu derrière sa grille. Il y a autre chose.

L'ahuri avait tout de même un péché déjà commis dont il désirait demander pardon à Dieu avant de s'en aller.

– Je viens de cambrioler quelqu'un, avoua-t-il. Un homme de foi.

Don Anzolo jeta un coup d'œil au volet. Il aperçut l'extrémité de la corne miraculeuse cerclée d'argent qui passait pour être celle du démon terrassé par saint Tarasius.

– Quoi ? s'écria-t-il. Voulez-vous bien me rendre ça tout de suite !

Le temps n'était plus à la prière ni à l'absolution. De son côté, le masque entama ce qui ressemblait à une prière en latin.

– *Nihil ex nihilo...*

– *Nihil* tout ce que vous voudrez ! clama Don Anzolo. Rendez-moi ma corne de san Tarasio, mauvais chrétien !

Il s'extirpa de son fauteuil-cage, prêt à mourir en martyr pour récupérer sa relique. Plus agile que lui, le voleur bondit sur ses pieds et s'élança vers la sortie. Lorsque le père Santibusca traversa à son tour le campo de San Samuele, l'immonde personnage qui avait eu le culot de lui demander l'absolution pour son propre cambriolage avait disparu. Il ne restait plus au prêtre qu'à rentrer constater les dégâts dans la sacristie.

Ce qui l'agaçait par-dessus tout, c'était ce secret de la confession auquel il était tenu. Il ne lui était pas possible d'alerter les autorités sans rompre son serment. Debout au bord de l'eau, il contempla un long moment les façades orgueilleuses des palais alentour.

Il sut alors à qui il devait s'adresser.

II

Depuis qu'elle était mariée, Leonora dormait moins longtemps et moins bien. Elle avait pris goût à des tâches triviales auxquelles elle n'aurait pas songé auparavant, peut-être parce que celles-ci lui permettaient de fuir le foyer conjugal. D'indicibles inquiétudes la chassaient de chez elle, ou plutôt de chez son mari, ou plutôt du palais Dandolo que celui-ci louait avec on ne savait quel argent – cette imprécision contenait d'ailleurs pour une bonne part les ferments de ses craintes.

Mue par une énergie qui avait quelque chose d'une course à l'abîme, elle se leva juste après le soleil, enfila la robe toute simple qui lui permettait de se déplacer incognito, noua en chignon ses longs cheveux, dont les boucles brunes rehaussaient si bien le vert de ses iris, et courut à la maison voisine, résolue à accompagner la bonne de ses parents dans ses commissions.

– Réveille-toi ! cria-t-elle en frappant à la porte de la chambrette qu'occupait Loreta sous les toits de Ca' Civran. Tu vas manquer la criée !

– Nous mangeons gras, aujourd'hui, répondit une voix ensommeillée. La maîtresse a demandé un *stufato di castrato*, une daube de mouton.

– C'est pourquoi tu vas lui faire l'agréable surprise de lui servir du poisson ! Allez ! Habille-toi ! Nul ne s'enrichit en dormant après matines !

La porte s'ouvrit sur une Loreta toute froissée, fripée, ensommeillée et peu convaincue de s'enrichir en se tuant à la tâche de matines à vêpres pour des patrons ingrats.

Leonora décida de la remettre sur pied, dût-elle la pousser dans le rio. Pour l'heure, une cruche d'eau et un grand bol de café noir suffirent à accomplir cette petite révolution.

Au moment de quitter la maison, Loreta traversa le *portego* qui s'ouvrait sur le Grand Canal. Leonora la laissa profiter quelques instants de l'air vivifiant venu de la lagune, puis l'entraîna vers la porte du jardin : elle avait envie de marcher.

– À pied ? s'offusqua la servante. C'est au moins à huit rues d'ici ! Vous devenez plus *popolana* que les *popolani* !

– Et toi, plus paresseuse que les huissiers du Palais ducal, Loreta.

Venise, au petit matin, avait quelque chose d'enthousiasmant, peut-être parce qu'on pouvait se dire, au moment d'affronter un nouveau jour : « Je suis à Venise. Rien de mauvais ne peut m'enlever ça. » Chaque façade éclairée par le soleil d'été, chaque rio ombragé, chaque campo où résonnaient les rires et les chansons était un encouragement à vivre, une invitation à profiter du moment présent, une promesse de plaisirs insoupçonnés. Cela tenait en partie au fait qu'il n'y avait rien d'ennuyeux autour de soi, chaque *calle* était une surprise, chaque maison offrait sa part de découverte, petite ou grande. Il y avait plus de beauté dans ce décor que l'esprit humain ne peut en contenir. Avait-on passé mille fois au même endroit, le changement de lumière, d'heure, de saison, d'atmosphère modifiait tout, et l'on croyait y être pour la première fois. Il n'y avait pas dans l'univers de meilleure manière de commencer la journée que de marcher dans Venise, et Leonora était, à cet instant, la femme la plus heureuse qu'il y eût sur terre.

Elles s'engagèrent sous les arcades en ogive de la Pescaria, ce marché couvert situé à deux pas du Rialto. On y faisait ses achats entre les colonnes, sur le sol dallé, où l'espace était découpé par de longues bandes de marbre blanc. Une multitude de paniers présentaient un vaste choix de sardines, d'anchois et de minuscules seiches à cuisiner dans leur encre.

Le petit matin était non seulement le meilleur moment pour profiter des arrivages, mais aussi pour jouir d'un spectacle unique : celui des fêtards de la nuit venus se divertir une dernière fois, avant d'aller dormir, en regardant les pêcheurs et cultivateurs levés avant l'aube disposer leurs produits sur leurs étals. Rien n'était aussi réconfortant pour les oisifs qui venaient de risquer leur fortune au jeu que de voir les travailleurs s'activer pour quelques lires.

C'était une réunion de joueurs, de jeunes gens cousus d'or, de femmes libres et de courtisanes. On y voyait davantage de robes de soie, de pourpoints brodés et de perruques poudrées que de paysans en sandales de corde. Curieuse rencontre de ceux qui se levaient tôt par nécessité et de ceux qui ne s'étaient pas couchés. Pour une fois, le peuple allait en barque et la noblesse à pied, parce qu'elle trouvait tout à coup plaisant de marcher, tandis que les maraîchers venaient de loin avec leurs légumes frais. Et ce choc avait lieu dans la bonne humeur de part et d'autre. Les pauvres convenaient de ce que les riches avaient des occupations de riches ; ceux-ci jugeaient les pauvres distrayants et les enviaient de n'avoir pas le temps de s'ennuyer. Les uns étaient emportés par le labeur, les autres par la course aux plaisirs. Les uns fuyaient la misère, les autres le vague à l'âme, et ces deux fuites les conduisaient au même endroit. Comment ne se seraient-ils pas compris ? Cela durait depuis des siècles.

Seuls les domestiques s'en plaignaient, contraints à quitter leur lit à l'aube pour nourrir ceux qui ronflaient encore entre des draps de lin blanc. Loreta en avait après un ivrogne particulièrement dépenaillé qui paradait entre les paniers de coquillages, une femme à chaque bras.

– Regardez-moi ces bons à rien ! D'un côté, la Venise courageuse et industrieuse, de l'autre ces parasites de bonne famille qui ne savent rien faire de leurs mains sinon tenir des cartes ! C'est répugnant. C'est honteux. C'est...

– C'est mon frère, dit Leonora.

Elle venait de reconnaître Zermanico, le cadet des dalla Frascada. Il fit l'emplette de quelques alevins marinés et s'éloigna avec ses amies vers un déjeuner coquin. Leonora en déduisit que la chance lui avait souri au *Ridotto*.

– Des *peschetti marinati*, voilà qui sera savoureux avec de la polenta, commenta la sœur du jouisseur.

Loreta avait envie d'un bon *risi e bisi* aux petits pois. Leonora jugeait ça lourd, peu raffiné, et on en mangeait à Ca' Civran tous les deux jours. Elle lui recommanda d'acheter plutôt des sardines à servir au vinaigre, avec des rondelles d'oignon, des pignons et des raisins secs.

Non loin de là, un groupe de cuisinières et de gourmets prenaient à partie les marchands de *biscato*, une anguille délicieuse une fois rôtie. Ils ne pouvaient pas croire que tout était déjà vendu : cela sentait le trafic et les passe-droits.

– Il n'y en a jamais eu ! se défendit le poissonnier. Nous n'avons pas été livrés !

Les éleveurs n'étaient pas allés relever leurs nasses depuis trois jours. Ils avaient mieux à faire : protester contre le gouvernement. Une poissonnière en profita pour faire sa réclame :

– Mangez de la morue ! La morue est arrivée !

Les amateurs d'anguille firent la grimace.

Le motif de mécontentement des pêcheurs était d'ailleurs le grand sujet de conversation de la Pescaria. On déplorait la disparition de plusieurs enfants dans les marais de la lagune.

Intriguée, Leonora laissa traîner son oreille ici et là, afin de glaner tous les détails. Les disparus étaient tous des garçons d'environ douze ans dont on avait retrouvé les barques vides qui dérivaient. Pendant qu'elle se demandait s'il ne serait pas judicieux d'aller visiter les îles en question, Loreta se rabattit sur quelques coquillages que la mauvaise humeur des pêcheurs n'avait pas sauvés du marché.

– Bien ! dit la servante. Il nous faudrait à présent de la chicorée rouge de Trévise.

Leonora l'envoya seule à l'Erbaria, le marché aux légumes attenant. Elle avait encore à faire parmi les produits de la mer.

– Tout sauf des petits pois ! lui recommanda-t-elle seulement.

– Il est bon, mon *biscato* ! clama une poissonnière.

Les mangeurs d'anguille se précipitèrent de ce côté dans le frou-frou des robes et le claquement des souliers sur le pavage.

C'était de la couleuvre, vendue par une femme myope ou peu regardante sur sa marchandise. En dépit d'une vague ressemblance, on n'en voulut pas.

– Elle est bonne, ma *bissa* ! rectifia la brave dame.

Leonora retourna auprès des vraies marchandes d'anguilles pour s'enquérir de ce que leur avaient dit les autorités.

– Elles font la guerre aux Turcs, les autorités ! se plaignit une femme qui décortiquait des crevettes. Quoi qu'on leur reproche, on nous répond : « Nous faisons la guerre aux Turcs ! » Mon mari a élevé la voix, ils lui ont rétorqué : « Ce sont sûrement les Turcs ! » Bientôt, ils nous diront que les Turcs provoquent les mauvaises récoltes et le renchérissement du bois de chauffage ! Dieu maudisse les Turcs !

– Dieu maudisse les magistrats incompétents ! reprit une marchande de coquillages. Mieux vaudrait qu'ils s'occupent moins des Turcs et davantage de nos problèmes ! Pour le résultat qu'ils en retirent !

L'un des badauds s'éloigna à grands pas. Leonora supposa que c'était l'un des nombreux espions appointés par le Conseil des Dix. Il devait être pressé de noter ces propos irrévérencieux pour les transmettre à ses supérieurs et toucher sa récompense. Les injures de la commerçante l'aideraient à remplir son cabas.

De retour avec son panier de légumes, Loreta trouva la jeune maîtresse en pleine enquête, passant d'un étal à l'autre, l'oreille aux aguets. Elle leva les yeux au ciel. Cet intérêt pour les intrigues en tout genre confinait à l'obsession.

– Voulez-vous que nous allions chez les bouchers, pour voir si les éleveurs de moutons ont perdu quelque gamin ?

Leonora était pensive. Loreta avait acheté des petits pois pour aller avec son *stufato di castrato*, le ragoût de mouton avait discrètement remplacé le poisson.

– C'est bien, bonne idée, répondit Leonora sans y prêter vraiment attention.

On cria au voleur. Un jeune homme s'était emparé d'un *stoccafisso*, de la morue séchée. Venise n'était pas une ville pour les chapardeurs, on y échappait difficilement aux poursuivants. Il y avait toujours un pont à grimper, un *rio* pour vous barrer la route et, pour peu qu'on eût la tête ailleurs, on se perdait dans le dédale des ruelles que les riverains, eux, connaissaient comme la poche de leur pourpoint.

Les gardes dalmates ramenèrent bientôt par le col de leur chemise trois jeunes garçons dépenaillés, un Frioulan, un Slave et un Bolonais, tous trois étrangers, donc suspects. On avait retrouvé le stockfish à l'entrée d'un *campiello*, une cour sans issue, où il n'y avait qu'eux. Restait à déterminer qui était le voleur. Les Dalmates se proposaient de les fourrer tous les trois dans une cellule humide pour ne pas risquer de se tromper.

— Un instant, dit Leonora.

Elle s'offrit à leur désigner le coupable, à condition qu'on le libérerait s'il payait le poisson. Bien que perplexes, les Dalmates finirent par accepter : cela en ferait deux de moins à incarcérer, et comment le vagabond paierait-il ce qu'il n'avait pas pu acheter ?

— Vous savez vraiment lequel c'est ? murmura Loreta.

Leonora fouillait déjà dans sa bourse.

— Entre nous, Loreta, je ne m'en soucie guère et je ne vais pas me fatiguer pour si peu.

Elle paya le poisson, le déposa dans le panier de la servante et déclara aux trois jeunes gens :

— Vous avez compris ? Il suffit que l'un d'entre vous se dénonce et vous pourrez tous partir.

Après un instant d'hésitation, tous trois levèrent la main en disant « c'est moi ! », et les Dalmates, médusés, les regardèrent s'enfuir dans les *calli*.

– Bien sûr, il aurait suffi de renifler leurs mains, admit Leonora, mais, franchement, je n'en avais aucune envie.

Elle s'éloigna à son tour pour ne pas subir les réflexions acerbes des Dalmates, qui avaient le sentiment d'avoir été joués.

– Bien ! dit Loreta tandis qu'elles cheminaient dans le *sestiere* de San Polo. Vous avez fait relâcher un voleur et ça vous a coûté dix lires !

– Mais il y a tout de même une bonne nouvelle, répondit Leonora en désignant le panier à provisions : nous mangerons du poisson !

Elle alla se laver les mains à la fontaine. L'odeur de sa bonne action allait la suivre un moment. Le regard noir de la servante aussi.

III

Leonora quitta Loreta devant Ca' Dandolo, ce bel édifice à deux étages dont la façade beige était percée de fenêtres en arc de cercle. Dans ce palais s'étaient passées sa nuit de noces et aussi, elle en avait le pressentiment, la meilleure période de son mariage. Elle y entra par la porte sur rue, à la manière des serviteurs. Depuis la mort brutale du propriétaire, les notaires avaient étiqueté tout le mobilier en attendant de liquider la succession. C'était ce logement bizarre que Lazaro Corner avait choisi pour abriter les débuts de leur vie commune. À présent que les premiers émois se dissipaient, Leonora trouvait à ce lieu un aspect bien mortifère pour un nid d'amour.

Certes, le palais était idéalement situé, dans la courbe du Grand Canal, à mi-chemin du Rialto et de la Salute. Hélas, les serviteurs qui s'y étaient pressés au soir de ses noces avaient déserté, faute d'émoluments. Dans cette vaste maison vide, il lui revenait de remplacer de ses mains nues l'intégralité du personnel. Au reste, Leonora était la seule à s'en préoccuper.

Elle déposa dans les cuisines les produits rapportés de la Pescaria et monta au second, où étaient les chambres à coucher. Son cher époux ne s'inquiétait pas plus des trivialités de la vie quotidienne que du soleil, déjà haut dans le ciel. Elle tira les rideaux qui masquaient la vue sur le canal. Il se fit un mouvement sous les draps brodés par d'habiles dentellières de Burano.

– Que fait mon ange si tôt levé ? demanda Lazaro Corner en s'étirant.

– Il espère que tu aimes les sardines au vinaigre.

Lazaro lui tendit les bras. C'était un homme brun et mince, d'une trentaine d'années, au visage barré d'une balafre, souvenir d'une des innombrables rixes qui avaient émaillé ses tribulations d'aventurier de bonne famille.

– Mon rêve incarné : une femme qui me nourrit ! Et dont les mains sentent le poisson, ajouta-t-il en repoussant la travailleuse. Que t'ont appris les *pescetti*, ce matin ?

– Que des enfants disparaissent sur la lagune.

– Bah ! Tes vilaines morues puantes les auront mangés. Juste retour des choses, puisque nous les mangerons à leur tour.

Leonora n'avait pas le cœur à plaisanter. Cette affaire d'enlèvements lui paraissait plus grave qu'il ne le croyait.

Lazaro Corner se leva, saisit ses chausses qui traînaient sur le tapis de feu le *nobiluomo ser* Dario Dandolo et demanda pourquoi, d'une voix distraite.

– Parce qu'il n'y avait pas d'anguilles, au marché, ce matin, répondit la jeune femme.

Il lui jeta un regard intrigué. Elle était pour lui un perpétuel sujet de curiosité, avec sa manie d'enquêter sur tout ce qui lui paraissait illogique – et ses motifs d'interrogation semblaient infinis. Lazaro jugeait ce passe-temps touchant, tant qu'il n'empiétait pas sur ses propres activités, elles-mêmes pleines d'illogisme, et même adorable quand il empiétait sur les entreprises de son beau-père, Cesare dalla Frascada, le patricien le plus corrompu de Venise. Il trouvait bon qu'une femme s'occupe à quelque chose. Mme Corner mère préférait le tricot, mais, après tout, à chacun ses goûts, il fallait marcher avec son temps. Il n'était pas impossible, d'ailleurs, que la chère enfant glane ici ou là des renseignements d'un certain intérêt, susceptibles d'être négociés par lui auprès de gens fortunés, à moins que ce ne soit auprès des institutions financières du Palais ducal. Le pauvre homme avait en permanence de gros frais, soit pour éponger ses pertes au jeu, soit pour répandre ses largesses ici et là, quand il ne fuyait pas ses créanciers.

Une chaîne en or apparut entre ses doigts. Presque chacun des quinze jours écoulés dans cette demeure, il avait eu un petit cadeau pour sa femme. Hélas, Leonora avait passé l'époque où elle pouvait s'émerveiller en toute candeur de cette générosité, et atteint celle où elle devait s'inquiéter de telles dépenses. En deux petites semaines, ce mariage en était rendu au point où l'on arrive habituellement au bout de plusieurs années.

– C'est trop ! dit-elle en s'admirant dans le miroir qu'il lui tendait. Je me demande avec quel argent tu me gâtes.

Mieux valait ne pas trop examiner ce point ; elle aurait risqué d'apprendre que c'était avec le sien. Son côté rabat-joie horripilait d'ailleurs Lazaro. Il y avait dans ce sérieux et dans ce souci du lendemain quelque chose de contraire à l'esprit vénitien. À Venise, bagues et chaînes d'or circulaient aussi vite que les anguilles. On confiait ses bijoux aux prêteurs du Ghetto, on les plaçait chez les orfèvres du Rialto, on les misait sur les tables de pharaon des maisons où se tenaient les jeux de hasard. Aux chanceux d'aller en faire l'achat au sortir du Ridotto, et la grande roue du plaisir et des déboires continuait à tourner.

La jeune mariée se décida à aborder le principal sujet de ses inquiétudes.

– De quoi vis-tu ? Tu ne peux pas continuer à ne rien faire.

Lazaro répondit qu'il était très actif, au contraire. Il comptait se faire élire à une charge publique. Comme son beau-père, ce bon *ser* Cesare, un exemple pour tout Venise !

Leonora sentit poindre ses maux de tête. Sa famille comptait déjà un magistrat véreux, elle ne voyait rien de réjouissant dans la perspective d'en subir bientôt un deuxième.

Le plan de Lazaro Corner était simple. Toutes les bonnes places étaient électives. Pour se faire élire, toucher un bon traitement et profiter de prévarications juteuses, il suffisait d'acheter des voix ; il fallait donc de l'argent. Leur source de revenu la plus sûre, c'était les loyers de Ca' Loredan, propriété de Leonora, à condition d'écarter *ser* Cesare, qui prétendait continuer à les percevoir à leur place.

Leonora l'avait épousé pour l'empêcher de voler les autres ; c'était réussi, il était trop occupé à la voler elle-même. La rouerie de son mari lui donna une envie urgente d'aller respirer à l'air libre.

Alors qu'elle traversait le campo San Stin, elle fut abordée par un homme qui dissimulait son visage derrière le col de sa cape, qu'il tenait pressé contre son menton.

– Un instant, je vous prie ! J'ai quelque chose de très important à vous dire ! Je ne peux pas vous révéler mon identité !

– Cela ne fait rien, mon père, répondit Leonora. Souhaitez-vous que je vienne vous voir à San Samuele ?

Le col de la cape s'abaissa pour révéler les traits ébahis d'Anzolo Santibusca.

– Comment avez-vous su ?

– Mon père, si le Seigneur avait voulu que vous gardiez l'anonymat, il ne vous aurait pas laissé sortir avec ces souliers noirs à bout carré : il n'y a plus que les prêtres pour porter ça. Quant au joli chapelet en ivoire que vous serrez dans votre poing, j'ai vu le même en chaire la semaine dernière. Très beau sermon sur la duplicité de nos contemporains, d'ailleurs. J'aurais quelques idées à échanger avec vous sur ce sujet.

San Samuele était une paroisse facile à rejoindre en gondole depuis Ca' Civran sans qu'on eût à marcher plus de vingt pas. Donna Soranza aimait s'y rendre pour suivre la messe, bien que le curé de leur paroisse lui eût annoncé sans équivoque qu'il ne souhaitait plus entendre en confession quiconque du nom de dalla Frascada.

– Les anges m'ont inspiré ! se réjouit le prêtre. Vous êtes bien la personne qu'il me faut !

Il prit le temps de remercier le Ciel tout-puissant. Leonora lui demanda en quoi elle pouvait lui être utile.

– Je ne puis le dire ! C'est pourquoi je suis venu vous trouver, vous.

Elle le contempla avec commisération. Honte à l'Église, qui usait ses curés jusqu'aux limites de leur santé mentale. Celui-ci avait grand besoin de se retirer dans quelque monastère de campagne dont, peut-être, la tranquillité lui rendrait une partie de son bon sens perdu. Elle s'inclina poliment pour prendre congé.

– Dans ce cas, nous nous verrons à confesse, mon père, dit-elle avant de s'éloigner.

Don Anzolo lui emboîta le pas avec enthousiasme.

– À confesse ! C'est cela ! Les séraphins vous guident sur le chemin de la vérité, mon enfant ! Je savais que votre réputation n'était pas usurpée !

Elle le dévisagea. Elle commençait à comprendre.

– Vous désirez me faire part d'un secret entendu en confession, c'est cela ? demanda-t-elle à voix basse.

Le révérend père jeta un coup d'œil autour d'eux. Le campo San Stin était trop passant, il l'entraîna sur la petite place toute proche où s'élevait la très jolie façade de la Scuola Grande di San Giovanni Evangelista.

– Je n'ai rien dit ! Je ne peux rien dire ! chuchota-t-il quand ils furent seuls sous la dentelle de marbre.

La difficulté de l'exercice consistait donc à en apprendre le plus possible sans qu'il eût rien à dire. Leonora plissa les yeux. Il allait falloir poser les questions judicieuses.

– Saint Pantalon puisse-t-il vous inspirer, ma chère fille !

Restait à espérer que Pantalon fût le saint patron des devinettes. Elle se lança.

– Vous avez reçu… un homme.

Le père Santibusca rosit.

– Je n'ai rien dit ! C'est saint Jean l'Évangéliste qui vous souffle la vérité !

Elle était donc sur la bonne voie. Quel genre de confession pouvait susciter chez un curé l'impérieuse nécessité d'alerter quelqu'un comme elle ?

– L'un de vos paroissiens vous aurait-il confié un fait important ? Un meurtre ?

– C'est vous qui l'avez dit ! chuchota le prêtre.

Ce n'était plus de la crainte qu'elle lisait dans ses yeux, c'était de l'effroi.

– Il s'agit d'un homme dangereux…

– Parfaitement ! Il a des manières démoniaques ! laissa échapper Don Anzolo.

– N'ayez crainte, mon père : le démon, ça me connaît.

Mieux aurait valu éviter ce genre de considération. Les séraphins commençaient à faire preuve d'une acuité suspecte. Avec son intuition, elle l'effrayait presque autant que l'inconnu au masque.

La Frascadina chercha à déterminer qui l'on avait tué et en quel lieu.

– N'insistez pas, je ne dirai rien ! affirma le confesseur.

Alors qu'il prononçait ces mots, ses yeux suivirent le trajet d'un garçon d'épicerie qui traversait la *calle*, un énorme panier de légumes dans les bras.

– Un marché ? dit Leonora. Le meurtre a pour cadre un marché ?

Le curé dodelina du chef. Il leva les yeux au ciel. L'aigle emblématique de l'Évangéliste trônait dans le grand médaillon de marbre au-dessus de leurs têtes.

Le marché. Saint Jean. Il y avait à Castello une église « Saint-Jean-du-Marché ».

– San Giovanni in Bragora ! s'écria la jeune femme.

Don Anzolo fut médusé. Cette intelligence avait un côté inhumain, et rien ne prouvait que cette inhumanité fût d'essence divine. Il regrettait sa témérité.

– Je ne peux rien dire ! Je ne dirai rien ! Je n'ai rien dit !

Il s'éloigna d'elle avec autant de hâte que s'il avait été en présence de l'assassin.

Pour identifier un être aussi dangereux qu'immatériel, la Frascadina allait avoir besoin de renfort. Elle songea à son courtisan vénitien, cette sorte d'intercesseur propre à Venise, au courant de tout, capable de rendre les services les plus inattendus en échange de monnaie de bon poids. Le métier l'insupportait, l'homme l'agaçait, mais sa connaissance de la cité lui était indispensable, il était sa boussole.

« Voyons, quelle heure est-il ? » se demanda-t-elle. Elle consulta la montre qu'elle gardait au fond de son sac. En ce milieu de matinée, il avait dû quitter le lieu de plaisir où il avait passé la nuit, mais n'avait pas encore eu le temps de s'en remettre. L'endroit où elle avait le plus de chance de le trouver, c'était dans son lit.

La bonne des dell'Oio la fit entrer dans un salon fané où la maîtresse de maison l'accueillit comme la manne dans le désert.

– Ah ! *Sioreta* dalla Frascada ! Quel bonheur ! Vous venez épouser mon fils ?

– Je me suiciderai un autre jour, répondit Leonora. Auriez-vous l'obligeance de le faire lever, je vous prie ?

– Mais mon Flaminio est debout, habillé et poudré depuis longtemps ! répondit siora dell'Oio, avant d'ordonner discrètement à sa bonne de jeter le paresseux hors du lit de toute urgence.

Quand la servante eut disparu dans le couloir, siora dell'Oio se pencha pour voir s'il y avait quelqu'un derrière la visiteuse. Il n'était pas d'usage, pour une dame de la bonne société, de sortir sans chaperon ni sigisbée.

– Vous n'êtes pas accompagnée, *madamoxeta* ?

– C'est bien pourquoi je suis venue chercher votre fils, chère madame. Pourquoi serais-je ici ?

Pas pour l'épouser, de toute évidence. Siora dell'Oio la pria de s'asseoir et poussa un soupir à l'idée de ses rêves de mariage sans cesse contrariés. Leonora l'aurait bien avertie de son union récente avec Lazaro Corner, mais ce n'était pas une alliance dont on pouvait se vanter dans un salon. L'arrivée d'un service à chocolat, dont deux tasses avaient été remplies d'un lait aux épices de la meilleure qualité, la confirma dans cette résolution : il y avait fort à parier qu'on ne la recevrait plus si bien quand on saurait que la poule avait pondu ses œufs dans un autre nid.

Flaminio fit une apparition digne d'un pantin de théâtre, un pan de sa chemise dépassant de son haut-de-chausses et les cheveux à demi coiffés. Tandis que la servante lui présentait à lui aussi une tasse de l'excellent breuvage crémeux, Leonora exposa ce qu'elle attendait de lui : elle désirait se faire conduire sur le lieu d'un meurtre.

– Encore un meurtre ! s'offusqua siora dell'Oio. Est-ce bien convenable pour une jeune femme à marier ?

Leonora rétorqua qu'il valait mieux arrêter un assassin que respecter les convenances, un argument auquel sa belle-mère putative n'était pas sensible.

– Dans ce cas, pourquoi n'y avez-vous pas couru tout droit ? demanda-t-elle, fort tentée d'ajouter : « sans passer par chez nous ».

Leonora déclara qu'elle ne souhaitait pas se montrer sur une place publique sans un homme à son bras. Très en veine de raisonnement quand la logique servait ses intérêts, siora dell'Oio fit remarquer que, s'ils devaient être vus partout ensemble, ils feraient aussi bien de convoler en justes noces. Flaminio ouvrit la bouche, Leonora devina qu'il allait éventer la fâcheuse nouvelle où figurait le nom de Lazaro Corner et gâcher ses chances de profiter à nouveau du lait aux épices qu'on préparait ici.

– Chère siora dell'Oio, vous savez bien que le seul homme qu'une femme ne peut avoir à son bras, c'est son mari, répondit-elle avec finesse.

Ces messieurs étaient censés avoir mieux à faire que de promener leurs épouses, c'était la raison d'être des sigisbées. Cette tradition vénitienne était aussi ancienne et inébranlable que le palais des doges, il n'y avait rien à répliquer. Siora dell'Oio noya sa déception dans une gorgée de son chocolat hors de prix.

Flaminio pria sa patronne de lui indiquer quelle partie de Venise avait été le théâtre d'un meurtre, cet exercice dont la mode tendait à se répandre depuis qu'elle s'était installée en ville.

Il s'agissait du campo de San Giovanni in Bragora.

– Dans ce cas, nous allons assister à une course de taureaux ! annonça-t-il avec entrain.

Il connaissait, lui, l'agenda complet des festivités publiques dont la profusion émaillait la vie vénitienne. Dans la Rome antique, on promettait au peuple du pain et des jeux. À Venise, c'était des fritures et des régates, du vin de malvoisie et des combats de rue, des nouilles en sauce et des bals publics. Ce jour-là, ce serait chocolat et courses de taureaux.

– Mon chapeau ! cria-t-il à la servante. Ma cape !

– Ajoutez-y un coup de peigne et une paire de bas, suggéra Leonora, qui avait beaucoup de mal à ne pas regarder les deux mollets poilus qui allaient et venaient sous ses chastes yeux.

IV

Alors qu'ils se hâtaient en direction de San Giovanni in Bragora, Leonora s'étonna qu'on fît courir des taureaux dans une cité lacustre où il n'existait pas le moindre bout de pré où les faire paître.

– Et alors ? répondit Flaminio. Nous n'avons pas non plus d'eau douce, ni de bois, ni de pierres, ça ne nous a pas empêchés de bâtir cette ville, ni même d'y habiter !

Elle admit qu'il y avait une logique en toute chose, même dans l'illogisme. Cette incohérence atteignit indéniablement son comble quand, au détour d'une *calle*, ils se trouvèrent nez à nez avec un bovidé qui n'avait pas l'air aussi paisible qu'on aurait pu le souhaiter.

– Je crois que nous approchons, dit Leonora, en faisant un pas de côté qui la plaça juste derrière son employé.

Si c'était la première rencontre de la jeune femme avec un taureau en liberté dans les rues de Venise, Flaminio semblait avoir une plus grande pratique de ce genre d'incident, à moins qu'il n'eût l'habitude des tête-à-tête improbables. Il arracha une poignée de jolies fleurs qui poussaient dans un pot, sur le rebord d'une fenêtre, et tâcha de se concilier l'animal en les lui donnant à brouter. Cette finesse de bon aloi lui attira la colère de la propriétaire des plantes, dont les sautes d'humeur n'avaient rien à envier à celles du taureau.

Alors qu'ils fuyaient sous une bordée d'injures, dell'Oio expliqua qu'on lâchait ces bêtes en ville, tout au long de l'année, par jeu. Il s'étonna qu'elle ne s'en fût pas encore aperçue.

– Je n'ai pas eu cette chance. Soyez sûr que j'y penserai désormais chaque fois que j'irai quelque part.

Ce n'était pas d'un courtisan vénitien qu'elle avait besoin, mais plutôt d'un *bravo*, un garde du corps musclé, haut de six pieds et fort comme un bœuf. Elle comprit mieux pourquoi les habitants se déplaçaient en gondole et décida que son sac contiendrait désormais une poignée de foin pour amadouer les bovins de rencontre.

Ils croisèrent une bande de jeunes gens accompagnés de chiens, qui avaient ôté leurs capes noires de patriciens et couraient en chemise, l'œil en alerte, des cordes dans les mains.

– Auriez-vous vu un gros bœuf, messieurs-dames ?

– En tout cas, j'ai vu une bande de veaux, répondit Leonora.

Les jeunes nobles aimaient à poursuivre des bêtes à cornes sur lesquelles ils lâchaient leurs chiens.

– Oh, le charmant divertissement, dit Leonora. Dire qu'on accuse parfois cette République d'être vouée à la décadence.

– N'est-ce pas ? dit Flaminio en suivant des yeux la course des jeunes gens aux torses athlétiques. Nos traditions sont encore bien vivaces.

La Frascadina poussa un soupir, lui prit le bras et repartit d'un bon pas en direction du lieu d'où venaient les jouteurs sans cervelle.

L'église San Giovanni in Bragora occupait l'angle d'une belle place ancienne, gothique, sans prétention, tout en grâce discrète, comme les aimait Leonora. Le principal attrait du campo, c'est qu'on n'y voyait absolument rien qui appartînt à ce siècle. On était loin des lourdes façades blanches du Grand Canal, peut-être uniques au monde, mais aussi très peu naturelles, avec leur pierre d'Istrie posée sur l'eau. Ce que les *palazzi* avaient de plus vénitien, c'était cet orgueil incommensurable dont ils étaient l'expression monumentale. Le campo de San Giovanni in Bragora, lui, était vénitien avec humilité, comme l'indiquait son nom : Saint-Jean-du-Marché. L'église exposait aux regards des passants une harmonieuse façade à trois arches, tout en brique, sans autres fioritures que les chambranles de marbre autour des portes. Le reste du campo était constitué de grosses bâtisses aux fenêtres ogivales, dont les crépis plus ou moins abîmés étaient de diverses teintes pastel. Et, au milieu, un puits, bien sûr, comme si l'on avait été dans la cour d'une maison. C'était le lieu riant parfait pour une fête, et, justement, on était en train d'en donner une. Le critère qui avait présidé à ce choix était évident : le campo était de forme presque carrée, sans beaucoup d'ouvertures. On avait élevé ici et là des gradins qui étaient pour l'heure remplis de spectateurs. Les habitants se pressaient aux fenêtres et sur les balcons, l'éventail à la main.

On pouvait voir, au premier rang des bancs destinés aux spectateurs, les punis du mois d'août : les magistrats qui n'avaient pas encore été autorisés à partir en villégiature ou ceux qui avaient dû en revenir pour assurer la continuité du gouvernement. Ils accomplissaient leurs corvées d'une figure maussade, en attendant de rejoindre femmes et enfants sur les rives canalisées de la Brenta. D'ici là, une course de taureaux représentait un prix de consolation auquel nul d'entre eux ne pouvait résister.

Il y avait là un groupe de petits-sages en veste violette à manches étroites, trop jeunes pour jouir du privilège des autres sages, des conseillers et des procurateurs, vêtus d'un léger camelot de même teinte qui convenait mieux aux chaleurs de l'été. Le reste du banc était occupé par les robes rouges ou noires des provéditeurs à l'Arsenal, des *Proveditori alle Pompe*, des *Proveditori alla Sanità*, plus deux ou trois membres des sages-grands, les principaux ministres de la Sérénissime. À côté d'eux, Leonora aperçut le conseiller ducal dalla Frascada, son père.

Elle chercha le responsable du quartier, fort occupé à gérer les festivités.

— Je viens pour le meurtre, annonça-t-elle.

— Asseyez-vous là, répondit le *capo*, qui avait assez à faire avec l'organisation de la course pour ne pas se charger, en plus, des folles en plein délire.

Bortolo Bon, l'un des secrétaires de son père, vint prévenir Leonora que le conseiller l'invitait à le rejoindre.

– Tu t'intéresses enfin à la vraie vie vénitienne, c'est bien, la félicita ser Cesare tandis qu'elle prenait place à côté de lui.

Ces courses de taureaux étaient l'un des plaisirs les plus prisés, elles se succédaient à un rythme trépidant, parfois dans la même journée, à l'époque du carnaval. Il arrivait aux sénateurs de suspendre une séance pour aller voir lâcher sur une place, tout au long de la journée, une centaine de taureaux et le double de chiens. Il arrivait même à certaines femmes d'y prendre part.

– Il faudra me les présenter, dit Leonora.

L'arrivée des taureaux sous les hourras coupa court à son ironie. Deux hommes retenaient chaque bête par les cornes à l'aide de deux longues cordes. Tout cela resta plutôt bon enfant jusqu'à ce que, pour corser le spectacle, on lâchât une troupe de chiens qui s'attaquèrent aux oreilles et à la gorge des pauvres animaux.

– Quelle horreur !

– Rassure-toi, dit Cesare dalla Frascada, les petites bêtes ne risquent rien.

On prenait soin de décrocher les chiens des taureaux avant qu'ils ne s'étouffent à force de tenir leur prise.

– J'ai ouï parler d'un spectacle, en Espagne, que l'on nomme *corrida*, dit Leonora. Il me paraît empreint d'une grande distinction.

On n'avait pas encore atteint le point culminant du divertissement.

Comme cela arrivait souvent, l'un des taureaux se débattit si violemment pour échapper aux morsures des chiens que les hommes lâchèrent les cordes. Affolé, l'animal renversa les barrières et bondit entre les gradins, tandis que les spectateurs fuyaient en se piétinant les uns les autres. C'était la fête.

Dans la bousculade générale, Flaminio fut jeté dans les bras musclés des gardiens de taureaux, puis poussé vers ceux, moins puissants, de Leonora.

– Qu'est-ce qu'on s'amuse ! s'écria-t-il.

Sa patronne avait grand mal à rester sur ses pieds et à préserver sa robe.

– Et si quelqu'un se fait piétiner à mort, l'amusement sera complet, répondit-elle.

Alors que le monstre musculeux, rendu fou de terreur par les aboiements et par les clameurs, s'empêtrait dans les bancs, elle vit, l'espace d'un instant, une paire de bras pousser l'un des petits-sages, qui tomba à la renverse sous le mufle du taureau. Dans sa toge éclatante, il faisait une cible magnifique. Quelques *popolani* se précipitèrent pour s'interposer. À l'issue d'une mêlée confuse, le ruminant furieux s'échappa en direction du Rialto, poursuivi par les joueurs.

Le calme revenu, les spectateurs s'assirent dans les décombres de l'installation pour masser leurs membres endoloris. Seul un homme du peuple restait étendu sur le pavage.

– Allons ! Lève-toi, paresseux ! lui cria l'un de ses compagnons.

Il ne broncha pas, ne répondit rien. Le premier qui se pencha sur lui vit une tache rouge qui s'élargissait sur son gilet violet. Il était mort.

Leonora chercha des yeux le petit-sage qui avait trébuché sous les naseaux de la bête.

– A-t-on vu qui l'a poussé ? demanda-t-elle au *capo* de la paroisse.

– Personne n'a rien vu, *madamoxeta*. Mais peu importe : il n'y avait autour de lui que des sénateurs. Aucun d'eux ne se permettrait pareil geste, et même s'il se le permettait...

« Nul n'oserait l'en accuser », compléta intérieurement Leonora en considérant le groupe des toges rouges, noires et violettes.

On enlevait déjà le corps du malheureux quand *ser* Cesare parvint à s'extraire des gradins pour rejoindre sa fille.

– Tu vas bien ? Alors tout va bien.

Il ordonna qu'on lui réserve un bon morceau du bovidé quand on l'aurait rattrapé. Un steak de tau-reau assassin, c'était un plat qu'il voulait goûter.

– C'est une abomination ! commenta la jeune femme alors que le cadavre était déposé sur un banc.

– Non, corrigea son père, c'est un incident. Cela aurait été une abomination si l'Excellentissime Pol Sagredo de Santa Ternita avait été encorné. Grâce à Dieu, il n'en est rien. Le Seigneur veille à protéger ce qui importe, ma fille ! conclut-il, un peu désarçonné de voir de telles évidences échapper à une demoiselle pourtant intelligente.

De l'avis de celle-ci, si le Seigneur avait veillé à l'équité, il aurait frappé parmi ces patriciens vaniteux et dévoyés qui faisaient la morale aux pauvres gens le matin et dépensaient une fortune avec les courtisanes le soir. Mais le Bon Dieu ne s'occupait pas de morale publique, ou, du moins, à Venise il abandonnait cette tâche à la libre appréciation des institutions locales.

Un des confrères de son père vint à leur rencontre, la mine réjouie.

– Une course animée, aujourd'hui, n'est-ce pas ? lança-t-il au patricien.

Leonora songea qu'il y avait là plusieurs magistrats : c'était l'occasion de les mettre en garde contre les attentats – un exercice délicat, puisqu'elle ne devait en aucun cas mêler le curé de San Samuele à tout ça.

Auquel d'entre eux s'adresser ? Flaminio lui recommanda l'un des sages-grands, Son Excellence Vettor Manolesso, homme particulièrement affable, tolérant et attentif au bien public. Leonora l'aborda sur-le-champ. Le haut magistrat était en train de commenter la course et l'« agréable bousculade » qui l'avait conclue.

– Cela ne vous gêne pas, qu'un taureau ait piétiné l'un de vos administrés ? demanda-t-elle.

– Voulez-vous qu'on arrête le taureau ? proposa Vettor Manolesso, ce qui provoqua l'hilarité de ses collègues.

– Le taureau, peut-être pas, mais celui qui a fait de lui l'arme d'un crime.

Le sage-grand considéra l'insolente qui lui tenait ce langage.

– Écoutez, jeune fille. Les courses de taureaux amusent le peuple et leur viande est délicieuse après qu'ils ont pris le frais sur la lagune. Ne gâchez pas la fête avec vos pensées morbides.

Et il lui tourna le dos. Choquée, Leonora surprit du coin de l'œil son courtisan vénitien qui se gondolait à ses dépens. Elle s'était fait avoir. Son Excellence Manolesso n'était pas le patricien sensible aux malheurs du peuple dont elle avait besoin. Un tel homme existait-il seulement ?

Les spectateurs se ruèrent dans les malvoisies alentour avec plus d'empressement qu'ils n'en avaient mis à fuir l'attaque taurine. Ces émotions leur avaient donné soif.

– C'est ça ! dit Leonora. Après nous être bien amusés, nous allons bien boire ! N'oubliez pas de trinquer à la santé du mort !

Les gardes dalmates étaient allés chercher Nathanaël de Pomis, médecin préposé aux expertises légales, qui vivait dans le ghetto de Cannaregio. Leonora regarda cet homme replet, aux joues ornées d'une superbe barbe de patriarche biblique, ôter le gilet mauve et la chemise du défunt pour examiner la plaie. La blessure, selon toute apparence, avait été causée par la corne du taureau. Les joyeux drilles ramenaient justement le coupable au bout de leurs cordes. La jeune femme nota immédiatement un détail qui n'allait pas.

– C'est un meurtre, déclara-t-elle devant le médecin.

Nathanaël de Pomis haussa ses gros sourcils blancs.

– Je ne pense pas qu'un taureau puisse être véritablement considéré comme un meurtrier, *madamoxeta*.

La jeune femme désigna les cornes. Aucune n'était sanglante. Comme il était peu probable que l'animal ait couru se nettoyer dans un rio, il fallait bien admettre que la victime avait été embrochée par quelque chose d'autre. On chercha un moment l'objet fatal sur le campo, entre les bancs, sous les sièges, sans rien trouver. C'était à croire que, dans la cohue, quelqu'un avait frappé le pauvre homme avec une corne qu'il portait sur lui.

Leonora dut interrompre ses recherches plus tôt qu'elle ne l'aurait voulu. Les amis de la nature sauvage n'avaient pas été calmés par l'accident. Déjà on préparait le campo pour le jeu suivant, un combat d'ours. *Ser* Cesare lui vanta fort ce plaisir de bon goût.

– Il arrive que l'ours monte sur les gradins pour échapper aux chiens. Qu'est-ce qu'on rit !

– Vous rirez sans moi, dit la jeune femme.

Les pires bêtes fauves n'étaient pas dans l'arène.

– Allons ! dit dell'Oio, dont la bonne humeur n'avait pas été entamée. Souvenez-vous que vous vivez dans la plus belle ville du monde !

Leonora, qui n'avait jamais quitté Vicence de toute son enfance, manquait de points de comparaison.

– En avez-vous visité beaucoup ? demanda-t-elle, curieuse de savoir si cette opinion si tranchée était étayée par l'expérience.

– En réalité, non, admit le courtisan vénitien. Mais c'est ce que disent les étrangers qui viennent ici… pour la plupart… je crois…

Leonora se demanda si l'on ne pourrait pas trouver ailleurs de belles villes où, en plus, la population se montrerait altruiste, l'administration honnête et les gouvernants compatissants.

Lorsque les petits-sages passèrent près d'elle pour regagner leurs sièges, elle vit qu'ils étaient en train de se disputer.

– Tu as failli me faire tuer ! lança Pol Sagredo de Santa Ternita à l'un de ses compagnons de travail. C'est de ta faute, tout ça ! Voilà ce qu'on gagne à fréquenter des irresponsables ! Jamais tu n'aurais dû accéder à ces fonctions ! Te rends-tu compte à quel point j'ai eu peur ?

Leonora s'approcha et lui glissa tout bas :

– Vous aurez moins peur à l'avenir si vous me dites qui a voulu vous tuer.

Le petit-sage la dévisagea un instant avec surprise, puis il pressa le pas pour rejoindre les autres, sans rien répondre. Quel que fût son secret, il n'était pas effrayé au point de le partager avec elle.

Elle vit son père sortir d'un malvoisie pour reprendre place sur les gradins en compagnie des autres hauts magistrats. *Ser* Cesare s'était montré calme et détendu. C'était la première fois qu'il s'abstenait de lui faire des reproches depuis qu'elle avait

épousé Lazaro Corner. Elle supposa qu'il commençait à s'habituer à ce mariage.

Elle se fourvoyait tout autant qu'un taureau
convaincu de rejoindre la Terre ferme quand il était
lâché à travers les rues de Venise.

V

Leonora alla déjeuner à Ca' Civran dans l'espoir que son père aurait appris quelque détail intéressant sur le meurtre de San Giovanni in Bragora. Le conseiller ducal arriva peu après elle, alléché par les promesses de *stufato di castrato*. Les efforts du taureau lui avaient donné envie de viande, une daube de mouton était propre à satisfaire son appétit.

Ce fut un déjeuner en famille à la vénitienne, avec le demi-frère Zermanico, tout juste levé, la belle-mère poudrée, ensevelie sous les dentelles, et les trois employés du patron, Bon, Tron et Zen, invités à la table des maîtres.

En remplacement du *stufato*, la cuisinière avait préparé le stockfish et les petits pois achetés au Rialto. La maîtresse de maison avait du mal à croire qu'on n'avait pas trouvé de mouton en cette saison. À son avis, cette ville était sur le point de sombrer dans les flots qui léchaient ses briques depuis un millier d'années. Et, en vérité, certaines personnes avaient pris de l'avance sur l'effondrement général. Assise en face d'elle, Leonora était en train d'écarter ses petits pois de la pointe de son couteau. Donna Soranza leva les yeux au ciel. Cette enfant n'avait plus sa tête.

– Ma pauvre petite, dit-elle en lui prenant le couvert des mains, tu t'es fourvoyée en épousant un homme malhonnête.

Un silence embarrassé s'abattit sur toute la tablée. Leonora se retint de répondre « Tout comme vous », alors que donna Soranza se rendait compte de sa maladresse. Elle n'avait rien fait d'autre elle-même en épousant Cesare dalla Frascada. Du moins avait-elle l'excuse de s'en être aperçue *après coup*, à l'issue d'une cérémonie arrangée par ses parents, sans avoir pris aucune part à ce choix déplorable.

– Change au moins de sigisbée, recommanda-t-elle à la jeune femme. Dans un an, ton mari te regardera comme une sœur, une amie, une gouvernante, voire même une sorte de parente pauvre avec qui il sera forcé de cohabiter. Et ton petit dell'Oio, là, ne ferait pas de mal à une mouche en jupon.

Pour l'heure, Leonora se contenta d'étouffer ses désillusions sous le risotto au radis rouge qui suivit le poisson. Pour la digestion, elle se promit d'aller dénicher un peu de bonté et de sympathie dans les petits troquets de San Polo.

Pour changer de sujet, *ser* Cesare se lança dans une anecdote qui l'amusait beaucoup. C'était l'histoire du jour, celle qu'on se racontait au Palais, ce matin-là. Le Haut Tribunal avait reçu la plainte la plus drôle de la quinzaine.

– Ça s'est passé dans le *magasin* de Santa Croce – vous savez, ces auberges de bas niveau qui ont si mauvaise réputation et où je ne suis jamais allé. J'ai ouï dire que certains aiment à s'y encanailler avec la plèbe. On y boit du vin de qualité médiocre, dans des cabinets particuliers, en compagnie de petites femmes – quelle honte ! s'exclama-t-il, au cas où quiconque aurait eu l'esprit assez mal tourné pour croire qu'il approuvait de tels usages. Hier soir, un tisserand du nom de Caldiera avait loué l'un de ces réduits, où il fêtait une bonne affaire en compagnie de sa légitime et de deux confrères. Voilà-t-il pas que huit hommes masqués surgissent et mettent les messieurs en arrestation au nom de notre Conseil des Dix ! Comme une dame ne saurait être abandonnée en pareil lieu, ils annoncent à la Caldiera qu'elle va être reconduite chez elle. Ces « policiers » poussent l'obligeance jusqu'à régler la note des consommateurs interpellés. Les prévenus sont jetés dans une barque, qui les dépose, non au Palais, mais sur l'île de Saint-Georges-Majeur ! Soulagés d'avoir échappé à la prison, ces imbéciles sont restés coincés sur le parvis de l'église. Ils ont dû attendre le matin pour héler une gondole. À son retour chez lui, le mari a trouvé sa femme endormie dans leur lit.

– Je ne vois pas où est le motif de plainte, dit donna Soranza tout en faisant signe qu'on pouvait servir le minestrone.

– Le problème, c'est que pendant que ces messieurs faisaient le pied de grue à San Giorgio, la belle Antila Caldiera avait été conduite dans un hôtel borgne du Rialto. Ses kidnappeurs, qu'elle a décrits comme des jeunes gens bien faits, l'ont poussée à boire et se sont livrés sur elle à des actes tout à fait réprouvés par la morale, avant de la raccompagner chez elle.

– Quelle honte ! s'indigna donna Soranza. J'espère qu'il n'y avait pas de noble parmi eux !

– Tout le monde est convaincu du contraire ! dit *ser* Cesare. Il n'y a que nos jeunes gens pour braver les bonnes mœurs avec un tel aplomb !

Cela faisait du barouf dans les corridors du Palais. Le mari et ses collègues étaient des *cittadini originari*, des bourgeois vénitiens de vieille souche enregistrés au Livre d'Argent, ils avaient des droits à faire valoir. *Sior* Caldiera avait traîné sa femme chez les *Signori di Notte* pour qu'elle porte plainte, et cette plainte était montée jusqu'au sommet de l'échelle administrative.

– La plainte ne concerne pas l'enlèvement ou quelque autre méfait qui aurait suivi, précisa *ser* Cesare avec un clin d'œil du plus mauvais goût. Elle porte, je cite, sur « la peur que siora Caldiera a eue pour son mari ». Selon la version officielle, ces méchants plaisantins n'ont fait que boire avec la belle avant de la ramener.

S'il se souciait peu des tisserands, le Conseil des Dix n'aimait pas du tout que l'on commette des crimes en son nom. Les victimes avaient montré respect et obéissance à un ordre qu'elles croyaient venir du Palais. Qu'arriverait-il si les Vénitiens n'avaient plus confiance dans leur police ? L'*Eccelso*[1] offrait cinq cents ducats pour la dénonciation des délinquants et l'immunité pour le dénonciateur s'il était de la bande.

---

1. Autre nom du Conseil des Dix.

– Je ferais bien de mener quelques recherches pour aider cette pauvre femme à faire punir ses tortionnaires, dit Leonora.

– Je n'en vois pas la nécessité, dit son demi-frère Zermanico sans lever le nez de son assiette – un nez quasiment illuminé par la rougeur d'un gros bouton dans tout son éclat.

Elle se demanda soudain où ce bon à rien avait passé la soirée.

– Je garde les détails croustillants pour quand les dames se seront retirées, conclut *ser* Cesare à l'intention de son fils.

– C'est inutile, je crois, dit Leonora.

Seul Zermanico saisit l'allusion. Les poignards qui jaillirent de ses yeux ne permettaient pas d'en douter. Avec son bouton sur le nez, il avait tout d'un crapaud vénéneux.

– En effet, répondit-il d'une voix glaciale, ces histoires sordides ne m'intéressent en rien.

Dépité, *ser* Cesare garda ses détails pour ses employés, toujours friands d'une anecdote graveleuse. Peut-être par souci de relever le niveau de la conversation, donna Soranza annonça qu'elle partait à la messe.

– Encore ? laissa échapper Leonora.

La maîtresse de maison la regarda avec la vertu hautaine d'une sainte de Zurbaran.

– Mais oui, mécréante ! La charge de conseiller ducal qu'occupe mon mari nous confère de nouvelles obligations, comme celle de donner l'exemple de la vertu et d'une vie bien réglée.

Le discours était nouveau. Il y avait de l'ouvrage sur cet article-là. La partisane des vertus morales conseilla à Leonora de l'accompagner dans ses dévotions :

– Cela pourrait te faire du bien, une visite en terre bénite.

– Certes, répondit l'ancienne élève des ursulines. Je n'y ai passé que les dix-huit premières années de ma vie.

– Allez donc à San Lorenzo, leur suggéra *ser* Cesare.

Sior Caldiera avait fait enfermer sa femme au couvent attenant, afin de la mettre à l'abri de ses suborneurs. Elles pourraient en profiter pour faire sa connaissance, c'était une curiosité comme une autre.

– Peut-être a-t-il peur qu'elle ne se fasse enlever à nouveau, conclut-il avec un clin d'œil à son fils, qui parut décidément peu réceptif à cet humour gracieux.

Leonora plaignait la malheureuse, abusée par les uns, cloîtrée par les autres. Tel était le triste statut des femmes en ces temps hypocrites.

Ce ne fut que quand donna Soranza fut montée choisir une coiffe et une ombrelle que Leonora comprit ce regain d'intérêt pour les lieux saints.

– L'illustrissime va à l'église parce que c'est l'endroit où l'on s'amuse le mieux et qu'on y est au frais, par ces températures, lui apprit Loreta.

Les deux dames montèrent en gondole à l'embarcadère de Ca' Civran et se firent conduire au campo de San Lorenzo. C'était une petite place bordée à gauche par le couvent, au fond par l'église, et à droite par des maisons particulières serrées les unes contre les autres. La première chose que remarqua Leonora, ce fut une affiche du Conseil des Dix qui annonçait la récompense promise au délateur pour l'arrestation des suborneurs de « siora C*** ».

L'église San Lorenzo était restée mutilée par l'absence du revêtement de marbre prévu pour sa façade. Tout ce que savait donna Soranza sur les curiosités locales, c'était que Marco Polo avait été inhumé à cet endroit. Hélas, on avait perdu ses ossements lors de travaux de réfection. San Lorenzo devait sa renommée aux reliques qui lui restaient, parmi lesquelles figuraient le buste authentique de saint Sébastien et trois momies de saints dont l'origine vénitienne formellement établie faisait toute la valeur.

L'édifice se composait d'une simple nef à trois arches divisée en deux. Un côté était pour la congrégation et le chœur des nonnes. L'autel massif était agrémenté de représentations angéliques et d'un tabernacle richement ornementé.

Donna Soranza laissa la jeune femme admirer la sculpture d'époque Renaissance et fit le tour du promenoir à la recherche de quelqu'un avec qui échanger des propos sans conséquence. Elle évita avec dédain les messieurs qui se pressaient du côté de la clôture pour conter fleurette aux nonnettes et acheta des sucreries à un marchand qui déambulait entre les piliers. Elle finit par découvrir une sienne cousine qui habitait cette paroisse, et les deux femmes se mirent à causer comme elles l'auraient fait dans une *bottega del caffè*. Elles furent interrompues par le curé, qui eut le toupet de les déranger avec sa messe.

Ce fut un office très vénitien, et même plus que vénitien. La prière pour les âmes du Purgatoire que prononça don Gaolezzo Diodati réussit à déconcerter les fidèles.

– Ah ! Seigneur, fais qu'en ce jour ceux qui m'écoutent me donnent en aumône tout l'argent qu'ils ont sur eux ! déclara le prêtre du haut de sa chaire, les bras tendus vers le Christ en croix.

L'assistance sursauta et échangea des regards incrédules. Donna Soranza serra contre elle sa bourse pleine de ducats, pour lesquels un tout autre usage avait été prévu. Leonora vit un monsieur prendre des notes sur ses genoux. Le prêche du père Diodati allait résonner jusque dans les bureaux du Palais ducal.

La quête se fit au grand embarras des fidèles. Ne pas vider ses poches, c'était s'opposer au Bon Dieu, qui avait été clairement sollicité. Certains se départirent de leur argent comptant, d'autres le conservèrent, quitte à payer leur péché d'avarice d'une pénitence après confesse. Le *capo* du quartier se promit d'enquêter un peu sur les besoins d'argent soudains de leur curé. À chaque fidèle, le bedeau qui tenait la sébile répétait :

– Pour la plus grande gloire de Dieu !

– Je donnerai directement au commanditaire, merci, répondit donna Soranza.

Comme la sébile ne s'en allait pas, il fallut bien y déposer deux ou trois grosses pièces. On n'était pas près de la revoir dans ce coupe-gorge.

Dès que la messe fut finie, les deux femmes traversèrent le campo en direction du couvent, où les attendait une autre sorte de distraction. Leonora doutait qu'on les laissât rencontrer une pensionnaire qui venait tout juste d'être enfermée.

– Il ferait beau voir ! répondit donna Soranza. Mon nom ouvre toutes les portes !

Elle agita sous le nez de la tourière la bourse rescapée des chausse-trappes de l'église contiguë et indiqua qu'elles venaient pour « la dame qui a été déposée là hier ».

– Mieux vaut éviter de divulguer son nom, indiqua-t-elle à Leonora.

– Va prévenir siora Antila Caldiera qu'on la réclame ! cria la tourière à une novice.

L'anonymat avait du plomb dans l'aile.

Le parloir, une vaste salle rectangulaire, était un lieu ouvert à tous, entre le campo et le bâtiment réservé aux moniales. Les murs étaient percés de larges ouvertures carrées et grillagées, devant lesquelles on avait disposé des tabourets en X à la romaine. Au-dessus de chaque grille avait été peint un épisode de la Passion. La pièce était perpétuellement remplie de personnes en visite, nobles en toge, dames avec mantille et éventail, un petit chien à leurs pieds, moines en sandales, gamins qu'on menait voir leur tante ou leur sœur, sans oublier les marchands venus livrer leurs produits aux religieuses et d'autres gens qui n'étaient là que pour l'agrément des visiteurs : boulangers et pâtissières munis de paniers plats où s'amoncelaient des petits pains, garçons d'auberge apportant des déjeuners agrémentés de bonnes bouteilles, montreurs de marionnettes pour occuper les enfants, ainsi que quelques mendiants et quémandeuses.

La victime des égoïsmes masculins ne tarda pas à se montrer. C'était une belle jeune femme, fraîche et gironde, dont la robe toute simple qui convenait à une épouse de maître tisserand ne dissimulait pas les charmes. On imaginait sans peine pourquoi siora Caldiera avait excité la convoitise des mauvais plaisants qui s'en étaient pris à elle.

Sa réclusion ressemblait fort à une punition. Elle paraissait moins choquée de son enlèvement que de sa relégation entre ces murs. Après avoir jeté un coup d'œil circulaire à ce décor mi-religieux mi-profane, elle se pencha vers ses visiteuses et murmura :

– C'est « le monsieur » qui vous envoie ? Que faut-il que je dise pour sortir d'ici ?

Elles répondirent que personne ne les envoyait et qu'elle pouvait leur dire ce qu'elle voulait ; elles étaient venues par charité chrétienne, pour s'informer de sa santé et de ses besoins.

Ces derniers mots les rendirent hautement suspectes à la recluse. Elles n'avaient rien de ces dames charitables qui s'occupaient de remettre les filles perdues dans le droit chemin à l'aide de prêches dont l'austérité engageait plutôt à continuer dans l'autre voie.

Fidèle à la version officielle de son aventure, siora Caldiera affirma que ces jeunes gens « très comme il faut » n'avaient fait que « jouer un tour de mauvais aloi » à son mari. Elle resta cependant évasive sur leurs actes durant les deux heures qu'ils avaient passées en tête à tête dans une auberge louche. L'un d'eux, particulièrement, s'était montré bien aimable et même timide, un tout jeune homme qui semblait fort embarrassé par un gros bouton qu'il avait sur le nez. Leonora ne put voir si donna Soranza s'était fait la même réflexion qu'elle : sa belle-mère se mit à agiter son éventail devant son visage, si bien qu'on n'en apercevait plus qu'une paire de sourcils froncés.

Leonora, pour qui l'information n'était pas une nouveauté, fut surtout horrifiée de voir que ce lieu de prière était en réalité une prison pour femmes.

Dans un accès de générosité qui devait certainement beaucoup à sa mauvaise conscience, donna Soranza promit à la recluse de lui faire porter du linge fin. Leonora ne voyait guère en quoi des culottes de soie représenteraient un réconfort pour cette malheureuse. Sans doute le soulagement serait-il surtout pour la donatrice, désormais accablée d'un horrible secret : elle nourrissait un franc vaurien dans son foyer. Zermanico pouvait s'attendre à recevoir une gifle retentissante la prochaine fois que sa mère le verrait. Dès qu'Antila Caldiera se fut retirée, l'épouse de *ser* Cesare déclara qu'elles allaient oublier très vite ce qu'elles venaient d'entendre.

Debout près de la porte, une religieuse semblait attendre quelque chose. Donna Soranza lui remit le contenu de sa bourse.

– Voici la somme convenue, ma sœur. Soixante ducats pour vos bonnes œuvres.

Leonora n'en crut pas ses oreilles. Soixante ducats pour des œuvres pieuses ! Sa belle-mère devait avoir de bien grands péchés à se faire pardonner. Elle ne croyait pas, pour sa part, que son propre compte se montât à plus de dix ducats, et elle avait pourtant commis nombre d'entorses à la morale chrétienne en vigueur.

L'ampleur du cadeau devait ouvrir droit à quelques grâces, car la nonne leur proposa de visiter le cloître, « un bel exemple d'architecture vénitienne du XVIe siècle ». Donna Soranza accepta d'autant plus volontiers qu'elle désirait utiliser les cabinets d'aisance.

On fit parcourir à Leonora un corridor au bout duquel elle découvrit en effet un jardin entouré d'une colonnade, si représentatif du style en question qu'il n'en présentait guère d'intérêt. En revanche, elle entendit des rires, ici et là, ce qui la rassura un peu sur le sort promis aux femmes enfermées dans ce sanctuaire. Comme donna Soranza tardait à revenir, la religieuse s'offrit à lui montrer quelques salles anciennes tout en la ramenant vers le campo.

Le chemin parut à Leonora plus long que pour entrer, mais elle n'était pas mécontente de visiter un peu. Bien tenu, bien aéré, le couvent de San Lorenzo était d'une propreté impeccable. On voyait qu'il avait été réservé de tout temps aux filles de familles riches : on ne s'y marchait pas sur les pieds. Toute à ses réflexions, elle pénétra dans une petite pièce qu'on venait d'ouvrir pour elle, et dont on referma la porte dans son dos. Elle entendit le verrou glisser dans son logement.

– Ohé ? fit-elle en toquant au battant. Il y a erreur. Je suis une visiteuse. Il y a quelqu'un ?

Alors seulement elle comprit que cette visite tout entière n'avait été qu'un piège. Ses derniers doutes s'envolèrent quand le volet du fenestron s'ouvrit sur le visage d'une bonne sœur voilée de noir.

– Calmez-vous, ma fille. Votre mère a versé la rente pour votre entretien.

Les soixante ducats ! La générosité de sa belle-mère s'expliquait tout à coup. Restait à savoir pour quelle raison on la retirait de la circulation. Le visage de donna Soranza apparut à son tour dans l'ouverture.

– Je suis désolée, ma chère petite, mais ta conduite immorale a vraiment dépassé les bornes.

Leonora ne doutait pas que sa belle-mère fût ferrée sur les questions de moralité.

– Pour ta contrition, tu vas séjourner dans le couvent d'un quartier qui n'est plus du tout à la mode.

Donna Soranza parcourut des yeux le décor de la cellule.

– Nous te ferons porter quelques meubles. La pénitence a des limites, quand même.

Le volet se referma et la jeune femme resta seule, interdite, tandis que les pas s'éloignaient dans le couloir.

En proie à un profond abattement, elle se laissa tomber sur l'unique chaise paillée. Elle devait absolument reprendre le contrôle d'elle-même. Sans doute la mère supérieure viendrait-elle lui souhaiter la bienvenue dans sa digne institution dès que sa chère marâtre aurait quitté les lieux. Elle disposait de quelques minutes pour se composer une attitude de soumission et de repentance qui lui vaudrait la bienveillance de ces dames et endormirait leur méfiance.

Des pas retentirent de nouveau. Assise sur la chaise rustique, la tête basse, le dos rond, elle avait tout de la « Madeleine pénitente » dont elle avait vu quelques représentations sur les tableaux. L'idéal aurait été de verser une ou deux larmes ; elle se pinça les bras pour avoir les yeux brillants. Elle pensait être parvenue à un résultat convaincant lorsque les gonds grincèrent.

Mère Maria Nicopeia, religieuse d'environ cinquante ans, dont le voile accentuait la sécheresse des traits, s'arrêta sur le seuil pour considérer la nouvelle venue. Après l'avoir étudiée pendant une minute, elle lui délivra son discours de bienvenue, qui tenait en une seule phrase :

– J'espère que vous n'êtes pas ici pour nous causer des problèmes.

Leonora s'en tint à sa décision de se montrer obéissante et humble.

– Non, ma mère, répondit-elle d'une petite voix.

La supérieure prit une seconde fois le temps de la scruter, les yeux mi-clos, comme si elle évaluait la férocité d'un fauve.

– Inutile de jouer à ce petit jeu avec moi. Nous savons que vous passez votre vie à courir Venise jour et nuit, à vous mêler à toutes sortes de gens pour toutes sortes d'affaires auxquelles une demoiselle ne devrait avoir aucune part. Nous connaissons votre réputation, ma jolie !

– Ma mère, je sors de chez les ursulines de Vicence, répondit Leonora, convaincue de tenir là un certificat de moralité.

– N'aggravez pas votre cas ! s'écria Maria Nicopeia sur un ton dont la virulence devait avoir pour but de conjurer le malin. Les ursulines de Vicence ! Dernière auberge avant l'enfer ! Combien d'âmes perdues ces femmes ont-elles jetées dans la bouche de Satan, depuis qu'elles se mêlent d'éducation ?

Leonora perdit son masque de fausse modestie et la contempla avec des yeux ronds.

– Nous savons qui sont en réalité ces « bonnes dames de Vicence », reprit la supérieure avec la fougue d'un Torquemada : des maquerelles qui fournissent en putains bien élevées nos patriciens de la Dominante ! Parce que ces messieurs aiment qu'une fille de joie ait de la conversation, de l'instruction, de belles façons !

Leonora prit pour elle ce dernier point.

– Je vous assure, ma mère, jamais je n'ai…

La supérieure leva la main pour couper court aux dénégations. Le mariage de la Frascadina avec un bandit, jadis proscrit pour ses crimes, avait fait le tour des parloirs. À cet instant seulement Leonora devina le motif de cet enfermement : les dalla Frascada voulaient la forcer à divorcer.

– Ma fille, vous allez devoir apprendre à vivre dans un vrai couvent, décréta la geôlière préposée au gardiennage des victimes d'une vie familiale injuste avant de lui tourner le dos.

C'était le seul sujet pour lequel Leonora n'avait pas d'inquiétude. Elle avait vécu dix-huit années chez les Ursulines, elle croyait tout connaître de la vie conventuelle.

Hélas, passer d'une règle monastique à une autre était comme arriver dans un pays dont on ne parle pas la langue. Et, cela, elle l'ignorait encore.

VI

San Lorenzo était un bâtiment à trois cours, conçu comme une aimable prison. Le rio qui le cernait de trois côtés faisait de l'édifice une île. Le quatrième côté était partiellement obturé par l'église. Certes, la vue était partout jolie, on pouvait contempler les canaux et leur défilé de gondoles et de barques. C'était un rocher de solitude environné par la vie quotidienne des gens libres.

Ce ne fut qu'après une nuit d'isolement qu'on permit à Leonora de quitter sa cellule. Pensionnaires et religieuses n'avaient pour voile qu'une petite pointe de gaze blanche plissée qui avançait sur le front et couvrait le dessus et l'arrière de la tête. On pouvait voir le haut du cou et, sur le front, leurs cheveux frisotés en boucles annelées qui descendaient plus bas que les oreilles. Leur habit de camelot blanc, marqué à la taille par une guirlande de crêpe noire, laissait admirer leur poitrine à demi découverte. Leurs manches étaient courtes et la plupart portaient des fleurs ici et là pour atténuer encore la rigueur de l'ensemble.

On était au 10 août, le couvent tout entier mettait la dernière main à la célébration de la Saint-Laurent. Si Leonora n'avait pas rencontré grand monde dans les couloirs la veille au soir, c'était que les préparatifs accaparaient ces demoiselles. Les cellules grandes ouvertes étaient des salons où ces demoiselles se faisaient coiffer, poudrer et parfumer. Elles s'échangeaient les services des servantes envoyées par leurs protecteurs.

– Vos parrains ? demanda Leonora. Ou monseigneur l'évêque ?

– En général, nous préférons les laïques, c'est plus convenable, répondit sœur Chiara.

De toute évidence, la Frascadina n'avait pas encore notion de ce qui était convenable à Venise. L'acrimonie de la supérieure à l'égard des ursulines de Vicence devait relever de la jalousie davantage que d'une véritable indignation, car, pour ce qui était des mœurs, San Lorenzo s'exposait à certaines observations. Par exemple, l'usage était partout de raser la tête de celles qui avaient prononcé leurs vœux. Ici, cela consistait à raccourcir deux mèches avant de ranger bien vite les ciseaux.

– Et voilà, c'est fait ! dit la coiffeuse.

Sœur Chiara remit sa coiffe, d'où dépassaient de jolies boucles soigneusement ourlées au fer chaud.

– Vous n'êtes pas vraiment rasée, lui fit remarquer Leonora.

– Vous trouvez ? Pourtant je fais tout ce qu'il faut. Si le Seigneur fait pousser mes cheveux plus vite qu'on ne les coupe, c'est qu'il le veut ainsi, n'est-ce pas ?

– Mais la règle de saint Benoît commande qu'on rase la tête…, insista la nouvelle venue.

– Vous me montrerez le passage où il est précisé qu'on doit être laide !

« En tout cas, il y en a de bien nourries », se dit Leonora en voyant passer une novice très embarrassée par son gros ventre.

On mena Leonora à la cuisine, où se concoctait à ce moment même la spécialité culinaire dédiée à saint Laurent.

– Une grillade ? supposa-t-elle.

Sœur Chiara lui conseilla de se taire. Ce mot mettait leur cuisinière en fureur. Trois religieuses assistaient une petite femme nerveuse qui remuait une cuiller en bois avec la poigne d'un maréchal-ferrant.

Leonora vit qu'il existait en effet, dans les plats dédiés à la célébration du saint patron, une spécialité de poisson grillé sur un lit d'oignons et une grillade de porc mariné. À la vue du morceau de viande, qui ressemblait à un mollet tranché, elle se demanda s'il n'y avait pas quelque sacrilège anthropophage à dévorer un morceau de viande baptisé « saint Laurent », traité et accommodé d'une manière proche de ce qu'avait subi le martyr.

Sœur Aracoelis abandonna sa casserole pour examiner les mains de sa nouvelle apprentie.

– Encore une poupée de porcelaine ! Eh bien ! Mettons-la au biscuit ! Ces doigts fragiles parviendront peut-être à pétrir la pâte.

Donna Soranza avait insisté pour qu'on emploie sa protégée à la pâtisserie.

– Vous pourrez lui en offrir pour la remercier de ses bontés, quand elle viendra vous voir.

Leonora entreprit de malaxer la pâte avec énergie, tout en imaginant des moyens plus personnels et plus frappants de remercier sa belle-mère.

Elle s'aperçut bientôt qu'elle n'était pas admise à partager les secrets culinaires du couvent. Nul ne savait encore si elle vivrait là jusqu'à la fin de ses jours. Or bien des gens, à Venise, étaient disposés à payer fort cher pour apprendre leurs recettes, à commencer par les autres communautés : il y avait de la concurrence dans la pâtisserie religieuse. Elle nota que les autres cuisinières se cachaient d'elle pour ajouter certains ingrédients mystérieux. Elle parvint à identifier la moutarde créole qui enrobait le porc mis au grill, et une sorte de fromage fort et strié de bleu sur les filets de poisson – elle n'en avait jamais vu auparavant, son origine devait dépasser les frontières de la Vénétie. On lui donna à préparer une partie du *biscotto di San Lorenzo*. On y mettait des châtaignes en morceaux et en purée, des oranges en zest et en jus, des œufs, de la farine de maïs et du sucre. C'était un gâteau de luxe, rempli de produits coûteux.

– Dame ! fit sœur Aracoelis. C'est notre saint patron qu'il convient d'honorer ! Pas n'importe quel bienheureux, ni le clochard du coin !

Il y avait, sur une étagère, toute une rangée de pots sans indication, auxquels elle n'avait pas le droit de toucher. Elle tendait la main pour voir ce qu'il y avait à l'intérieur du premier quand l'une des cuisinières l'arrêta :

– Pas avant d'avoir prononcé vos vœux, ma fille.

Leonora n'était pas sûre que sa curiosité culinaire fût un motif suffisant pour franchir ce pas.

Le jour de la Saint-Laurent, les connaisseurs attendaient des bénédictines deux plats : le mets traditionnel qui satisferait les estomacs des habitués, et l'innovation qui ferait parler d'elles, stupéfierait, contristerait et remplirait de honte leurs consœurs des autres cloîtres.

– Je vois que l'esprit de charité habite nos bonnes institutions, dit Leonora.

Alors qu'elle retirait son biscuit du four, un cri strident lui transperça les tympans.

– Il est là ! Le voilà ! Il arrive ! annonça une nonne comme si le saint en personne avait été aperçu au détour du couloir.

– Qui est là ? demanda Leonora.

– Don Gaolezzo, bien sûr ! dit la gâte-sauce. Il va goûter !

Après avoir donné un rapide coup de torchon sur les tables, les religieuses se mirent en rang pour accueillir l'objet de cette exaltation. Le curé chargé de célébrer la messe dans l'église conventuelle entra en compagnie de la mère supérieure. On lui présenta le *biscotto*, dont il se coupa une petite part tandis qu'on attendait son jugement avec anxiété.

– Alors, mon père ? demanda Maria Nicopeia.

Don Gaolezzo termina sa mastication et déglutit.

– C'est meilleur.

Ce jugement suscita une grande joie chez les religieuses. Leonora se pencha vers la nonne la plus proche.

– Meilleur que quoi ?

– Meilleur que les *biscotti di Santa Caterina*. Les dames de Sainte-Catherine nous ont eues, l'an dernier, avec leur entremets à la meringue, les pestes, que le diable les prenne et les emporte !

Une fois écartés la compassion chrétienne, l'esprit confraternel et l'oubli de soi, force était de constater qu'un certain vent de compétition soufflait sur ces communautés. Le père Deodati avait été envoyé espionner à Santa Caterina, où il s'était livré au même examen. Sœur Aracoelis loua grandement la finesse de son palais.

– Il n'y a pas de quoi, ma sœur. Je vous vois après vêpres, pour ce petit péché d'orgueil, n'est-ce pas ?

Il ne se contentait pas d'arbitrer les combats culinaires, il confessait aussi les cuisinières. Dès que l'effervescence se fut un peu calmée, Leonora se présenta au curé, très occupé à finir le gâteau. C'était lui que *ser* Cesare avait envoyé à Vicence, six mois plus tôt, pour l'escorter jusqu'à Venise.

– Mais bien sûr ! répondit-il. Nous sommes destinés à nous rencontrer dans des couvents ! Ne vous en avais-je pas retirée, la dernière fois ?

Il supposa que cette nouvelle réclusion permettait à la jeune femme de renouer avec ses habitudes.

– Pas du tout ! Je suis ici en terre étrangère ! Mieux vaudrait être à la cour de Chine !

Il balaya la réponse d'un geste.

– Je me suis laissé dire que vous aviez fréquenté de mauvais lieux, déconcerté une foule de magistrats et, pour finir, épousé un repris de justice, au grand scandale de vos parents. Vous serez ici comme une carpe dans un vivier.

La cloche du réfectoire sonna. C'était l'heure du déjeuner.

La règle de saint Benoît prévoyait de réserver du temps à la lecture, à l'étude des Écritures et des Pères de l'Église. C'était la *lectio divina*.

– La vraie nourriture, c'est par les oreilles qu'elle entre, affirma la prieure.

En réalité, on expédia la lecture sainte en deux phrases tirées d'un ouvrage pieux.

– Méditez là-dessus, mes sœurs, conclut la lectrice en refermant son livre.

Un silence recueilli suivit ces mots pendant quelques minutes, puis on poursuivit le déjeuner au rythme de la gazette. Heureusement, saint Benoît n'était pas tatillon avec la discipline. Il avait laissé à chaque abbé et abbesse le soin de régler les détails pratiques de l'observance en fonction des contraintes du lieu et du temps.

– Il s'intéressait surtout à l'aspect spirituel de la vie monastique, expliqua sœur Chiara.

– Oh, il serait content, alors, conclut Leonora, qui venait de suivre d'une oreille distraite la narration de l'enlèvement galant d'une cousine du duc de Ferrare par un neveu du pape.

En dehors des offices, les religieux étaient censés s'adonner aux ouvrages. Car, comme l'avait dit saint Benoît, « c'est alors qu'ils seront vraiment moines, quand ils vivront du travail de leurs mains, à l'exemple de nos pères et des Apôtres ». Il n'avait pas prévu que ces activités seraient consacrées à la toilette, à la coiffure et aux pommades. Lorsque retentit l'appel pour l'office de none, les excuses fusèrent de toutes parts :

– J'ai ma couture.

– Occupée.

– Pas le temps.

– Broderie urgente à finir.

Elles étaient beaucoup plus disponibles quand il s'agissait d'aller au parloir. Seule Leonora n'était jamais réclamée. Elle n'était pas hébergée dans un couvent, elle était morte. Se pouvait-il que ni ses amis, ni son mari, ni sa famille ne se préoccupent de son sort ?

Il lui arrivait d'accompagner les autres pour se distraire. Elle découvrit alors la véritable activité du couvent, la fonction qui en faisait un élément essentiel de la vie vénitienne. Graziana Semitecolo avait été appelée pour rencontrer son cousin.

– Bonjour, mon cousin, dit la novice au monsieur qui se tenait de l'autre côté de la grille.

À la grande surprise de Leonora, au lieu de s'informer de la santé de sa cousine, le visiteur lui demanda d'emblée si elle connaissait un avocat fiscal bien introduit auprès des provéditeurs à la Santé.

– Vous avez dix ducats ? répondit la signorina Semitecolo.

Ce n'était pas une grille, c'était un guichet. Il était évident que les deux « cousins » ne s'étaient jamais vus. San Lorenzo était une ruche à renseignements. Les visiteurs s'enquéraient de la personne à qui s'adresser sur tel ou tel sujet, les papotages traversaient la clôture et repartaient avec les confiseries, pâtisseries, broderies et bouquets que les recluses adressaient à tout Venise.

Leonora était en train de réfléchir au moyen de tirer parti de cette situation quand elle rencontra la mère supérieure au détour du cloître. Maria Nicopeia désigna sa tenue avec réprobation.

– Jeune fille, vous avez un air de bonne sœur tout à fait déplacé.

Leonora répondit qu'elle n'était pas chez les religieuses pour avoir l'air d'une gourgandine. Elle s'attendit à voir l'abbesse exploser de colère. Ce fut tout le contraire.

– Enfin, on tombe le masque, dit mère Maria Nicopeia. Je préfère ça. Nous pourrons jouer cartes sur table. S'il y a une chose que je déteste, c'est bien l'hypocrisie.

Bien que ce concept lui parût au contraire le fondement de cette institution, Leonora partageait assez cette opinion. Peut-être avaient-elles enfin trouvé un terrain d'entente.

Elles en étaient là de leur échange quand une religieuse d'âge mûr passa près d'elles, les bras chargés de livres.

– Nous avons pire que les gourgandines, dit tout bas Maria Nicopeia.

Leonora demanda ce qui pouvait être pire qu'une nonne de mauvaises mœurs.

– Une nonne qui écrit !

Elle venait d'apercevoir sœur Arcangela, une religieuse enfermée à San Lorenzo depuis l'enfance, qui se permettait de recevoir des libres penseurs et des érudits, avec qui elle échangeait des points de vue philosophiques. Elle avait écrit divers traités inspirés de son expérience personnelle : *La Tyrannie paternelle*, *L'Enfer monacal* et *Le Paradis monacal* – elle avait rédigé le dernier pour se faire pardonner le précédent.

– Je ne l'avouerais pas sous la torture, dit la supérieure, mais, entre nous, j'ai préféré *L'Enfer monacal*. C'est mieux senti. Mauvais esprit, mais plume énergique.

Les idées du diable faisaient de meilleurs livres que celles du Bon Dieu.

VII

Décidée à sauter le mur en toute discrétion, Leonora avait mis au point un plan d'évasion dont l'originalité le disputait à la simplicité. Après avoir étudié les horaires de tout le monde, elle avait fabriqué un mannequin pour faire croire qu'elle dormait dans sa cellule et tressé une corde avec des draps. Pour l'heure, elle s'apprêtait à se laisser glisser jusque dans le rio qui entourait cette espèce d'île conventuelle.

De la musique s'éleva alors qu'elle était sur le point d'accrocher sa corde sous une fenêtre dans un corridor désert. Des portes claquèrent un peu partout : du monde venait de ce côté. Elle n'eut que le temps d'enfouir son linge dans un coffre et de s'asseoir sur le couvercle.

Religieuses, novices et pensionnaires envahirent le couloir et se disputèrent les places aux fenêtres. Des jeunes gens en barques donnaient la sérénade aux bénédictines, enchantées du divertissement. Comme l'air était doux, il se fit un grand rassemblement de badauds désireux de profiter du concert nocturne, si bien que le rio fut rapidement bloqué par les gondoles. Leonora pouvait rendre grâces à ses parents d'avoir eu à son égard une attention au moins : ils l'avaient enfermée dans le monastère le plus insouciant de la Dominante.

Au bout d'une heure, quand chacun se fut retiré, elle put enfin reprendre ses opérations. Elle tira ses draps de leur cachette, en noua une extrémité au pied du coffre et jeta le reste à l'extérieur.

– Je me demande bien ce que vous faites, dit une voix dans son dos.

Une sœur ventrue la regardait avec placidité, les mains croisées dans le dos. C'était Arcangela, la philosophe du couvent. Leonora lui fit signe de parler plus bas.

– Je m'en vais.

– Tiens donc ! Pour aller où ?

Comme la fugitive ne semblait pas avoir réfléchi à cette question, l'auteur du traité intitulé *Les femmes appartiennent à l'espèce humaine* lui expliqua le principe de leur réclusion. Fuir le couvent était facile, mais à quoi bon ? Ce cloître était leur refuge après que toute existence leur avait été refusée au-dehors.

– La prison n'est qu'intérieure, siora Leonora.

Voilà qui compliquait la manœuvre. Comment s'échappait-on d'une prison intérieure ? Selon Arcangela, si elle se sentait enfermée dans cette institution, c'était parce qu'elle en ignorait le fonctionnement. Pourquoi plonger dans le rio alors qu'on pouvait simplement franchir la porte, de jour comme de nuit, sous certaines conditions ?

Curieuse de vérifier cette révélation, Leonora se rendit dans le vestibule. Une religieuse assise sur un tabouret se leva dès qu'elle la vit.

– Ah ! Enfin ! Voilà bien dix minutes que j'attends !

La tourière fit glisser son verrou et les deux femmes quittèrent le couvent bras dessus bras dessous.

Leonora n'en croyait pas ses yeux. Elle était dehors. Parmi les gens libres. Du moins l'aurait-elle été s'il y avait eu quelqu'un sur le campo à cette heure tardive.

Déterminée à fausser compagnie à son chaperon, elle l'accompagna dans les rues adjacentes en attendant le moment de s'enfuir à toutes jambes. Elles échangèrent des salutations polies avec d'autres couples de recluses qui déambulaient à travers le quartier, histoire de se dégourdir les jambes.

Tout était trop paisible, trop naturel. Arcangela avait raison : dans sa situation, où pourrait-elle jamais se trouver mieux qu'ici ? Son envie de s'enfuir au plus tôt et à tout prix s'évanouit. Elle comprit que les prisons intérieures avaient des barreaux mentaux, des verrous intellectuels et des serrures virtuelles. Les murs imaginaires étaient plus hermétiques que les vrais.

Au bout d'une heure de cette promenade, elle se laissa ramener au couvent pour la simple raison que nul ne l'y forçait. De retour dans sa cellule, elle eut le sentiment d'avoir perdu la partie.

Le lendemain, lors de l'appel des visites, son nom retentit pour la première fois sous les fresques de la salle commune.

– Dalla Frascada : la *nobildonna* Cornelia Mocenigo !

Cornelia ne l'avait pas abandonnée ! Cornelia, sa grande amie, sa camarade de classe du couvent des orphelines de Vicence, qu'elle avait fait venir à Venise et dont elle avait arrangé le mariage avec le fils d'un important magistrat, Cornelia qui avait toutes les raisons de lui rester fidèle.

Derrière la grille, Cornelia était telle que dans son souvenir, le nez retroussé et l'œil mutin, à cette différence près qu'elle était vêtue en épouse noble, ses perles de mariage autour du cou. Leonora avait manqué les noces avec Lunardo Mocenigo, sixième rejeton du puissant *avogador di Comun* dont l'imposant palais s'élevait en face de Ca' Civran, sur l'autre rive du Grand Canal. La vue de son amie d'enfance lui mit immédiatement du baume au cœur. C'est d'une excellente humeur qu'elle l'accueillit d'un « Ma chère petite Cornelia ! » qui résonna entre les quatre murs hauts et lisses.

– C'est Cornelia Malipiero Mocenigo, maintenant, corrigea son ancienne camarade.

À la manière des dames bien nées, elle affichait désormais non pas un, mais deux beaux noms anciens et prestigieux. Elle ne se fit pas prier pour expliquer comment s'était opéré ce miracle. À la veille du mariage, son beau-père l'*avogador* l'avait fait reconnaître par un patricien tombé dans la misère, afin que les enfants nés de cette union puissent être inscrits au Livre d'Or de la noblesse. Cela avait été d'autant plus facile qu'Alvise Mocenigo était précisément l'un des trois magistrats chargés de tenir ce registre. Il lui avait suffi de quitter le pourpoint du beau-père pour revêtir la toge du fonctionnaire de l'état civil. Il n'avait élevé aucune objection contre ses propres démarches.

– Tu transmettras mes salutations à ton « père »… si tu le connais, plaisanta Leonora.

– Mais bien sûr que je le connais ! dit Cornelia. Je l'ai rencontré à la signature du contrat. Il n'est pas resté longtemps, cela dit.

– Dame ! Il avait de l'argent à miser.

Son amie lui semblait prendre très au sérieux sa soudaine élévation sociale. Le sujet était délicat, mieux valait en changer. Leonora lui demanda des nouvelles de ses propres parents, trop occupés pour venir la voir depuis qu'elle était enfermée. Cornelia fit la moue.

– Oh, je ne sais pas trop, je ne mets plus les pieds à Ca' Civran. La dernière fois que j'y suis allée, il y avait une sorte de vieux pochetron que ton père a installé chez lui.

Leonora aurait bien aimé savoir ce qui poussait le conseiller ducal à héberger un ivrogne. *Ser* Cesare n'avait pas précisément pour habitude de recueillir les malheureux. Il fallait au moins que l'alcoolique fût le parent du pape, ou même d'un procurateur de Saint-Marc, pour le conduire à cet acte de charité.

– En revanche, ta mère réclame des confiseries de San Lorenzo, ajouta Cornelia avec un regain d'intérêt très net pour cette conversation. Il paraît que vous fabriquez de délicieuses amandes grillées avec du chocolat autour. Tu as accès aux cuisines, toi ?

Ce n'était pas un couvent, c'était un mélange d'épicerie, de pâtisserie et de boutique d'apothicaire. Un peu troublée, Leonora envoya une novice lui chercher les sucreries demandées, à mettre sur sa note. Elle les glissa à son amie à travers la clôture.

À présent que Cornelia avait paradé devant elle dans ses habits neufs d'épouse noble, la visite était finie. L'illustrissime *nobildonna* Malipiero Mocenigo se leva pour prendre congé. Comme Leonora, immobile, la contemplait sans y croire, la jeune femme ouvrit le sachet et goûta l'un des diablotins au chocolat pour se donner une contenance.

– C'est bon. C'est fait avec quoi ?

– De la ciguë. De la belladone. Et une dose d'arsenic, pour le goût.

Indécise, Cornelia considéra un instant ses bonbons à l'arsenic.

– Moi, c'est toi que je trouve amère, finit-elle par répondre.

Leonora la regarda lui tourner le dos et s'éloigner vers la porte. Quelle raison aurait-elle eue d'être amère ? Elle venait d'assister au triomphe d'une amie très chère, qui avait pris sur son temps précieux pour venir la distraire, sans du tout s'informer de sa situation à elle.

Elle fut prise de dégoût pour cet endroit. Elle n'avait plus d'existence sociale, on l'avait déjà oubliée, on ne la considérait plus que comme une fournisseuse de sucreries, une boutiquière un peu plus ennuyeuse que la marchande du coin. Où étaient ses amis ? Où était Flaminio dell'Oio, son courtisan vénitien, son confident, son soutien et, plus encore, son employé ? Elle eut un coup de sang et décida qu'elle devait s'enfuir sur-le-champ. Qui sait, un jour de plus et peut-être serait-elle définitivement gagnée par l'esprit délétère qui régnait ici. À la perspective d'une longue et morne existence entre ces murs pendant que les autres continuaient de vivre, elle pensa qu'elle eût préféré se laisser emporter par la prochaine *aqua alta* qui balaierait les rues de la cité.

Une servante âgée avait déposé sur une chaise son *zendaletto*, l'un de ces immenses châles dans lesquels les Vénitiennes, surtout les moins fortunées, s'enveloppaient et dont elles couvraient leur tête. C'était en l'occurrence un vilain fichu de lin jauni, dont seule une vieille femme à la vue basse pouvait avoir l'idée de s'affubler. Elle jeta sur ses épaules l'affreux bout de tissu dont les franges lui tombaient sur la figure. Appuyée sur un bâton, le dos courbé, elle se dirigea vers la sortie, qu'elle franchit sans qu'on lui jetât un seul regard.

Au moment où elle s'apprêtait à traverser le rio qui coulait entre le campo et le reste de la ville, dernière frontière avec le monde, elle s'entendit héler de dessous le pont.

Dans une gondole découverte étaient assis Bon, Tron et Zen, les employés de son père.

– Ah ! *Sioreta* Leonora ! dit Benvenuto Tron. Vous voilà prête à nous accompagner !

« Pincée ! » se dit-elle avant de descendre les marches de marbre blanc qui menaient à l'embarcation.

On avait déplacé le gros des troupes pour son transfert. Bortolo Bon mit pied à terre pour l'aider à monter, puis le *barcarol* poussa la barque du bout de sa godille, et ils s'éloignèrent au fil de l'eau.

Tomazo Zen lui expliqua qu'ils l'emmenaient au Palais pour une audience devant une importante instance judiciaire.

L'espoir renaquit. Enfin on s'était aperçu en haut lieu qu'elle était retenue contre son gré ! Sans doute Lazaro Corner, son cher époux, avait-il porté plainte. On allait la libérer.

Autre bonne nouvelle, ils lui avaient apporté un autre *zendaletto*.

– C'est heureux, dit Bortolo Bon, parce que le vôtre est vraiment laid, sauf le respect, *madamoxeta*.

Jamais il n'aurait cru les institutions assez cruelles pour forcer les recluses à porter de si horribles choses.

Leonora s'attendait à comparaître devant la Quarantie, le plus haut tribunal de la République, mais ce fut chez les *Esecutori alla Bestemmia* qu'on la mena. Elle ne connaissait pas encore très bien les organes judiciaires de la Sérénissime, mais avait entendu dire que les exécuteurs luttaient contre les blasphèmes, les libelles politiques et la sodomie. Elle ne voyait pas bien à quel titre elle devait se sentir concernée.

Son père affectionné, Cesare dalla Frascada, l'attendait dans le vestibule. Après des effusions que les circonstances réduisirent à la plus stricte simplicité, il lui annonça que l'audience avait pour but de régler les modalités de son divorce.

– Je vous préviens, je vais me défendre ! protesta-t-elle.

– C'est ton droit, mon enfant, répondit le patricien, aussi cauteleux qu'un chat. Crie, tempête, enrage, écume, je t'y engage vivement !

Plus elle paraîtrait révoltée, irrespectueuse, hystérique, incontrôlable, plus les magistrats donneraient raison à la famille éprouvée qui avaient la charge de cette furie. Leonora chercha des yeux son défenseur.

– J'ai droit à un avocat, je pense ?

Le chat cauteleux plissa les yeux.

– Voyons, ma chère fille, seuls les accusés ont un avocat. Nul ne t'accuse de quoi que ce soit, tu es ici en tant que témoin innocent.

La mention « gros filou » s'inscrivit dans l'esprit de la jeune femme. La seule chose dont elle souhaitait témoigner, c'était de la fourberie paternelle. Ce fut à l'arrivée d'un huissier qu'elle découvrit avec ébahissement que le procès n'était pas entre elle et ses parents. L'employé appela « les personnes concernées par l'affaire opposant l'*illustrissimo nobiluomo ser* Iseppe Corner à son fils Lazaro ».

Leonora dévisagea avec des yeux ahuris son père, le conseiller ducal, ce génie de la rouerie et de la spoliation. Il était en train de s'arranger pour récupérer sa fille et la fortune de celle-ci sans que son nom apparût dans la procédure. Elle avait bien remarqué, aux côtés du fourbe, la présence d'un petit vieux rabougri au nez rouge, affublé d'une perruque trop grande pour son tour de tête. Elle eut donc l'honneur et l'avantage de se voir présenter son beau-père, à qui il fallut faire la révérence.

– Voilà donc la petite fille ? chevrota le vieillard. Pauvre enfant ! Recevez mes excuses au nom de mon indigne fils, *bella donna*.

Ser Iseppe n'était pas une réclame pour la famille Corner. Toute sa figure, sa peau fatiguée par les nuits blanches, sa manière d'être, son regard faux, disaient le genre de vie qu'il avait mené au fil des trente dernières années. Son nez, planté comme un phare au milieu de son visage fripé, faisait concurrence à ses joues couperosées par le malvoisie bon marché. Iseppe Corner était un vieux parasite, dont l'existence avait été régie par son orgueil de noble qui l'empêchait de déroger à son rang sans lui fournir de quoi subsister. Leonora contemplait le résultat de tout ce temps passé à vivoter en vendant sa voix au plus offrant, chaque dimanche, avant les séances du Grand Conseil. *Ser* Corner pouvait se vanter d'avoir magnifiquement raté l'éducation de son fils, en sus du reste. Cesare dalla Frascada avait dû dénicher un bien étrange intérêt dans cette marionnette pour la prendre chez lui.

Avant de comparaître devant les exécuteurs aux Blasphèmes, qui n'étaient pas les magistrats les plus charmants de Venise, il convenait de conférer au père outragé un air de respectabilité, voire, si possible, de grandeur bafouée. On lui fit endosser une toge noire appartenant à son protecteur, dont celui-ci n'avait plus l'usage depuis qu'il portait la pourpre des conseillers ducaux. Iseppe Corner caressa la belle étoffe de satin comme s'il n'avait jamais rien vu de tel.

Tandis que le vieil homme goûtait les avantages de sa nouvelle position, Leonora jeta un coup d'œil autour d'eux.

– Et mon Lazaro, où est-il ?

Beau-papa sursauta. On aurait cru qu'elle venait d'invoquer Satan sous sa forme la plus cornue. Il scruta les portes avec anxiété. Ses mains tremblaient comme s'il eût été en manque de vin, bien que son haleine dît le contraire.

– Mais oui, où est-il ? glapit *ser* Iseppe. Il ne va pas venir, au moins ? Vous m'avez promis, dalla Frascada ! Je ne veux pas le voir ! Je ne veux pas !

La colère, la violence et la malice de son fils étaient à ce moment ses seuls sujets d'inquiétude. Il se fit répéter dix fois que Lazaro n'était pas dans les parages et ne risquait pas de leur tomber dessus sans prévenir. Bon, Tron et Zen patrouillaient dans les vestibules, les escaliers et la cour du Palais pour s'en assurer.

– C'est un colérique ! affirma le vieux plaideur tandis qu'on rectifiait sa perruque, qui menaçait de choir à chaque mouvement.

– Nous le savons, dit le conseiller en tâchant d'entraîner le vieux pantin vers la salle d'audience.

– Un violent !

– Oui.

– Un mauvais sujet !

– C'est précisément de cela qu'il va être question tout à l'heure, cher ami.

Il fallut le pousser, le tirer, on finit par le faire avancer à coups de ducats, la seule carotte capable de faire marcher un âne, à Venise.

Il y avait en réalité peu de chances pour que Lazaro se présente ce jour-là. Les magistrats de la Sérénissime l'avaient déjà banni dans le passé, une nouvelle rencontre avec eux n'aurait pu que mal se terminer pour le jeune homme. Leonora s'accrocha à l'idée que son époux avait dû trouver un moyen détourné de faire valoir son droit, mais elle n'entrevoyait aucun indice à ce sujet.

Les exécuteurs aux blasphèmes officiaient chaque mardi dans une salle du troisième étage, sous une vaste fresque où la déesse Thémis, une balance dans une main, un glaive dans l'autre, foulait au pied Hérésie aux yeux exorbités et Luxure aux seins nus. Sur l'estrade siégeait le juge Michiel Lion Cavazza, un patricien d'une quarantaine d'années qui ne devait pas ce poste à une réputation de joyeux drille.

– Affaire Corner contre Corner, plainte pour irrégularité de mariage, annonça le secrétaire du tribunal.

Outre la répression de la *mala vita* et des *irreveranze*, les *Esecutori* avaient en charge la sanction des unions clandestines. Leonora s'étonna : la sienne avait été conclue par un contrat dûment contresigné par son père et trois témoins nobles. On était loin de l'enlèvement galant.

La chaleur indisposait de toute évidence Son Excellence l'exécuteur de service. Sa longue toge et sa lourde perruque à marteaux ne contribuaient pas à son bien-être, il ne cessait de s'éventer et avait le front luisant. Alors que ses confrères jouissaient des plaisirs de la campagne, il siégeait, lui, pour démêler les problèmes domestiques des Corner père et fils, deux indignes fripouilles pour qui des coups de bâton eussent encore été trop bons. Il chercha le mari des yeux. Son secrétaire lui apprit que la partie adverse avait eu la prudence de ne pas se montrer. « Un importun en moins ! » songea Son Excellence.

Il avait sous les yeux le fameux contrat.

– Je vois ici votre paraphe, *ser* Cesare, dit-il en frappant du doigt le nom de l'enquiquineur à cause de qui il perdait peu à peu sa substance sous forme liquide au lieu de se promener dans ses vignes du Frioul.

Le père de la mariée baissa le nez pour se donner un air penaud.

– On m'a trompé, Excellentissime Seigneur. J'ai été bien faible. J'ai cédé aux instances de ma tendre enfant. Si j'avais su !

Il étouffa un sanglot dans un vaste mouchoir brodé de son blason bleu et blanc.

– Tout de même, vous avez donné votre agrément, insista Lion Cavazza, soucieux de rester concentré sur les faits afin de quitter au plus tôt cette étuve lambrissée.

– Mais je ne réclame pas pour moi, Excellentissime ! se récria le conseiller ducal trompé. J'assiste ce malheureux père affligé par la trahison d'un fils ingrat.

Il désigna le pochetron en robe noire assis sur un banc, qui guettait la porte comme si quelque diable avait risqué de surgir.

– Faites avancer le plaignant, ordonna le juge.

Le plaignant s'exprimait avec peine. La décrépitude, l'alcool et la crainte le faisaient buter sur les mots. On lui demanda son métier, de quoi il vivait et en quel lieu.

Peu désireux de voir son pantin gripper une mécanique qu'il avait lui-même si bien huilée, *ser* Cesare fit mine de soutenir le bon vieillard et en profita pour lui souffler les réponses adéquates. On apprit donc que le vieux débris avait risqué sa vie dans toutes les batailles menées en ce siècle par la République – elles n'étaient pas nombreuses – et que l'honneur et la moralité de ce patricien, de souche pour ainsi dire antique, n'avaient jamais subi la moindre tache.

Décontenancé par cet éloge qui faisait de l'intéressé un héros quasi mythologique, *ser* Lion Cavazza se tourna vers son secrétaire, qui lui murmura à l'oreille un extrait biographique plus prosaïque. *Ser* Iseppe jouissait d'une réputation beaucoup moins flatteuse que le portrait brossé pour la circonstance. Son fils le bon à rien avait au moins l'excuse d'avoir pâti d'une lourde hérédité.

Si les antécédents du plaignant portaient à controverse, le sujet de sa présence avait le mérite de la simplicité. *Ser* Iseppe réclamait l'annulation d'un mariage contracté par son fils sans son autorisation. Dalla Frascada ne pouvait rien contre un contrat qu'il avait ratifié, mais le jeune époux avait omis de faire signer son père ; or la loi interdisait aux fils de la noblesse de convoler sans l'accord paternel. Aussi dévoyé que fût celui qui le portait, leur nom conférait aux Corner des droits aussi anciens que la fondation de la République, des droits qui devaient être respectés.

L'exécuteur s'adressa au conseiller ducal qui venait de lui énoncer ces beaux principes.

– Je suppose que la présence, dans le patrimoine de votre fille, d'une grosse maison sur le Grand Canal n'a aucun rapport avec tout cela, *ser* Cesare ?

L'intéressé répondit sans se démonter que son enfant était libre de disposer de ses biens, il l'avait d'ailleurs fait venir pour témoigner des bons traitements qu'elle avait reçus tout au long de sa vie. C'était sa petite chérie, il n'avait jamais compté ni sa peine ni son argent pour lui offrir une éducation digne de leur rang, et sentait que ce dernier coup le pousserait au tombeau.

Comment accabler un père après pareil laïus ? Leonora déclara au juge qu'elle avait librement choisi d'épouser Lazaro Corner (gros soupir de *ser* Cesare), qu'elle ne reniait en rien ce choix (énorme soupir de *ser* Cesare) et qu'elle désirait retourner vivre auprès de celui qui était légalement son époux (larme promptement écrasée dans le mouchoir armorié de *ser* Cesare).

À aucun moment Son Excellence ne fut dupe des manœuvres du conseiller ducal. On était en train de lui jouer un acte complet d'une comédie qui aurait pu s'intituler *Le Bon Père de famille*, et dont l'auteur aurait pu s'appeler Goldoni. Au reste, son métier consistait à se frotter à de tels personnages. Si l'on avait chassé tous les escrocs de Venise, il ne lui serait plus resté qu'à arbitrer les compétitions d'osselets dans les cours de récréation.

La Frascadina tenta de se composer une figure aussi attristée que celle de son père, mais elle était beaucoup moins douée ou possédait moins de pratique.

Michiel Lion Cavazza lui répondit que ce tribunal avait précisément pour mission d'établir si elle avait ou non un époux ; en cas d'annulation, peut-être *ser* Iseppe donnerait-il son accord à un nouveau contrat.

L'exécuteur ne cessait de s'éventer. Ce petit vent lui rappelait la fraîcheur de ses noyers de Fossaragna, ce lieu enchanteur où l'on ne vous forçait pas à porter des toges étouffantes. Dire que c'était pour juger pareilles bêtises qu'on l'empêchait de jouir de son domaine !

L'avocat de *ser* Iseppe donna lecture des arguments et conclusions de l'accusation et remit le texte à Son Excellence. Le juge annonça qu'il allait examiner tout cela, prévint qu'il faudrait sans doute un complément d'information et leva la séance.

Les plaideurs descendirent le grand escalier et se dirigèrent vers l'appontement de la Piazzetta, tout en discutant de leur affaire. Personne n'était satisfait. Les choses allaient durer. On pouvait s'attendre à un procès long et vain. *Ser* Cesare aurait volontiers fait enfermer Lazaro comme voleur, mais ce malotru ne se serait pas privé de le dénoncer lui-même comme tripoteur, trafiquant, voire pire ; mieux valait ne pas aller sur ce terrain-là.

Il reprocha à sa fille de s'être opposée à lui à mauvais escient.

– Mon âme ! Mon cœur ! Tu sais comme je t'aime !

– Pas au point de lâcher mes biens, à ce que je vois.

– L'intérêt n'exclut pas les sentiments, mon enfant.

– Eh bien, souffrez que, tout en vous aimant, je me défende, rétorqua Leonora.

On allait la ramener au couvent, la perspective n'était pas brillante. Une idée désespérée lui vint.

– Si je vous transférais la jouissance de Ca' Loredan, abandonneriez-vous vos persécutions ?

Le conseiller ducal se récria, une main sur la poitrine :

– Loin de moi l'idée de t'ôter ce qui t'appartient, chère petite ! Que dirait-on de moi ? Que je t'ai spoliée !

Alors que, tant qu'elle était en religion, comme la moitié des filles nobles de Venise, il pouvait toucher les loyers en toute quiétude.

Au moment de monter en gondole, on se rendit compte que le vieillard manquait. Il était sur le point de disparaître dans la calle delle Merzerie, une longue rue commerçante où tout s'achetait et où tout se vendait.

– Mais où va-t-il, celui-là ? demanda *ser* Cesare.

– Céder votre belle toge au premier fripier venu, certainement, répondit Leonora.

– Par la barbe de San Todoro ! Reviens ici, vieux sacripant !

Les mystères de Venise

Le conseiller partit à la poursuite de son protégé à travers le *sestiere* de San Marco et laissa le soin à Bon, Tron et Zen de reconduire la future nonne à San Lorenzo.

VIII

L a tourière fut satisfaite de voir Leonora de retour. On l'avait cherchée partout. Non qu'elle leur manquât, mais la *nobildonna* Soranza dalla Frascada l'attendait au parloir depuis un moment.

La jeune femme se hâta d'ôter son *zendaletto* et se présenta derrière la grille. Assise sur un pliant, sa belle-mère passait le temps en dégustant des tranches de *gubana*, une excellente brioche aux noix vendue par l'un de ces marchands ambulants qui hantaient les abords des couvents. Debout derrière elle, sa servante Loreta lui servait de chaperon.

Leonora crut d'abord qu'on était venu lui apporter des vêtements ou des friandises pour la soutenir. Donna Soranza fit « non » de la tête tout en finissant de mâcher.

– Un livre, peut-être ?

– Non, non, ma petite, tu es assez punie comme ça. Je suis venue te donner…

– Une couverture pour la nuit ?

– Un conseil.

Elle lui recommandait de se soumettre aux volontés de son père. Encore cet avis autorisé avait-il un prix. En fait de friandises, donna Soranza espérait emporter de ces délicatesses que l'on concoctait à San Lorenzo.

– Les dames d'ici font d'excellentes dragées. Comment cela s'appelle-t-il, déjà ?

– Des diablotins au chocolat. Si j'apprends à les préparer, vous me ramenez chez vous ?

– Ma chère enfant, dit donna Soranza d'une voix plus mielleuse que les bonbons en question, jamais je n'autoriserai mon petit ange à travailler dans mes cuisines, serait-ce pour me préparer les gourmandises les plus prisées de Venise.

C'était donc non. Leonora n'avait plus qu'à lui échanger les diablotins contre quelques informations indispensables. Elle se fit remettre par une domestique un paquet de bonbons fermé par un ruban bleu.

– Je n'arrive pas à les glisser à travers la grille, dit-elle en posant simplement le sachet contre les barreaux.

– Essaye mieux, voyons !

– Non, non, ça ne passe pas.

– Donne-les à la tourière, elle me les remettra.

– Non, non, je veux vous les remettre de mes propres mains, je vous aime tant ! Si seulement ces barreaux n'étaient pas si serrés !

Donna Soranza comprit ce qui coinçait.

– Je vois. Que faudrait-il pour que ça passe ?

Leonora s'approcha au plus près.

– Jurez que vous ferez pression sur votre mari pour qu'il me fasse sortir d'ici !

Donna Soranza hésita, regarda les diablotins, promit enfin, et sa belle-fille lui abandonna les confiseries, que les deux femmes commencèrent à déguster sous son nez. Leonora voulut voir dans tout cela une raison d'espérer.

– Au moins, je sais que vous continuez à vous intéresser à mon sort, dans la partie vivante de l'univers. Je pourrai faire appel à vous en cas de besoin.

Donna Soranza se tortilla sur son pliant.

– À notre retour, *cara*, c'est promis.

C'était l'époque de la villégiature. La maisonnée entière partait pour la campagne, avec meubles et bagages. Cette année, *ser* Cesare avait loué une jolie villa sur la Brenta – inutile de demander où il avait trouvé les fonds. Les dalla Frascada tenaient absolument à s'aérer. Ils avaient manqué la première villégiature, celle de juin-juillet, par suite de l'« inconvénient » : la promotion du *pater familias* au Conseil des Dix. Il n'était pas question de manquer la seconde, celle de septembre. D'autant qu'il importait de geler le contentieux marital au point où il était. Autant dire que c'était Leonora qui se retrouvait « gelée » derrière sa clôture. Même le doge était parti surveiller les vendanges dans sa propriété de Terre ferme.

Leonora dressa rapidement le bilan de sa situation : elle était enfermée, son mari en fuite et sa famille absente pour un mois ou deux, voire davantage si le beau temps se maintenait. Elle se désespéra à l'idée de passer le reste de ses jours dans ce couvent.

Donna Soranza était au moins en mesure de la rassurer sur ce point.

– Détrompe-toi. San Lorenzo exige des dots fara-mineuses ; si tu devais rester cloîtrée, on te mettrait dans une communauté moins exigeante, peut-être un peu excentrée.

Il fallait donc profiter de ce séjour, le prochain serait moins confortable.

Alors que donna Soranza s'était levée pour s'enqué-rir des possibilités d'abonnement aux diablotins, Leo-nora supplia la servante de ne pas l'abandonner.

– Loreta, ma petite Loreta, ne me trahis pas, toi ! J'ai toujours été bonne pour toi ! Aide-moi !

– Mais oui, bien volontiers. Que puis-je faire pour vous ?

Leonora colla son visage contre les barreaux et chuchota ses directives :

– Va voir l'inquisiteur Saverio Barbaran ! Dis-lui qu'on me fait tort ! Ne quitte pas le Sanctuaire sans la promesse qu'on me sauvera !

Le Sanctuaire, c'était le siège de l'Inquisition d'État, le lieu depuis lequel l'inquisiteur rouge Barbaran répandait la crainte sur toute la ville – ce en quoi il remplissait parfaitement sa fonction. Loreta s'écarta de la grille.

– Je prierai pour vous, ça sera aussi bien. On dit que saint Pantalon fait des miracles en faveur des désespérés.

Elle s'en fut rejoindre sa maîtresse.

De nouveau seule, Leonora éclata en sanglots dans son *zendaletto*.

Une main aux doigts longs et fins se posa sur son épaule. Mère Maria Nicopeia se tenait légèrement en retrait à côté d'elle. Un mélange de froide colère et de tristesse se lisait sur son visage. Elle avait dû vivre cette scène une centaine de fois. Toutes les bénédictines de San Lorenzo étaient logées à même enseigne : on les réduisait à vivre dans l'hypocrisie tant que leur fraîcheur et leur disponibilité attiraient les galants, puis dans la solitude, le renoncement et l'amertume.

Leonora voulait croire encore qu'on la sortirait de là, mais Maria Nicopeia avait trop l'expérience de cette situation pour la conforter dans cette illusion : l'habitude s'installait peu à peu et rien ne changeait plus.

– Jamais je ne m'habituerai ! se révolta Leonora.

– Mais eux, si, objecta la supérieure en désignant le coin de campo visible à travers la porte ouverte. Vos parents s'habitueront à ne pas vous préparer de dot, à avoir une fille cloîtrée, à ne vous voir que trois fois dans l'année, pour votre anniversaire, Noël et notre fête patronale.

Leonora contempla sur le visage de l'abbesse les rides qui seraient bientôt les siennes, autant de traces de ses rêves brisés.

– Il est temps de vous tourner vers les vraies valeurs, les valeurs sûres, celles qui ne passent pas.

– La foi ? supposa Leonora. La piété ? L'adoration du saint sacrement ?

Mère Maria Nicopeia balaya le saint sacrement d'un geste sec.

– Je voulais parler des fanfreluches, des frivolités, de ces mille petites occupations qui font oublier aux femmes leurs déceptions et leur permettent de supporter leur infortune.

Leonora n'avait hélas de goût ni pour les unes ni pour les autres.

Il lui restait une carte à jouer, une carte qui n'était pas encore sortie du jeu, mais un atout majeur, un valet de trèfle adroit et serviable.

Il était étonnant que Flaminio dell'Oio ne fût pas encore venu lui rendre visite. C'était lui qu'elle s'était attendue à voir paraître le premier, le chapeau à la main, la tête remplie de projets pour la tirer de là. Elle l'avait habilement accoutumé à recevoir de généreux honoraires pour l'assistance qu'il lui apportait dans ses enquêtes. De quoi vivait-il aujourd'hui ? Se pouvait-il qu'il ne fût plus attiré par le parfum des sequins ?

Pour le faire venir à elle, il fallait de l'argent ; pour le mettre à l'œuvre, il fallait de l'argent ; pour respirer, à Venise, il fallait de l'argent.

Ayant ainsi défini le préalable à toute opération, elle se renseigna sur la façon de se procurer des fonds dans un monastère où l'on n'était pas censé gagner sa vie. Les ressources officielles à commercialiser étaient au nombre de trois : fleurs du jardin, sucreries de la cuisine et commérages. Leonora ne se voyait ni en fleuriste ni en confiseuse, aussi se concentra-t-elle sur les possibilités de revenu offertes par les ragots. Elles étaient immenses.

L'unité monétaire en vigueur chez les bénédictines était le potin. Les demoiselles Grimani racontaient ceux de leur famille aux demoiselles Foscari, qui les échangeaient contre ceux des Querini, et ainsi de suite. Toutes les pensionnaires en entassaient dans leurs cassettes, notés sur des bouts de papier. Quand Leonora eut à son tour fait le plein de commérages – grâce aux frasques de *ser* Cesare, elle ne manquait pas de fonds –, elle écrivit un billet à l'intention de son courtisan :

La personne que vous savez vous remettra la somme convenue après les vêpres de San Lorenzo.

Elle s'abstint de signer, certaine que Flaminio, appâté par cette promesse d'argent frais, accourrait sans réfléchir.

Rien n'était plus fréquenté que les églises conventuelles. Les *muneghini*, ces jeunes gens désœuvrés qui adoraient divertir les religieuses, y restaient le plus longtemps possible. La messe finie, Leonora fit signe à dell'Oio à travers la clôture, mais son courtisan s'éloigna pour discuter avec quelques messieurs qui l'intéressaient davantage que son ancienne patronne. Elle entreprit de lui faire signe aussi discrètement que possible :

– Hep ! *Sior* dell'Oio ! Hep ! Flaminio !

Comme il faisait mine de ne pas l'entendre, elle cria :

– Hep ! *Cretino !*

Plus d'un homme dut se croire visé, car ils se retournèrent presque tous. Flaminio approcha à contrecœur. Elle l'accueillit avec la politesse d'une dame qui reçoit dans son salon, un salon traversé d'une grille.

– Mon cher dell'Oio, comme c'est aimable à vous de passer me voir, prenez donc un pliant.

Il lui fit compliment de sa bonne mine : elle était Béatrice parmi les anges, il était Dante, prêt à traverser l'enfer pour la revoir. Leonora le pria de lui réciter *La Divine Comédie* une autre fois. Pour l'heure, elle avait besoin de renseignements plus tangibles sur l'état du monde.

– Jamais je n'ai eu tant besoin de vous, mon petit Flaminio ! Je suis victime d'un odieux complot. Nous devons trouver quel conseiller secret a aidé mon père à mettre sur pied cette sinistre opération.

Après avoir bafouillé quelques phrases incompréhensibles, dell'Oio se lança dans des dénégations embrouillées. Comment s'était-elle mis cette idée en tête ? Il n'y avait pas de conseiller secret. Son père n'avait besoin de personne pour mal faire.

Tout en égrenant les arguments douteux, il devenait moite et avait tout d'un accusé qui aurait donné sa chemise pour être ailleurs. Jamais elle ne l'avait vu aussi gêné, pas même lorsqu'il proférait les pires mensonges.

Elle comprit. Un tremblement de terre fendit en deux le toit de San Lorenzo. Leonora était anéantie. Bien sûr ! Flaminio était un courtisan efficace, c'était pour cette raison qu'elle l'employait !

– Allez-vous-en, murmura-t-elle. Je ne sais même plus comment vous vous appelez.

Il pâlit.

– Pitié ! J'ai des excuses ! J'avais des dettes !

– Pour combien m'avez-vous vendue ?

– Cinq cents ducats.

Elle l'aurait étranglé.

– Cette somme est injurieuse. Jamais je ne pourrai vous pardonner. Il fallait demander le double.

Il eut la lâcheté de vouloir lui obéir et s'apprêta à s'en aller. Elle le rappela sèchement et lui ordonna de se rasseoir.

– Vous avez désormais un budget de cinq cents ducats pour me faire sortir d'ici.

Ils allaient devoir y parvenir pour moins cher : l'argent était depuis longtemps entre les mains de ses créanciers. Dalla Frascada, en revanche, disposait des loyers de Ca' Loredan pour acheter des appuis autant qu'il en voudrait. Autant lancer une gondole à l'abordage d'une galère de cinquante rameurs. Dell'Oio avait la tête basse et la figure contrite.

– Nous sommes fichus, conclut-il.

C'était une façon de parler. *Elle* était fichue. La colère rendit à Leonora son énergie perdue.

– Mais non, nous ne sommes pas fichus, puisque je vous ai, moi !

Elle commença par se faire expliquer de quelle manière les événements s'étaient déroulés.

Dell'Oio connaissait bien le droit vénitien et détestait Lazaro Corner, ce rustre sans moralité qui avait réussi à épouser sa patronne. Dans un moment de faiblesse, poussé au bord du gouffre par des pertes sur parole envers des joueurs dont la patience n'était pas le trait dominant, il avait soufflé à dalla Frascada la façon de faire annuler ce fâcheux mariage. Encore sous l'effet de la surprise et de la consternation, le bon père de famille s'était jeté à corps perdu dans ce projet.

– Ah bon ? dit Leonora. Il va se raviser, alors ?

Flaminio hocha la tête.

– Vous le connaissez : à froid, c'est l'appât du gain qui le mène.

En un mot, elle devait attendre d'être ruinée pour espérer sa libération.

Leonora aurait préféré ne jamais hériter. Si l'argent était une calamité, une fortune était une malédiction.

– Je rêve d'un pays sans monnaie, dit-elle.

Flaminio leva les yeux vers le plafond de poutres peintes.

Leonora réfléchit. La seule façon d'intéresser la magistrature à son sort, c'était de disposer d'une monnaie d'échange. Comme, par exemple, l'identité de l'assassin du campo de San Giovanni in Bragora. Elle était certaine que l'inconnu masqué allait frapper de nouveau, sa cote allait monter. Le problème, c'était qu'elle était la seule de cet avis.

– Ah ! Si ce masque pouvait tuer quelqu'un d'important ! se lamenta-t-elle.

Flaminio haussa le sourcil. Elle n'espérait pas l'envoyer, lui, en costume de carnaval, trucider un sénateur pour relancer l'intérêt du Palais ?

– Loin de moi cette idée, mon petit Flaminio.

Elle ne l'en croyait pas capable, de toute façon.

En premier lieu, il fallait trouver de l'or. Elle y avait pensé.

– J'ai prévu de vous inclure dans un petit trafic de la plus parfaite impiété. Cela ne vous dérange pas, j'espère ?

– Nullement, pourquoi ? répondit Flaminio avec l'innocence de la murène devant un nid de crevettes.

Étant donné que toute l'information de Venise transitait par les couvents, Leonora connaissait désormais les petits secrets de la plupart des grandes familles.

– Vous allez investir mes économies dans la Compagnie des transports commerciaux de la mer Égée. Normalement, la souscription est close, mais on vous recevra.

– Et si le trésorier refuse ?

Leonora baissa la voix.

– Vous lui direz que certaines personnes sont au courant de certains actes commis en 1754…

Flaminio sentit ses cheveux se dresser sur sa tête tandis qu'elle lui révélait les indiscrétions qui circulaient entre ces murs. Ce séjour au cloître n'élevait pas le niveau moral de son employeuse. Si la situation devait se prolonger, il finirait par travailler pour un Machiavel en scapulaire.

Pour l'instant, un seul homme possédait la clé de leur affaire.

– Moi, je vais concocter des diablotins au chocolat, conclut la Frascadina. Vous, vous cuisinerez le père

Santibusca. Il est à l'église San Samuele Profeta, paroisse San Samuele, campo de San Samuele.

– Je ne devrais pas avoir trop de mal à trouver, répondit dell'Oio.

Cela n'allait pas être du gâteau. Les prêtres, de manière générale, rechignaient à révéler les turpitudes de leurs ouailles, surtout s'il s'agissait de rompre le secret de la confession. Il y avait de quoi bouillir en enfer. Or ces cures étaient réservées à la classe populaire, fort superstitieuse ; on murmurait même que certains abbés de Venise croyaient en Dieu.

– On ne dira jamais assez combien la foi peut être un frein à la recherche de la vérité, en ce siècle de progrès, se plaignit Flaminio.

– Peut-être devriez-vous lui offrir quelque argent pour ses œuvres, suggéra Leonora. Ma belle-mère l'a fait ici, ça a très bien réussi.

Pour pousser Don Anzolo à braver un tel interdit, il allait au moins falloir restaurer son église depuis le toit jusqu'au pavement.

Leonora glissa entre les barreaux un bout de papier pour l'inquisiteur Barbaran. Elle y avait écrit :

L'un de vos petits-sages sera tué dans les jours qui viennent.

C'était un coup de dés, mais, comme disaient les habitués du Ridotto, qui ne mise pas ne se met guère en position de gagner.

IX

Alors que Leonora était à sa pâtisserie, une servante lui glissa un message venu de l'extérieur. On l'y priait d'assister à la prochaine messe. « Quelle bonne idée ! se dit-elle. Prières et sermon ! C'est ce qui me manque le plus ! »

Piquée par la curiosité, elle abandonna ses diablotins et traversa le cloître avec les nonnes qui allaient suivre l'office de sexte, sous le regard dédaigneux des autres pensionnaires, persuadées qu'elle fayotait.

En l'occurrence, elles avaient tort. Derrière la grille qui coupait la nef, Leonora pria de tout son cœur pour sa libération. Le saint du jour dut entendre son vœu, car sœur Chiara lui tapota le bras : on l'attendait dans la sacristie.

– Qui ça ?

– Le diable, selon toute apparence, dit la nonne en lui montrant l'audacieux personnage debout près de la fenêtre.

Lazaro Corner prit une pièce dans sa bourse.

– Vous ne craignez pas d'aller en enfer, ma sœur ? demanda-t-il en remettant un sequin à la messagère.

La religieuse haussa les épaules.

– Il n'y a pas péché à rencontrer son mari, je n'aurai même pas à le dire à confesse.

Ils avaient le temps de la messe pour discuter en tête à tête, sans clôture ni témoin.

– Environ une heure ? supposa Lazaro.

– Comptez plutôt une demi-heure. Le père Diodati m'a l'air pressé, aujourd'hui.

Elle retourna surveiller le curé et les laissa profiter en privé de ces trente minutes hors de prix.

Leonora contempla ce mari qui avait attendu des semaines avant de voler à son secours. Il lui ouvrit les bras, mais dut les refermer sur le vide.

– Quoi de neuf, du bon côté du monde ? demanda la jeune femme en s'asseyant sur une chaise, à cinq pas de lui.

Il approcha un tabouret et s'assit à son tour.

– Figure-toi qu'on a encore tenté d'assassiner un petit-sage !

Un sourire se dessina enfin sur les lèvres de la recluse. Il y avait longtemps qu'un rayon de soleil n'avait pas percé les nuages amoncelés au-dessus de sa tête.

– Quelle bonne nouvelle !

Ce n'étaient pas les cinq petits-sages, c'étaient les trois petits cochons du conte. Restait à savoir comment s'appelait le loup qui avait jeté son dévolu sur leurs jambons.

Ce nouvel attentat était le scandale du jour. Le Conseil des Dix avait interdit qu'on en parle et il était sur toutes les lèvres. Alors qu'il parcourait en gondole le rio de San Polo, Mattio Pasqualigo de San

Gregorio était tombé à l'eau comme une masse et avait coulé corps et âme dans sa belle toge violette.

– Et c'est cela qu'on nomme « tentative d'assassinat » ? protesta Leonora. Chaque jour des gens tombent à l'eau !

– Oui, mais pas après avoir été assommés par une pierre lancée à l'aide d'une fronde, précisa son mari.

Le *barcarol* l'avait repêché à temps. Une fois réanimé, Mattio Pasqualigo de San Gregorio s'était plaint d'un terrible mal de tête. Il portait à l'arrière du crâne une énorme bosse qui n'avait pu être faite que de cette manière. Leonora eut le déplaisir de constater qu'on n'avait pas eu besoin d'elle pour tirer des conclusions logiques.

Il était temps de se faire expliquer qui étaient ces petits-sages qui servaient de cibles aux amateurs de chasse à la fronde.

– On les nomme ainsi par opposition aux grands-sages, répondit Lazaro.

Sa chère moitié le remercia de cette communication ; tout était beaucoup plus clair, désormais. *Ser* Corner rapprocha son tabouret : la divulgation de renseignements plus précis nécessitait qu'il baissât la voix.

– Je vais te révéler un grand secret de la République, chuchota-t-il. Plus un magistrat possède de pouvoir, moins il l'exerce longtemps. Le doge, dont la charge est d'ordre honorifique, est élu à vie. En revanche, les six *Savii Grandi*, qui gouvernent, ne tiennent les rênes de l'État qu'une semaine chacun, à tour de rôle. Ils sont assistés dans leur tâche par cinq jeunes imbéciles inexpérimentés nommés *Savii agli Ordini*, ou petits-sages.

Leonora s'étonna de ce que les sages-grands, qui étaient au nombre de six, n'eussent que cinq petits-sages sous leurs ordres.

– Hé hé…, fit Lazaro, ravi de la finesse toute vénitienne qu'il s'apprêtait à énoncer. C'est que le sage de semaine n'a aucun assistant, vois-tu. Il ne serait pas bon qu'un de ces jeunes idiots soit au courant des questions les plus délicates. Ce que notre Sérénissime République apprécie le plus, c'est le secret.

« Et la complication », compléta en elle-même la Frascadina. Les deux choses allaient ici de pair et s'appuyaient l'une sur l'autre.

Elle se leva pour faire les cent pas afin de réfléchir plus à l'aise. Le grand balafré qui lui servait d'époux en profita pour la prendre dans ses bras. L'étreinte amoureuse du python de lagune lui rappela qu'elle n'avait pas que les crimes de Venise à régler, il y avait aussi ses problèmes domestiques.

– J'attends de toi que tu agisses en mari responsable, l'informa-t-elle entre deux baisers.

– Telle est bien mon intention, mon cœur !

Elle supposa qu'il avait mis sur pied un plan d'évasion subtil et imparable. Son opinion se confirma quand elle l'entendit susurrer à son oreille :

– Je vais t'aider, ma petite colombe.

Elle crut sa liberté à portée de main. Quand allait-il l'enlever ?

Il la lâcha brusquement et eut, de ses mains de nouveau libres, un geste de dénégation sans équivoque.

– Non, non, cela ne ferait qu'envenimer notre affaire. Je vais t'aider en m'en allant. De Venise. Et même du territoire de la République. Un certain temps.

Elle resta interdite. En d'autres mots, il se tirait des flûtes. Les rats quittaient la galéasse à la nage. Il s'assit sur la chaise paillée et allongea les jambes pour lui exposer sa brillante résolution.

– Venise est trop petite, trop fermée sur elle-même pour tolérer longtemps les esprits audacieux.

Elle traduisit « esprits audacieux » par « aventuriers sans scrupules, honnis des gens de bien, qui finissent un jour où l'autre par irriter les autorités et ne trouvent leur salut que dans la fuite, à moins qu'un décret officiel ne les y contraigne ». Venise était certes assez petite pour que l'on sache à quoi s'en tenir sur son voisin, ce qui devait beaucoup lui nuire.

– Notre cité est fabuleuse, reprit Lazaro, mais ceux qui désirent se livrer à des activités intéressantes sont contraints d'aller le faire ailleurs !

– Surtout ceux qui désirent se livrer à des activités répréhensibles, précisa Leonora, aussi sèchement que l'aurait fait mère Maria Nicopeia.

– Tout est répréhensible, à Venise, hormis l'amusement ! On ne peut pas s'amuser tout le temps, quand même !

– Les personnes honnêtes s'en contentent. Elles ont une forme d'amusement nommée « travail ».

– Dans ce cas, range-moi parmi les malhonnêtes, trancha-t-il.

C'était déjà fait et depuis fort longtemps. Elle songea tout à coup que, lui parti, même si elle parvenait à s'extraire du cloître, elle n'aurait pas de lit où se reposer ni de toit où s'abriter.

– Et notre petit nid d'amour ? demanda-t-elle.

Il fit la grimace. C'était un détail avec lequel il aurait préféré ne pas l'ennuyer. On l'avait jeté dehors pour une sordide histoire de loyers impayés. Mais qu'elle se rassure : il avait pris soin de mettre leurs affaires en sûreté.

Elle comprit qu'il emportait avec lui tout ce qu'il pouvait, au prétexte qu'elle n'avait besoin de rien là où elle était, après avoir probablement vendu le reste, si bien qu'elle se voyait dorénavant sans logis ni ressources.

– N'oublie pas de demander le divorce avant de t'en aller, lui conseilla-t-elle sur un ton glacial.

– Je crois que ton père s'occupe de cela, répondit-il de même.

Ce fut à cet instant que le père Diodati entra dans la sacristie pour quitter ses vêtements sacerdotaux. Il avait hâte d'enfiler le petit pourpoint discret qui lui permettrait de se rendre dans un *casin* de San Marco où l'attendait une partie de pharaon aussi passionnante qu'illégale. Il fut assez surpris de trouver les lieux occupés par une pensionnaire du couvent en compagnie d'un homme. La mine furieuse de la jeune femme le dissuada cependant d'émettre le moindre commentaire. L'inconnu profita d'ailleurs de son arrivée pour se retirer en toute hâte, poursuivi par la dame.

Lazaro Corner eut juste le temps de se faire ouvrir la porte qui menait à la nef. Leonora courut à l'intérieur de l'église, elle s'accrocha à la grille qu'elle secoua de toutes ses forces. Le fuyard battit en retraite sous une bordée d'injures qui horrifia les fidèles, déjà troublés par le train expéditif de la sainte messe.

De retour dans le cloître, Leonora se laissa tomber sur un banc, à côté de sœur Arcangela, qui s'était installée au frais pour consulter un ouvrage de philosophie inscrit à l'Index. Non loin d'elles, une fillette de onze ou douze ans jouait à la poupée. Elle se nommait Epifania et logeait là depuis qu'elle avait l'âge de raison.

– Cette petite devrait être la plus chanceuse du monde : elle n'a pas à se préoccuper de son avenir, expliqua Arcangela. À seize ans, elle prendra le voile. À dix-neuf, elle prononcera ses vœux définitifs.

Comme tout était prévu, Leonora ne voyait pas pourquoi on ne les lui faisait pas prononcer tout de suite. Elle plaignit les parents.

– Quelle tristesse d'être trop pauvres pour conserver leur fille chez eux.

– Les Bertolini ? Ils sont riches comme tout ! C'est bien pour ça qu'ils l'ont abandonnée, voyons. Mariée, elle aurait réclamé sa part d'héritage. En revanche, les bonnes sœurs n'héritent pas, la fortune familiale reste entière.

Leonora se dit qu'il y avait après tout des sorts pires que le sien.

X

Leonora n'avait pas tardé à se rendre compte que les sorties des demoiselles consistaient à aller s'amuser avec leurs soupirants, au prétexte de rendre visite à des parents imaginaires.

– Sioreta de Mezzo : son oncle ! annonçait la tourière.

L'heureuse élue s'en allait revêtir sa coiffe et son châle.

– Sioreta Semenzi Priuli : sa tante Leonida. Sioreta Zancaruol : son père.

Anna-Maria Zancaruol se leva avec un sourire gêné : elle était notoirement orpheline depuis cinq ans.

Leonora faisait partie des mal-aimées qu'aucun parrain ne dérangeait jamais. Aussi fut-elle aussi surprise que ses compagnes quand la religieuse annonça :

– Sioreta dalla Frascada : le doge.

Toutes posèrent qui son livre, qui un peigne ou son ouvrage pour la regarder avec stupeur. Elle crut elle-même à une plaisanterie, même après s'être habillée pour sortir, jusqu'à ce qu'un huissier revêtu de la livrée ducale se fût incliné devant elle sur le campo San Lorenzo, puis l'eût invitée à prendre place dans la superbe gondole aux armes du Palais amarrée près du pont.

Tandis que la grosse embarcation à deux rameurs l'emmenait en direction de la Piazza, Leonora nota un changement en ville. Sur les *rive* et sur les ponts, des *arsenalotti* et des bombardiers emmenaient des hommes et des femmes aux mains liées dans le dos. Les *Signori di Notte*, qui réprimaient les délits courants, avaient fait afficher dans chaque quartier une proclamation contre les voleurs. L'huissier ducal lui expliqua que les autorités étaient en plein branle-bas de combat. Dès le premier jour du carnaval, des curieux se répandraient dans tous les quartiers, dans tous les établissements, depuis les très chics *botteghe del caffè* de San Marco jusqu'aux salles de jeu sordides de Castello ou du Dorsoduro. Afin de conserver aux Vénitiens la réputation d'affabilité qui séduisait tant les étrangers, la police faisait le ménage avant le lancement des réjouissances. Les visiteurs devaient pouvoir s'amuser dans l'illusion d'une paix civile imperturbable et d'une parfaite sécurité. « Nous allons curer cette grande fosse à purin qu'est Venise ! » avait déclaré Son Excellence l'Inquisiteur rouge. Depuis lors, on raflait tous ceux qui auraient risqué de mettre en péril cet objectif et l'on condamnait à tour de bras les délinquants à trimer sur les galères de la Sérénissime. Quand plus rien ne bougerait, Leurs Excellences pourraient déclarer la ville prête et décréter le début des festivités.

La Frascadina croyait rencontrer le doge ; on la mena au Sanctuaire, siège du Haut Tribunal. Au lieu d'un prince en manteau doré, elle se trouva face à trois magistrats en toge, deux en noir, un en rouge, assis derrière l'imposante table rectangulaire.

La faire convoquer au nom de leur maître à tous avait été une manœuvre habile. S'ils l'avaient réclamée au nom des inquisiteurs, tout le couvent l'aurait ravalée au rang de ces méprisables espions appointés par la police. Puisqu'elle se rendait chez leur vieux souverain, on la prenait seulement pour une gourgandine qui vendait ses charmes.

– Nous aurions été attristés d'avoir nui à votre réputation, insista l'inquisiteur Tiepolo, très satisfait de sa propre finesse.

– Votre Excellence Illustrissime est trop bonne, le remercia Leonora.

Saverio Barbaran, la grosse araignée rouge, fit mine de la gronder comme s'il l'avait prise les doigts dans le pot de confiture du Sérénissime Prince :

– Que vous ai-je dit à notre dernière rencontre ? Pas d'enquête pour les jeunes femmes, ce n'est pas convenable, surtout pour une personne de la noblesse, cela ne sied ni à votre sexe, ni à votre rang, et vous jetez une ombre sur votre *casada* tout entière ; sauf, bien sûr, si c'est moi qui vous en prie.

Ils avaient sous les yeux la lettre transmise par Flaminio dell'Oio, celle par laquelle elle leur annonçait un attentat contre l'un des petits-sages. Une question les tarabustait depuis le matin : comment l'avait-elle su ?

Leonora hésita à révéler ses sources.

– Allons ! l'encouragea l'inquisiteur Pisani. Vous n'êtes pas ici à confesse ! On ne vous donnera pas des Pater et des Ave à réciter !

La coïncidence était curieuse, puisque c'était justement à confesse que se jouait le sort des fonctionnaires vénitiens. Leonora décida qu'il valait mieux garder une longueur d'avance.

– Que Vos Excellences me pardonnent. Les événements s'agencent dans ma tête pour former des conclusions auxquelles bien souvent je ne comprends pas grand-chose. Je ne suis qu'une femme, vous savez…

L'inquisiteur Tiepolo acquiesça du menton. Il savait surtout qu'elle était bonne à enfermer ; par chance, c'était déjà fait.

Puisqu'elle avait réussi à capter leur attention, elle tenta de les intéresser à ces enlèvements d'enfants qui mettaient les pêcheurs en émoi.

– C'est fort ennuyeux, admit *ser* Tiepolo. Surtout pour les amateurs d'anguille. Heureusement, il nous reste le thon. Mais il va falloir faire quelque chose, car les prix montent et cela manque de variété.

Leonora lui demanda à combien devrait s'élever le cours du thon pour que l'on prenne en considération la tragédie vécue par les pêcheurs d'anguilles.

– Ne soyez pas cynique, jeune femme ! s'insurgea *ser* Pisani. Il ne faut pas rire des malheurs d'autrui !

Il parlait des gastronomes, bien entendu.

– Si nous pouvions mettre tout ça sur le dos des Juifs…, dit Tiepolo, songeur. Ils nous ont bien servi, par le passé.

La discussion devenait déplaisante. Leonora les ramena sur le sujet des attentats.

– J'ai lieu de croire que notre assassin tentera de tuer l'un de vous chaque fois qu'il en aura l'occasion, aux moments où vous serez accessibles, par exemple lors des fêtes.

– Bien ! dit Pisani. Nous n'avons qu'à annuler toutes les fêtes du calendrier ! Combien y en a-t-il ?

– Chaque jour, Excellentissime Seigneur, l'informa le *fante* debout près de la porte.

Chaque paroisse, chaque *scuola*, ces guildes commerciales, célébrait avec pompe son saint patron, avec plus de faste l'une que l'autre. Il n'allait pas être commode de les y faire renoncer.

– Voilà qui risque de provoquer un certain désordre dans la Dominante, prédit *ser* Pisani.

– C'est l'unique moyen de conserver vos vies, insista la Frascadina.

– Nos vies appartiennent à l'État. Nous nous sacrifierons, trancha *ser* Tiepolo.

Surtout, la vie eût perdu beaucoup de son intérêt sans les fêtes vénitiennes. Il y avait les *andante*, visites du doge aux églises et aux monastères, les banquets du doge, les réceptions du doge, les processions du doge… Leurs Excellences n'avaient pas de plus grand plaisir que de parader en robe rouge ou noire sur les *campi*, précédés par le Sérénissime Prince en grande tenue brodée d'or sous son ombrelle, et suivis d'un

aréopage de secrétaires, aux acclamations de la popu-
lace. On donnait des fêtes pour l'élection du moindre
curé ou de n'importe quel président de congrégation,
pour l'investiture d'un procurateur de Saint-Marc,
pour la prise d'habit d'une fille noble, pour l'entrée
au Grand Conseil d'un jeune patricien ayant atteint
l'âge légal... Ces célébrations étaient gratuites, elles
plaisaient au peuple, on ne pouvait s'en dispenser.
Elles étaient le pivot de la République. S'il fallait gou-
verner sans elles, autant faire voguer une gondole
sans godille.

Leonora sollicita au moins la faveur d'échapper à
sa réclusion au couvent, afin de réunir des renseignements sur cette affaire. En guise de réponse, les inquisiteurs la prièrent de sortir quelques instants afin
qu'ils puissent en conférer entre eux.

Saverio Barbaran la rejoignit dans la salle de la
Boussole pour lui livrer leurs conclusions. Ses
parents, les dalla Frascada, partant en villégiature, il
n'était pas convenable qu'elle quitte le cloître. Elle y
serait très bien pour continuer à « réfléchir », puisque
telle était, selon elle, la technique qui lui avait permis
de devancer la centaine d'espions appointés par le
Haut Tribunal.

Leonora ne pouvait s'y tromper : l'Inquisiteur
rouge n'était pas dupe de son mensonge, il avait
deviné qu'elle leur cachait ses sources d'information.
Elle déclara qu'elle ne pourrait rien faire sans l'un de
ces précieux sauf-conduits qui permettaient à leurs
agents d'accomplir des missions délicates.

– J'ai mieux que cela, répondit *ser* Barbaran.

Il tira de sa manche une image pieuse où l'on voyait le doge en prière devant la Sainte Vierge et l'engagea à la montrer autour d'elle à son retour, pour accréditer l'idée qu'elle avait été reçue par le sérénissime vieillard.

Dès qu'il se fut retiré, deux « circonspects » au service du Tribunal se présentèrent pour la reconduire. On la remballait vers sa gondole. Si le Palais ducal l'avait tirée du cloître, s'y voir ramenée après l'entrevue n'était pas une bonne surprise. Leonora avait connu les enquêtes au couvent, voilà qu'on lui demandait d'enquêter *depuis* le couvent !

Deux silhouettes connues déambulaient sur le palier de l'escalier des Censeurs. Son père, le conseiller ducal, faisait les cent pas en compagnie de son secrétaire Tomazo Zen, en attendant de faire ses adieux au doge. Il s'étonna de rencontrer sa fille au Palais alors qu'il l'avait envoyée à San Lorenzo. La jeune femme s'approcha tout près pour lui murmurer à l'oreille le motif de ses inquiétudes :

– Je crois qu'on veut assassiner un membre du gouvernement.

– Au nom du Ciel ! Pourquoi ça ? s'exclama *ser* Cesare, horrifié.

– Parce qu'il est trop honnête.

Le patricien poussa un soupir de soulagement.

– Ah ! Tu m'as fait peur. J'ai cru que j'étais menacé.

Le seul atout dont elle disposait, c'était ce renseignement qu'elle avait tu à Leurs Excellences : le goût du tueur pour la confession. Il importait d'avoir un entretien avec Don Santibusca. Elle demanda à ses gardiens s'il était possible de faire un crochet par l'église San Samuele, afin qu'elle pût s'entretenir avec son directeur de conscience. Cesare dalla Frascada eut un instant de stupéfaction mais se reprit très vite.

– Je reconnais bien là ma bonne petite, toujours si pieuse et pleine d'initiative !

Les *fanti* hésitèrent : on leur avait ordonné de la ramener à San Lorenzo, pas de la promener à travers la ville.

– Allons ! plaida le conseiller ducal. Vous ne refuserez pas le secours de la foi à une âme en détresse !

Les huissiers cédèrent à Son Excellence. Le patricien baisa au front « sa bonne petite si pieuse » et la regarda descendre l'escalier monumental en se demandant quel plan elle pouvait bien avoir en tête. Il ordonna à Tomazo Zen de ne pas la lâcher d'un pouce.

Après avoir remonté le Grand Canal depuis la Piazzetta, l'embarcation ducale déposa la jeune femme et ses anges gardiens sur le campo de San Samuele. L'un des *fanti* contempla avec réprobation la façade blanche du palazzo Grassi qui s'élevait sur tout un côté de la petite place.

– Regardez l'arrogance de ces familles dont la noblesse n'a pas seulement un siècle d'ancienneté ! Parce que c'est riche, ça voudrait rivaliser avec les vrais fondateurs de notre République ! s'indigna Ignazio Beltrame, dont le nom figurait au registre des bourgeois de Venise depuis l'an 1534 – et aussi dans ceux de tous les usuriers et prêteurs du ghetto.

Leonora laissa les circonspects à leurs considérations sur l'excessive mollesse de leurs institutions et franchit le seuil de marbre de l'église.

Assis dans son fauteuil à volets, Don Anzolo ne devait pas être très concentré sur la confession en cours, car il se penchait régulièrement pour voir qui était là. Leonora reconnut les souliers qui dépassaient du prie-Dieu. Peu de gens, même à Venise, avaient le culot de se présenter à confesse avec des escarpins à boucle d'argent ciselé, venus de Londres par bateau pour un prix qui aurait suffi à nourrir une famille d'ouvriers pendant un mois, le parfait symbole de l'orgueil, de la vanité et de quelque chose d'autre qu'elle ne s'autorisait pas à nommer. Elle nota avec satisfaction que son courtisan tâchait, selon ses ordres, de soutirer des informations au prêtre.

Flaminio dell'Oio était davantage habitué à soudoyer les fonctionnaires de la Sérénissime ; la religion n'était pas son fort. Son angle d'attaque avait consisté à s'agenouiller avec humilité sur ce meuble inconfortable, et ses négociations avec le serviteur du Seigneur ne s'annonçaient pas sous de très bons auspices. Le curé avait les yeux qui lui sortaient un peu plus de la tête à chaque alinéa de ce catalogue d'impiétés. La profession de courtisan vénitien ne conduisait guère à la sainteté, et celui-ci, dont la dernière confession n'avait pu être datée à cinq ans près, avait accumulé depuis lors une liste effarante de péchés mortels.

Leonora s'agenouilla de l'autre côté du fauteuil. C'était sa seule chance de s'entretenir avec le prêtre sans alarmer les circonspects. Elle attendit qu'il eût chassé son courtisan avec un signe de croix nerveux et le plus gros nombre de Pater Noster jamais infligé dans cette église, et elle gratta au volet, qui s'ouvrit.

Il y eut un silence embarrassant. L'un des *fanti* s'était posté à l'entrée de l'église. L'autre passa tout près en feignant d'admirer les tableaux qui ornaient les chapelles. Il fallait trouver quelque chose à dire.

– Bénissez-moi, mon père, car j'ai commis un grand péché.

– Lequel, ma fille ?

– Je me suis mariée.

Don Anzolo l'informa que c'était là un sacrement, non un péché.

– Je me suis mariée sans le consentement de mes parents, mon père.

Cela pouvait se justifier, en cas de nécessité. Tout valait mieux que de vivre dans le péché ou de mettre au monde un enfant illégitime. Peut-être ce jeune homme possédait-il de grandes qualités morales qui...

– J'ai épousé Lazaro Corner.

Il y eut un sursaut derrière la paroi.

– Vous êtes damnée ! s'exclama le curé.

Le malheureux était abasourdi. Il ne suffisait plus au diable de fréquenter son église, il lui envoyait sa femme ! Leonora constata que la réputation de l'époux qu'elle s'était choisi était parvenue jusqu'au saint homme.

Elle le pria de se calmer, se présenta et demanda la faveur de discuter de masque et d'assassinat. Anzolo

Santibusca était prêt à tout pour ne plus avoir à écouter de confidences scandaleuses. Il n'entendait plus que cela, à commencer par celles de l'inconnu masqué, qui était revenu la veille au soir. Il vivait un enfer.

– Mon église est prise pour cible par les âmes damnées ! J'ai même eu droit à un sodomite, aujourd'hui !

Il craignait pour sa vie. Qu'arriverait-il si jamais ce dément de carnaval cessait de respecter son col blanc d'ecclésiastique ?

– Heureusement, j'ai la divine Providence pour ma sauvegarde ! murmura-t-il.

Il lui montra subrepticement, à travers la grille, le pistolet chargé qu'il cachait sous le coussin de son siège.

– Je ne vous poserai aucune question, promit Leonora.

– Vous savez que je ne peux rien dire, se défendit-il.

– Donc, résuma-t-elle, le masque est revenu hier et vous a annoncé qu'il allait attaquer l'un des petits-sages, *ser* Mattio Pasqualigo de San Gregorio, à l'aide d'une fronde.

Comme le confesseur ne se récriait pas, elle en déduisit qu'elle avait correctement récapitulé les événements.

– Il y a une chose que je peux vous révéler, ma fille.

C'était un détail bizarre, sans rapport avec la confession, qui n'était donc couvert par aucun serment : le monstre qui hantait son église lâchait du latin.

– Comment cela, du latin ?

– Tout le temps ! À tout propos ! Tout lui est prétexte à parler latin ! C'est un vrai recueil de citations !

La veille, dans son émotion, le prêtre avait commis une erreur de phraséologie latine, l'autre l'avait corrigé avant d'ajouter : « *Per fas et nefas*[1]. »

Leonora se demanda à quoi cette étrange information allait pouvoir lui être utile.

– *Qui potest capere capiat !* dit le père Santibusca. Comprenne qui peut !

Il entendit le prie-Dieu grincer. La jeune femme venait de se lever. Il s'empressa de la rappeler.

– Attendez, mon enfant ! Je dois vous donner l'absolution ! Vous avez épousé Lazaro Corner !

---

1. « Par le juste et l'injuste », c'est-à-dire : tous les moyens sont bons.

XI

L e jour venait de se lever lorsqu'un cri tira brusquement Leonora d'un rêve sans cloître.

– Réveillez-vous ! La noblesse a disparu ! L'Église a disparu ! Les bourgeois de Venise ont disparu !

– Une hécatombe ? demanda la jeune femme en se frottant les yeux.

– Non : le carnaval !

Leonora prit le temps de faire sa toilette : le carnaval pourrait bien l'attendre un peu.

Elle se trompait. Elle venait de refermer derrière elle la porte de sa cellule quand un raffut épouvantable la fit sursauter. Pour produire un tel vacarme, il fallait que toutes les cloches de Venise se fussent mises à sonner, et probablement celles, aussi, de la Terre ferme.

– Qu'est-ce que c'est que ça ? demanda-t-elle à une bonne sœur qui traversait le couloir, les bras chargés de robes multicolores dans lesquelles des danseuses légères auraient eu honte de s'exhiber. On enterre quelqu'un ?

– Sa Majesté carnaval est de retour, voyons !

Sortis des poches, des sacs, des tiroirs, des masques apparurent dans les mains des pensionnaires. En un instant, Leonora n'eut plus autour d'elle qu'une foule indistincte de faces anonymes en soie noire ou blanche, comme si elle eût basculé dans le monde des songes inexplicables.

Affublée d'un faux nez et d'un collier de barbe postiche qui lui donnait une furieuse allure de penseur aristotélicien, sœur Arcangela se rendait au parloir pour un rendez-vous philosophique. Leonora lui emboîta le pas. Elles croisèrent un groupe de demoiselles qui se préparaient pour sortir.

– En quoi vous déguiserez-vous ? demanda l'une d'elles.

– En honnête fille ! répondit la novice Graziana.

Ses compagnes éclatèrent de rire.

– Qui lui prêtera un tel habit ?

– Personne ici !

Elles s'éloignèrent en riant.

– Notre Graziana est fort grosse, remarqua Leonora.

– Oui, comme vous dites, répondit la philosophe cloîtrée.

C'était un embonpoint qu'aucune diète ne réduirait. Il arrivait que les nonnes pâtissent de leurs débordements.

– À quand la délivrance ? s'enquit la Frascadina.

– Au pire moment, bien sûr, répondit Arcangela, que sa passion exclusive pour la littérature mettait à l'abri de ce genre d'aléas.

– J'espère que ce ne sera pas aujourd'hui, dit Leonora, qui n'avait pas besoin d'un scandale supplémentaire.

– Voyons voir, dit la nonne en tirant de sa poche l'almanach de l'année en cours. Les astrologues ne prévoient ni raz de marée, ni tremblement de terre… Donc non, pas aujourd'hui.

Trois personnages de la commedia dell'arte attendaient à la grille pour discuter belles lettres et métaphysique. Leonora suivit un moment les débats, mais quand Arlequin s'opposa à Polichinelle sur la question de savoir si la force est substance ou si la substance est force, elle se leva discrètement pour se rendre à la cuisine.

Il n'y avait qu'autour des fourneaux que l'on ne plaisantait pas. Elle demanda si l'on avait besoin d'elle pour la pâtisserie.

– Il s'agit bien de pâtisserie ! dit sœur Aracoelis d'une voix désespérée.

Après les pêcheurs d'anguilles et les pêcheurs de langoustes, les pêcheurs de coquillages avaient rangé leurs filets et leurs paniers. Plus un mollusque n'abordait la Pescaria. Mère Maria Nicopeia et la cuisinière faisaient le point sur les ressources disponibles pour les repas du jour. Sœur Aracoelis contemplait d'un œil désolé les pitoyables choux blancs, verts ou rouges qu'on avait osé lui livrer. La privation de produits marins lui suggérait des prédictions apocalyptiques :

– Venise peut vivre sans eau, sans bois de chauffage, sans vin d'Istrie, sans musique, sans espoir et, à la limite, sans étrangers à plumer. Mais sans poisson, elle est fichue. Que mangerons-nous ? Du taureau ? De la chèvre ? Du cheval ? Des animaux à quatre pattes qui ne passent pas les ponts et piétinent dans leurs propres déjections ? Jamais !

Maria Nicopeia laissa la malheureuse à sa détresse et préféra s'intéresser à l'apprentie pâtissière. Elle tira de sa ceinture un papier plié en huit qui portait le sceau des ursulines de Vicence. L'abbesse de cette communauté s'était alarmée du sort réservé à son ancienne pupille chez les bénédictines de San Lorenzo, un sort qu'elle supposait terrible, impitoyable, et même inhumain si l'on en jugeait par les mises en garde, les avertissements et les menaces à peine voilées contenus dans sa lettre. La destinataire exprima son opinion sur la diatribe avec acidité.

– *Madre* Silvana m'y dit des gentillesses bien fraternelles, pieuses, aimables, je crois même qu'elle m'y fait la morale.

Leonora imaginait très bien sur quel ton l'abbesse de Vicence se permettait de faire la leçon à celle de Venise. Un frémissement d'angoisse la parcourut tandis que mère Maria Nicopeia jetait le papier dans le fourneau.

– Je vais vous accorder une faveur, ma petite : je ferai comme si je n'avais jamais reçu cette lettre. Il serait dommage que nos relations en soient altérées.

Leonora la remercia avec gratitude. Vicence était loin.

Maria Nicopeia avait néanmoins un reproche à lui faire. Elle détailla sa tenue de haut en bas.

– Ma fille, vous allez devoir aborder l'essence même de l'enseignement conventuel.

– La méditation sur les textes saints ? supposa Leonora.

– La mise en valeur de vos charmes. Vous ne faites guère honneur à notre communauté. Vous êtes aussi dépouillée qu'un ermite.

Il avait fallu qu'elle vienne habiter dans un couvent pour s'entendre dire qu'elle ne savait pas s'habiller. Elle s'étonna qu'on voulût lui apprendre la coquetterie. Mère Maria Nicopeia se récria :

– Fi ! Jamais je ne tolérerai un tel vice entre ces murs !

Il ne s'agissait que de « soutenir dignement leur rang de bénédictines vénitiennes ». On l'envoya se faire rhabiller par la maîtresse du vestiaire.

Alors qu'elle s'y rendait sans joie, Leonora fut avertie qu'on la réclamait au parloir. Elle bifurqua avec soulagement dans la direction qui l'éloignait des fanfreluches à la mode bénédictine.

Flaminio était venu lui présenter le résultat de ses démarches auprès du curé de San Samuele. À l'entendre, il l'avait cuisiné sans répit, mais l'homme était coriace.

Leonora savait déjà cela : non seulement dell'Oio n'avait rien appris, mais le prêtre était certainement disposé à payer une rançon pour ne plus avoir à l'entendre. Elle lui confia l'indice qu'elle était parvenue, elle, à apprendre : l'assassin aimait s'exprimer en latin.

– Ce tueur est d'un prétentieux ! s'écria dell'Oio.

La liste des suspects ne s'en réduisait pas de beau-coup : Leonora était d'avis que tous les gens cultivés lisaient couramment cette langue.

– *La plupart* des gens cultivés, rectifia son courtisan vénitien. Il y en a qui s'en passent.

La jeune femme chercha de mémoire qui possédait le latin. Il y avait les juristes – mais ceux de Venise l'employaient peu, le droit vénitien étant fondé sur une jurisprudence d'arrêts prononcés en langue ver-naculaire. Il y avait l'Église – ils firent à l'Église la grâce de croire que l'assassin ne se cachait pas parmi ses clercs. Et puis il y avait les savants, qui en usaient pour composer leurs traités et le pratiquaient par goût dans des académies, par exemple chez les maca-ronistes, ces fins lettrés amateurs de jeux de mots. C'était là qu'il convenait de se faire recevoir pour commencer. Leonora jaugea son courtisan.

– Vous maîtrisez le latin, vous ?

– Euh... *Sic transit gloria mundi* ?

Elle leva les yeux au ciel.

– C'est moi qui vais me dévouer, comme toujours.

Afin qu'elle pût sortir sans chaperon, elle le pria de la réclamer en se faisant passer pour l'un de ses parents.

Quelques minutes plus tard, assise dans la salle commune, Leonora faisait mine de broder quand l'une des religieuses fit l'appel des demoiselles auto-risées à passer la journée en ville :

– Ludovica Contarini : son cousin. Zanna Trevi-san : son parrain. Dalla Frascada : Son Altesse Impé-riale l'archiduc Joseph d'Autriche.

L'annonce suscita la stupéfaction. C'était inattendu, mais on ne pouvait montrer son étonnement sans faire affront au doge, qui l'avait appelée la veille : un archiduc héréditaire n'était pas au-dessus d'un doge vénitien.

Flaminio l'attendait sur le campo, déguisé en prince d'opérette, avec un faux nez à moustache, une fausse Toison d'or au cou et une épée en carton à la ceinture. Elle lui reprocha son manque de discrétion :

– Je vous avais dit de vous faire passer pour l'un de mes parents !

– Eh bien ? Je n'empêche personne de croire que vous avez de la famille haut placée !

L'accès à la réunion hebdomadaire des macaronistes se faisait par la calle delle Merzerie, tout près de la Piazza. Il fallait montrer patte blanche à l'entrée. Un greffier revêche avait le coude sur le registre des habitués, où leurs noms ne figuraient pas.

– *Nescio vos*[1], dit le cerbère.

Leonora devina que ces soirées d'élite n'étaient pas pour tout le monde, il importait de montrer son intérêt pour les langues mortes.

– *Quézaco ?* répondit dell'Oio en cherchant des yeux le soutien de sa patronne.

Tandis qu'il réfléchissait à quelque chose à ajouter, la Frascadina tendit à l'employé quelques ducats dont la maxime imprimée au revers était bien dans la langue requise.

---

1. « Je ne vous connais pas. »

– *Dignus est entrare !* déclara le cerbère en empochant la somme.

Flaminio fut ravi de vérifier une fois de plus que son charme et son à-propos lui ouvraient toutes les portes.

– Ils apprécient mon latin, souffla-t-il à sa patronne en montant l'escalier.

– Ma bourse parle mieux latin que vous.

Les érudits se promenaient dans une suite de salons aux murs tendus de tissu rouge, éclairés par des lustres en métal doré, décorés de vues à l'antique suspendues au-dessus des portes. Une foule élégante se pressait entre les tables chargées de rafraîchissements. Les hommes étaient habillés dans des tons bleus ou ocre, les femmes dans des teintes plus claires et plus variées. La Frascadina eut une mauvaise surprise : elle n'avait pas songé que les convives auraient le visage couvert. La plupart portaient la *moretta*, petit masque ovale en velours noir ou en satin blanc qu'on tenait au bout d'une baguette, ce qui laissait la bouche libre pour engloutir des amuse-gueule.

Déjà dell'Oio se dirigeait vers le buffet, où des laquais servaient une collation en échange de quelques lires.

– N'oubliez pas que l'assassin se trouve peut-être parmi ces gens, lui rappela la Frascadina.

– *Catastrophas !* gémit le courtisan vénitien.

– Vous n'avez qu'à frayer avec les dames, ça vous changera.

Il se fit une place entre deux érudites masquées qui se faisaient servir des alcools et des eaux glacées.

Comme ces personnes s'adressaient à lui en latin, il tenta de s'en tirer par des formules connues.

– *Ipso facto*, madame.

Lorsque Leonora approcha à son tour pour prendre un verre de *prosecco*, il lui glissa en confidence le résultat de ses investigations :

– Je crois que la moitié des gens qui sont ici ne parlent pas mieux latin que moi.

C'était une chance, mais cela portait à réviser à la baisse le niveau des sociétés savantes traditionnelles. Après s'être éloignée vers les fenêtres, elle l'entendit encore trinquer avec un vigoureux :

– *In vino veritas* !

Un homme en *volto*, demi-masque de couleur blanche, une coupe à la main, se pencha vers elle.

– Dites-moi, c'est un almanach sur pattes que vous nous avez amené.

Cette voix chaude et posée ne lui était pas inconnue, mais elle ne put mettre un nom dessus. Après avoir échangé deux ou trois bons mots, elle se plaignit de ne connaître personne, avec l'espoir que son nouvel ami lui révélerait l'identité des amateurs de vers latins. L'homme au *volto* lui désigna quelques Pantalons qui travaillaient à la Zecca, quelques Brighellas employés à la douane, sans compter un Scaramouche à longue plume rouge qui présidait aux destinées des comptoirs de l'Adriatique quand il n'était pas occupé à fanfaronner, vêtu en capitaine de fantaisie. Leonora s'apprêtait à demander à son indicateur comment il était si bien renseigné quand ils entendirent de loin Flaminio déclarer avec entrain, avant de vider son verre :

– *Mens sana in corpore sano !*

– J'ai honte, dit Leonora.

– Mais non, il est dans le ton, je vous assure, dit l'inconnu masqué.

Il leva sa coupe en direction du courtisan vénitien :

– *Nunc est bibendum !*

Dell'Oio s'inclina avec un sourire. De toute évidence, il n'avait rien compris.

– Heureusement, il sait bien dissimuler quand il est dans le brouillard, plaida la Frascadina.

Son nouvel ami lui demanda s'il s'agissait de son sigisbée, ces messieurs de compagnie qui suivaient les Vénitiennes quand elles sortaient sans leur mari.

– Pas du tout, c'est mon courtisan attitré, répondit-elle avec une pointe d'orgueil. Il m'aide à enquêter sur les crimes qui se commettent dans cette ville. Vous aurez du mal à le croire, mais la poursuite des criminels est mon passe-temps favori.

– C'est fascinant, répondit la voix qui sortait du masque.

La Frascadina se demanda si tout ce *prosecco* ne la poussait pas à en dire plus qu'elle n'aurait dû. Elle se força à poser son verre, mais le reprit bientôt. Après tout, elle avait rarement l'occasion de rencontrer un personnage cultivé, aimable et attentif. Celui-ci était très au-dessus de la moyenne des Vénitiens, il parvenait même à lui inspirer confiance.

Les macaronistes n'étaient pas seulement là pour boire et échanger des bons mots. Un orateur se lança dans la déclamation de vers de son cru :

De brancha in brancham degringolat atque facit pouf.

– Mais c'est du latin de cuisine ! s'offusqua Leonora.

– Vous l'ignoriez ? dit le masque.

Ces sociétés s'étaient créées en réaction aux règles linguistiques imposées par les deux langues dominantes, le latin de Rome et le toscan des Florentins. On les tournait en dérision en les mélangeant, c'était un jeu d'esprit irrévérencieux, de la résistance culturelle pour fins lettrés. Leonora comprit d'où venait leur nom bizarre : un *macarone* était un homme lourdaud et grossier qui s'exprimait de manière ridicule.

En échange de ses renseignements sur les invités, l'homme au *volto* demanda si elle ne pouvait pas lui apprendre un fait curieux glané au fil de ses enquêtes.

Elle ne résista pas à l'envie de se rendre intéressante.

– Me croiriez-vous si je vous disais qu'en ce moment même un assassin médite de s'en prendre à nos puissants magistrats ? Qu'il court les rues en débitant du latin ? Qu'il passe à confesse à l'église San Samuele, entre deux tentatives de meurtre ?

Elle tâcha de deviner l'expression de son interlocuteur derrière ce visage en cuir bouilli où deux yeux noirs la fixaient.

– Et je suppose que vous êtes en chemin pour aller confier ces faits à Leurs Excellences du Haut Tribunal, répondit-il.

Leonora eut un petit rire alcoolisé.

– Que croyez-vous qu'ils diraient, s'ils savaient ? chuchota-t-elle en pouffant à l'idée de sa propre malice.

– Je ne sais pas. Qu'en pensez-vous ? répondit son compère avant de soulever son masque.

L'inquisiteur Barbaran la pourfendait d'un regard sombre et perçant. Jamais elle ne l'avait vu autrement que dans sa toge écarlate, pas un instant elle n'avait pensé à faire le lien entre cette voix au ton léger et l'inquiétant magistrat. Elle lâcha son verre, qui éclata sur le parquet, et recula d'un pas.

À l'autre bout de la salle, Flaminio tentait de mettre un frein aux assiduités d'une *nobildonna* un peu éméchée qui se collait à lui en riant.

– *Vade retro*, madame !

Il avisa sa patronne qui se dirigeait vers la porte et la rejoignit en toute hâte avec inquiétude.

– Euh…, fit-il. *Quo vadis ?*

– *Si vis pacem, para bellum*, lança-t-elle d'une voix sinistre, sans s'arrêter.

Il dut courir derrière elle tandis qu'elle descendait l'escalier et sortait dans la *calle* éclairée par les lanternes publiques.

– Où ça, *bellum* ? demanda-t-il. Avec qui, *bellum* ?

Elle était furieuse contre elle-même. Le bilan de la soirée était désastreux. Elle avait fait un faux pas, ils s'étaient trompés de piste et avaient perdu leur temps. Les vrais savants d'aujourd'hui étaient les

« illuministes » qui se regroupaient pour étudier les innovations répandues par les philosophes des Lumières ; ici, elle avait côtoyé les savants d'hier, les magistrats de la Sérénissime et les tenants de l'ordre ancien.

Dell'Oio lui prit le bras. Puisqu'elle était décidée à rentrer à pied à son couvent, autant se donner l'allure d'un couple respectable. Un peu pompette, il se permit un trait d'esprit :

– Cette assemblée manquait peut-être de Lumières, mais on ne peut pas dire que nous y avons brillé !

L'atmosphère devint glaciale. Elle eut envie de l'assommer.

Puisque la secte des latinistes conduisait à une impasse, il ne restait plus qu'à se tourner vers les clercs de l'Église et, éventuellement, les juristes qui avaient fait leurs études en droit romain. Elle résolut d'adresser un message à qui de droit.

Flaminio écarquilla les yeux.

– À Dieu le Père ?

– Non, juste en dessous.

Il fut très surpris d'apprendre qu'elle voulait prendre contact avec « Monsieur Lefort », le correspondant des couturières de Paris, le seul à savoir avant tout le monde ce qu'il faudrait porter la saison prochaine.

XII

L e lendemain, nulle pensionnaire ne se soucia de savoir si son nom était appelé parmi ceux des demoiselles autorisées à sortir : tous les regards étaient fixés sur Leonora. Quand la religieuse se tourna de son côté, elles attendirent, le souffle coupé, d'apprendre qui pouvait bien la réclamer cette fois.

– Dalla Frascada : Son Éminence le patriarche !

La stupéfaction s'empara une fois de plus des autres demoiselles. Des ducats changèrent de main. La Frascadina devenait plus populaire que la loterie ducale.

Bien qu'elle ne fût qu'à moitié surprise d'avoir été réclamée par le patriarche – le message qu'elle lui avait envoyé la veille avait porté ses fruits –, elle n'en demeurait pas moins méfiante. Lorsqu'on l'avait fait appeler au nom du doge, elle avait comparu devant les inquisiteurs. La veille, l'archiduc d'Autriche s'était changé en un pantin grotesque. Elle s'attendait par conséquent à être reçue par le bedeau d'une paroisse miteuse.

Si l'isola di San Pietro était le seul quartier de Venise qui portât le nom d'« île », c'était qu'il était le seul, dans toute la ville, qui ressemblât vraiment à une île. On ne pouvait s'y tromper, les Vénitiens avaient voulu établir clairement que cet endroit était « isolé ». L'évêché était une concession envers le pouvoir papal. Les Vénitiens en avaient fait une sorte de représentation diplomatique vaticane frappée d'extraterritorialité dans tous les sens du terme. Il ne manquait plus, sur le dernier pont, qu'un panneau annonçant : « Toi qui entres ici, sache que tu n'es plus vraiment à Venise. » Il n'était pas question que le représentant de l'Église romaine pût se sentir la moindre autorité. On l'avait campé sur un terrain à peine plus vaste qu'un pâté de maisons, il régnait làdessus. Les habitants de la Dominante avaient offert à l'évêque le plus beau campanile de pierre blanche, bien détaché de l'édifice religieux, mais c'était un cadeau empoisonné : la tour était si penchée qu'on ne pouvait plus sonner les cloches. Privée de voix, la cathédrale romaine faisait moins de bruit que les vagues et les mouettes de la lagune.

Un valet fit entrer Leonora dans le bâtiment tout blanc, dénué du moindre ornement en stuc, où était relégué le titulaire du joli nom de patriarche. Un homme d'une soixantaine d'années, vêtu d'une longue robe d'intérieur en soie de Chine, la rejoignit dans la salle à manger. C'était bien Giovanni Bragadin, archevêque de Venise, *Patriarchatus Venetiarum*, successeur d'une longue liste de patriciens aux noms glorieux qui avaient occupé cette fonction depuis l'an 1456. Il lui tendit la main, elle s'inclina pour baiser l'anneau épiscopal.

– Voici enfin cette petite jeune femme dont on m'a tant parlé, dit Mgr Bragadin.

La petite jeune femme émit l'espoir que sa réputation n'était pas trop mauvaise. Le patriarche balaya de la main une suite de ragots et de rumeurs qui avait l'air très fournie.

– Rassurez-vous, nous sommes à Venise, il y a de la concurrence.

Sur une longue table, le couvert avait été dressé pour deux. Il l'invita à s'asseoir.

– J'espère que vous aimez le poisson. J'ai demandé des cigales de mer au citron. Mon maître queux les réussit à merveille.

Leonora n'avait plus vu un crustacé depuis des semaines. Elle supposa que l'Église avait ses propres réseaux, y compris en matière de poissonnerie.

Le valet déposa sur la table un grand plat en argent vide. Le patriarche déclara que c'était là le thème de leur discussion.

– Nous allons discuter des cigales de mer invisibles ?

– Je suis sûr que vous m'avez compris, dit Mgr Bragadin tandis qu'on leur servait la triste polenta aux tripes dont même les princes de l'Église devaient à présent se contenter.

Le père Anzolo Santibusca avait donc fait son rapport !

– Il ne m'a rien dit, je ne sais rien, affirma le patriarche d'une voix neutre, entre deux mastications sans plaisir.

Le silence était apparemment le nouveau dogme de l'Église vénitienne. L'information circulait tous azimuts, mais personne ne savait rien. Giovanni

Bragadin était d'autant plus prudent qu'il se sentait à moitié prisonnier dans son *isola* San Pietro. Leonora était cloîtrée à San Lorenzo, cela leur faisait un point commun.

Elle en profita pour solliciter un allègement de sa réclusion. Son Éminence ne voyait guère ce qu'on pouvait encore alléger dans la règle imposée aux bénédictines de Venise. Partout ailleurs, on aurait qualifié leur mode de vie de bacchanale permanente. Il se commettait moins d'horreurs dans les communautés de prostituées plus ou moins repenties dont l'Europe regorgeait. Il consentit néanmoins à écrire un mot de recommandation à l'intention de mère Maria Nicopeia, dont la jeune femme lui assura qu'elle adorait recevoir ce genre de correspondance.

S'il l'avait fait venir jusqu'à ce coin perdu de la Dominante où siégeait le plus haut représentant du Bon Dieu, ce n'était ni pour déguster des mets inexistants ni pour rédiger des courriers internes entre la poire et le fromage. Il désirait la voir se renseigner, si elle le pouvait, sur la disparition des enfants de pêcheurs, une calamité qui attristait ses ouailles de la lagune.

– Nous nous intéressons beaucoup au sort des petits garçons, expliqua-t-il.

– Je me le suis laissé dire, en effet, répondit Leonora.

Elle était soulagée. Elle commençait à croire que personne ne se pencherait jamais sur ces cas d'enlèvements. Si les bureaux de la Sérénissime faisaient la sourde oreille, le patriarche ne pouvait rester insensible à la détresse de ses fidèles. Les cures de Vénétie étaient devenues des bureaux de doléances. Soit la police ne faisait rien, soit elle ne parvenait à rien. Mgr Bragadin était offusqué par le laisser-aller des instances républicaines. À croire que le Palais protégeait les voleurs d'enfants !

– Que voulez-vous ! s'exclama-t-il. Le jour où l'on pourra gagner de l'argent en trucidant son prochain, il n'y aura plus un seul habitant en vie, dans cette ville !

Il s'en serait bien occupé lui-même s'il n'avait eu les mains liées par son statut. Même le chapelain de San Marco était mieux loti que lui, il disposait au moins d'un palais bien situé. Être patriarche de Venise, c'était régner sur tout sauf sur Venise. Tout en parlant, il s'échauffa jusqu'à souligner chaque phrase de coups de poing qui faisaient tressauter les assiettes.

Leonora fut navrée d'apprendre qu'il y avait de si grands malheurs en ce monde. Elle attendit que Son Éminence se fût un peu refroidie et lui demanda si elle soupçonnait quelqu'un.

– Je ne sais rien, et même si je savais, je ne pourrais rien dire, déclara le sphinx.

C'était bien un natif du Grand Canal, en dépit de ses récriminations contre le système en vigueur. Vénitien et homme d'Église : deux raisons de cultiver l'amour du secret.

Elle supposa qu'il avait tout de même une idée sur la question et n'eut qu'à insister un peu pour le voir exploser.

– Le Turc ! Le Turc perfide ! Qui médite des four-
beries sous son turban ! Qui dissimule son hypocrisie
derrière sa moustache en croc ! Toujours à l'affût d'un
mauvais coup, la main sur sa lame de Damas ! De l'or
volé plein sa culotte bouffante !

Leonora se félicita d'avoir fait un grand pas. Au
moins, le coupable serait facile à reconnaître, son portrait était précis. Le patriarche se montrait intarissable sur le sujet.

– Ce démon de Turc ! L'infâme Turc ! Je hais les
Turcs !

C'était au moins un point d'établi. Il rôdait donc à
travers la lagune un Turc plein de traîtrise qui enlevait les petits garçons – pour alimenter en eunuques
le sérail de la Sublime Porte, sans aucun doute.

– Exigeons l'arrestation de tous les moustachus en
culotte bouffante, suggéra Leonora, pressée de quitter la compagnie de l'obsédé.

Giovanni Bragadin émit un ricanement amer.

– Ah, ah ! Pauvre enfant ! Il est trop tard. Le carnaval a commencé.

Leonora ne vit pas tout d'abord le rapport entre le
carnaval et la chasse au Turc. Il y en avait un, en tout
cas, entre carnaval et culottes bouffantes. Aucun
déguisement n'était plus prisé que l'habit oriental.
Elle devait s'attendre à voir des Turcs partout – tout
comme le patriarche, qui voyait leurs fantômes rôder
jusque dans sa salle à manger.

Elle admit qu'il y avait là une difficulté. Sans
compter que les vrais Turcs pouvaient s'être travestis
en autre chose.

150

– Le Turc ne célèbre pas le carnaval, déclara le patriarche d'une voix sinistre. Il ne croit pas en ce qui fait le fondement de notre religion.

– Le masque et la farandole ? dit Leonora.

Une gondole l'attendait à sa sortie de l'évêché. À l'intérieur se tenait Missier Grande, chef de la Police d'inquisition républicaine.

– Laissez-moi vous raccompagner à votre couvent, *madamoxeta*, dit le serviteur du Haut Tribunal.

– C'est fort aimable à vous.

– Pensez-vous ! Je prends plaisir à convoyer les personnes qui sortent de cette maison, cela fait partie de ma mission.

À défaut d'être hanté par d'invisibles Turcs armés de poignards, le palais épiscopal l'était indubitablement par les espions de la Sérénissime. Missier Grande savait déjà tout de leur conversation, aussi sûrement que s'il s'était trouvé dans la salle à manger. Leonora plaignit le patriarche. Savait-il que des oreilles indiscrètes se collaient aux portes chaque fois qu'il recevait en tête à tête ? Avait-il ses propres indiscrets dans les appartements du doge ?

Puisqu'il avait été question des enlèvements chez l'archevêque, la police ducale se sentit obligée d'aborder le sujet. Missier Grande le fit avec tant de circonlocutions que Leonora fut incapable de définir ce qu'on voulait d'elle.

– Pardonnez-moi, je n'ai pas bien compris. Me confiez-vous cette enquête ou me l'interdisez-vous ?

– Les deux, répondit le *capo di polizia*.

C'était là toute la subtilité de la rhétorique vénitienne. La Frascadina l'informa du soupçon de Son
Éminence à l'égard des Turcs.

– Il a raison ! approuva d'emblée Missier Grande.
Mgr Bragadin a toujours fait preuve d'une remarqua-
ble clairvoyance dans tous les domaines, dès lors
qu'ils n'ont aucun rapport avec la religion.

Il était dommage, dans ce cas, d'avoir fait de lui un
archevêque. Encore un de ces paradoxes dont Venise
avait le secret, sans doute.

Le *barcarol* venait de les arrimer au débarcadère du
campo de San Lorenzo. On aida la jeune femme à gravir les marches humides. Avant de quitter le capitaine, elle s'étonna de ne pouvoir faire un pas sans
tomber sur un policier. Cela faisait beaucoup, pour
une ville où il se commettait si peu de crimes.

– Il faut bien une police nombreuse et organisée, si
l'on veut espionner tout le monde, expliqua Missier
Grande. Les gens circulent sous la même cape, sous le
même masque, dans les mêmes gondoles noires.
Comment pourrions-nous savoir qui est qui et qui
fait quoi, sinon en écoutant à toutes les portes ? La
police est plus essentielle à Venise que les poteaux de
bois qui soutiennent nos maisons.

Leonora lui abandonna la responsabilité de cette
opinion et marcha jusqu'à son couvent sans se
retourner.

Mère Maria Nicopeia était justement dans le vestibule, d'où elle tâchait de chasser deux Arlequins et un
Polichinelle qui se livraient à des plaisanteries irrévé-
rencieuses – mais le combat semblait perdu d'avance,

car elle se montrait tout à fait incapable de s'empêcher de rire, à l'instar les autres personnes présentes.

Comme elle se sentait d'humeur révoltée, Leonora lui remit le billet du patriarche.

– De mieux en mieux, dit la supérieure après avoir parcouru les quelques mots qui y étaient écrits. Non seulement vous vous permettez de contester mon autorité, mais vous passez par-dessus ma tête pour vous plaindre à la hiérarchie ! Je vous trouve de plus en plus intéressante.

Leonora objecta qu'elle ne s'était pas plainte. Ainsi qu'il était indiqué dans la lettre, elle avait besoin d'être libre de ses mouvements pour mener à bien une mission capitale confiée à elle par Son Éminence.

La religieuse aurait préféré discuter directement de cela avec l'archevêque.

– Croyez-vous que nous soyons insensibles au sort des petits enfants, nous autres, filles de San Lorenzo ? Chacune de nous aurait pu être mère et certaines le sont effectivement.

Puisqu'il semblait qu'elles inauguraient une nouvelle ère de permissivité durant laquelle les pensionnaires confiées à leur vigilance feraient la police dans les rues de Venise, la supérieure l'informa qu'une personne l'attendait depuis une heure pour s'entretenir avec elle.

– Un homme ? Une femme ?

– Un homme, bien sûr !

Le visiteur s'était fait servir aux frais de la Frascadina une collation dans le parloir. Celle-ci sut dès lors de qui il s'agissait.

Flaminio dell'Oio était venu aux ordres – elle soupçonna qu'il était surtout venu au ravitaillement. Ce fut assis devant une table basse garnie de hors-d'œuvre qu'il l'écouta lui résumer ses derniers rendez-vous. Il fit une pause entre deux bouchées de polenta au salami pour lui confirmer le peu de fiabilité de la piste turque. Quand la police n'arrivait à rien, elle inventait un Turc ; on se fâchait contre l'ambassadeur, on écrivait à la Sublime Porte, on fermait son comptoir du Grand Canal, les marchands de Venise criaient à la mort du petit commerce, le sultan adressait au doge une protestation officielle et on enterrait l'affaire par retour du courrier. Les Turcs étaient soupçonnés des enlèvements d'enfants, rien de plus normal, ils étaient crédités de tous les crimes mystérieux depuis la chute de Constantinople en 1453.

Ils tombèrent d'accord pour étudier de plus près les disparitions sur la lagune. Il allait falloir enquêter chez les pêcheurs de San Pietro in Volta. Flaminio eut le temps d'engloutir ses trois derniers gnocchi avant de s'apercevoir que sa patronne ne pipait plus mot. La collation achevée, les neurones du courtisan purent reprendre la maîtrise de ses pensées.

– Vous ne savez rien du peuple, n'est-ce pas ? Entre votre couvent de Vicence et le palais de vos parents, vous n'avez jamais eu l'occasion de fréquenter les petites gens. Le peuple vous fait peur !

C'était bien dit de la part d'un garçon qui ne quittait guère les salons bourgeois et les *casini* des riches oisifs, sinon pour aller admirer les torses luisants des portefaix qui déchargeaient les caisses de marchandises sur la riva degli Schiavoni, ce qui constituait son principal contact avec la classe laborieuse.

– J'ai une idée ! dit Leonora.

Cette idée supposait l'acquisition d'une barque de mer, de vieux vêtements, d'un pigeon et d'un petit garçon.

– Nous irons à la pêche aux voleurs d'enfants !

Pour les pigeons, la ville n'en manquait pas, que ce fût sur le dallage de la Piazza ou dans les maisons de jeu. Flaminio se demanda en revanche où elle comptait trouver un petit garçon à emprunter.

– Ce n'est pas une denrée qui s'achète au marché, vous savez.

Leur attention fut attirée par des cris d'enfant. Epifania, la fillette du couvent, tentait de faire régner l'ordre parmi les divers toutous que les visiteuses avaient amenés au parloir. C'était la Providence qui la leur désignait.

– Nous allons changer ce garçon manqué en garçon réussi ! décréta l'enquêtrice.

La gamine étouffait entre ces murs, on allait l'utiliser. Flaminio craignit que ce ne fût pour la faire étouffer par quelqu'un d'autre.

Leonora courut après la fillette pour lui présenter son offre. Il fallut d'abord l'attraper.

– Ma chère petite Epifania… Veux-tu vivre une aventure palpitante ? lui demanda-t-elle comme si elle lui proposait une partie de balançoire.

La fillette la vit venir d'aussi loin que l'apparition de la nef dorée du Bucintoro sur laquelle le doge se rendait au Lido une fois par an.

– Quatre doublons, deux sequins et huit *piccole*, répondit-elle en tendant sa petite main potelée.

Leonora constata avec déception que la cohabitation avec les adultes avait complètement gâté la délicieuse fraîcheur enfantine d'Epifania. Elle offrit une somme plus en rapport avec l'âge de la négociatrice :

– Cinq philippes, trois ducats et onze *gazette*, plus le droit d'utiliser mes crayons de couleur deux fois par semaine.

– Bingo ! dit la charmante enfant en tapant dans la main de son employeuse comme un marchand de grain du *fondaco dei Tedeschi*.

Leonora comprenait mieux les voleurs d'enfants. À ce prix-là, les gamins devenaient inabordables.

XIII

Leonora prévint la supérieure de San Lorenzo qu'elle allait s'absenter. Celle-ci résuma la requête que la jeune femme venait de lui présenter :

– Vous partez vers une destination secrète, pour une durée indéterminée, en compagnie d'un homme. Bien. Y a-t-il autre chose que je devrais savoir ?

Leonora s'abstint d'ajouter qu'elle emmenait la petite Epifania. L'entretien s'acheva alors que sœur Chiara venait demander si quelqu'un avait vu sa colombe, qui avait disparu de la volière. La Frascadina s'esquiva avant que son sac ne se mette à roucouler.

Par chance, sa nouvelle recrue de onze ans possédait déjà l'habit nécessaire pour courir Venise incognito. Elles rejoignirent Flaminio dans la gondole à deux rameurs qu'il avait louée auprès d'un *barcarol* discret. Le courtisan vénitien regarda d'un œil amusé le petit monstre excité qui n'arrêtait pas de gesticuler sur la banquette.

– Soit vous avez trouvé votre digne émule, soit il y a à Venise une inquiétante épidémie de garçonnite, chère patronne.

Soudain immobile, Epifania le jaugea avec la sévérité d'un inquisiteur espagnol.

157

– Mère Maria Nicopeia dit que les hommes comme vous vont en enfer, annonça-t-elle de sa petite voix.

– J'aime cette petite, dit Leonora alors que son employé rougissait de colère et de confusion.

Plus que d'être enlevée par les Turcs, la gamine courait grand risque d'être noyée par les mains soigneusement manucurées d'un courtisan.

Les rameurs suivirent le rio jusqu'au bassin de San Marco, s'engagèrent dans le canal de la Giudecca, puis sur la lagune en direction du sud.

Ils atteignirent en fin d'après-midi le village de San Pietro in Volta, situé au début de la langue de terre de Pellestrina. Leonora découvrit ce qu'aurait été Venise sans son éblouissante réussite commerciale et architecturale : une bourgade modeste, dont les maisons étaient peintes de couleurs très vives afin que les pêcheurs les repèrent de loin quand ils étaient en mer. Ce charmant paysage marin suscita l'enthousiasme de son courtisan.

– Voyez comme c'est joli, ces masures chamarrées !

– N'oubliez pas que ces façades riantes abritent peut-être un assassin d'enfants, prévint Leonora.

Dell'Oio regarda d'un tout autre œil les crépis rouge sang vers lesquels on les menait.

– Vous savez faire jaillir la poésie en toute chose, marmonna-t-il.

C'était une Venise sans palais gothiques, sans basilique byzantine, sans églises baroques.

– Ces gens ont su rester au plus près de la vérité, dit Flaminio, ils ne se sont pas embarrassés des fastes vains et ridicules qui surchargent la Dominante.

– Sont-ils accueillants aux étrangers ? s'informa l'enquêtrice.

– Je ne sais pas, c'est la première fois que j'y mets les pieds.

Ils débarquèrent sur le quai de pierre qui bordait le village et libérèrent les *barcaroli* jusqu'au lendemain, après leur avoir donné de quoi se reposer de leurs peines dans les tavernes du port. Comme le soleil brillait encore, ils firent quelques pas dans l'intérieur du hameau afin de reconnaître les lieux.

– Regardez ! s'extasia Flaminio. Un campo avec un puits ! On se croirait à la maison !

Seuls manquaient les canaux. S'il y en avait eu, il ne serait plus resté de place pour les chaumières, la bande de terre étant très étroite. Flaminio annonça aux dames qu'il les emmenait voir l'Adriatique.

– Avons-nous vraiment le temps pour cela ? dit Leonora.

– Ne vous inquiétez pas : c'est au bout de la rue.

La mer féroce, sauvage et indomptée commençait de l'autre côté de ce long banc de sable qui protégeait Venise et délimitait le domaine lagunaire. En se retournant, ils aperçurent au loin l'ombre des Alpes qui barraient l'horizon. De toutes parts, derrière ces obstacles protecteurs, s'étendait le monde impitoyable où des barbares piétinaient dans la boue, les ordures et le crottin. Flaminio était parvenu aux limites de son pays natal.

– On se rend compte, ici, à quoi tient la civilisation : une mer, une montagne… C'est à la fois peu et beaucoup pour favoriser l'émergence d'une société raffinée.

Un pet retentissant coupa son élan poétique. À quelques pas d'eux, des pêcheurs pissaient contre une palissade à demi effondrée. Sans doute l'air venu des contrées barbares avait-il pollué la délicatesse naturelle de ces Vénitiens.

Le pêcheur de San Pietro in Volta était une espèce peu causante. Par chance, il y a toujours moyen d'avoir une conversation amicale avec des travailleurs mécontents de leur sort, surtout quand on paye à boire et à manger à l'auberge du coin.

À l'heure où le soleil se couchait sur la lagune, on les y accueillit avec des salutations polies pour « monsieur, madame et leur adorable petite fille ». Si la méprise ne déplut pas à Leonora, Flaminio frémit à l'idée qu'il aurait pu épouser cette femme et procréer la petite crapule qu'elle lui avait imposée. Il comprenait pourquoi ses concitoyens maintenaient, en dépit des foudres vaticanes, l'une de leurs institutions les plus originales : le divorce.

La colère de la population contre les autorités était loin de s'être affaiblie. Selon l'expression d'un paroissien particulièrement remonté, on n'aurait pas été surpris d'apprendre que « la sérénissime pourriture » trempait dans tout cela. Le patriarche avait promis son soutien, mais avec une discrétion qui laissait peu d'espoir, et à part souffler sur des braises bien froides, l'Église n'avait pas fait grand-chose pour eux. Il y avait aussi, dans cette salle enfumée, un excité du nom de Zanni Merlini, qui ne cessait d'accuser les Turcs, ce qui était d'ailleurs l'idée la plus communément répandue. Les jeunes gens le soupçonnèrent d'être un agent à la solde du Haut Tribunal, chargé de détourner du Palais l'acrimonie des villageois.

– Nos magistrats, on ne voit pas ce qu'ils feraient de nos enfants ! plaida Zanni Merlini. Pour les Turcs, on voit un peu mieux !

Ce genre de sous-entendu provoquait l'horreur des malheureux parents et la fureur des autres.

– Si vous laissez faire, vos fils finiront eunuques chez le sultan ! précisa-t-il pour ceux qui auraient manqué d'imagination. À manger des loukoums au milieu des houris ! Pauvres mutilés, soumis à la tentation de chairs opulentes, fraîches et inaccessibles ! Entourés de femelles lascives et dénudées !

À voir la crasse et la misère qui les environnaient, dell'Oio se dit que ce sort n'était peut-être pas si détestable. Quant aux bijoux de famille perdus, le curé de San Pietro pouvait bien s'indigner des pratiques musulmanes, le pape préférait en laisser trancher des milliers chaque année plutôt que d'autoriser les femmes à chanter dans les théâtres et dans les chœurs.

Les jeunes gens louèrent une barque de pêche et troquèrent leurs habits vénitiens pour les vêtements solides et peu salissants qu'ils avaient emportés. La gamine se changea en gamin, les cheveux fourrés dans un bonnet rouge vif. Flaminio, qui avait de la tenue de pêche une vision très personnelle, faisait un marin beaucoup plus soigné que ceux qu'ils avaient côtoyés dans les odeurs grasses du port.

– Quand les pêcheurs seront faits comme vous, les dames de Venise iront assister à la levée des nasses, observa Leonora.

Epifania faillit se faire l'écho de l'opinion qu'aurait eue la supérieure à ce sujet, mais la main du courtisan, près de fondre sur sa joue, l'en dissuada.

Leonora s'était donné bien du mal pour se changer en pêcheur, donc en homme ; de fait, avec sa fausse barbe de carnaval, elle était plus virile que son employé, qui manipulait rames et paniers comme des porcelaines de Saxe.

– Arrêtez de chipoter ! dit Leonora. J'ai l'impression d'être votre mari !

Elle avait une autre inquiétude : saurait-il diriger cette barque ? Le pêcheur de salon s'offusqua d'un tel manque de confiance.

– Vous oubliez que je suis né ici ! Tout Vénitien sait mener n'importe quelle embarcation, du moment qu'il a des mains pour tenir une gaffe !

En vérité, il s'en tirait d'une manière qui laissait douter de sa qualité de Vénitien.

– Voilà ! dit-il, content de leur avoir fait parcourir trois brasses. Nous passerons pour de braves pêcheurs.

– Oui… Heureusement que c'est carnaval, dit Leonora.

Ils atteignirent, à la lueur d'une lampe accrochée à la proue, les vastes étendues marécageuses où l'on élevait les anguilles et autres espèces marines très appréciées. On y pratiquait aussi la chasse au gibier d'eau, en concurrence avec les hérons, aigrettes et faucons qui régnaient sur ces îlots. Les gens du cru y avaient, à plusieurs reprises, récupéré une embarcation vide qui dérivait après la disparition mystérieuse de son petit rameur.

Afin de ne pas effrayer leurs proies éventuelles, les jeunes gens se cachèrent au fond de la barque, sous une toile cirée, tandis qu'Epifania faisait semblant de pêcher à la lanterne. Sa présence n'avait rien d'incongru, même à cette heure tardive. Dans cette région où chacun se déplaçait sur l'eau, nombre d'enfants gagnaient leur pain de cette manière.

Ils étaient depuis une vingtaine de minutes dans cette position peu confortable quand ils entendirent un curieux « floc ». Une anguille frétillante venait d'atterir sous le nez de Flaminio, qui jaillit de sous la bâche en poussant un cri.

– Mais qu'est-ce qu'elle fait, cette folle ? Elle pêche ! rugit-il.

La fillette était en train de sortir des anguilles des nasses. Mère Maria Nicopeia raffolait de ces bestioles. Encore quelques-unes et elle était assurée de ne plus recevoir ni observation ni punition de tout l'hiver.

– Je sais maintenant pourquoi je n'aurai pas d'enfant, déclara Flaminio à l'issue d'une négociation acharnée sur le nombre de poissons longilignes qu'il était prêt à tolérer dans la proximité immédiate de ses narines.

– Et aussi pour l'autre raison, souvenez-vous, ajouta Leonora.

Afin de supporter la cohabitation avec les anguilles, dell'Oio calcula le prix qu'il en tirerait à la Pescaria, une fois qu'il en aurait confisqué la moitié à la petite peste.

C'était la nuit, le roulis les berçait, la toile faisait couverture ; ils s'endormirent comme deux bienheureux et rêvèrent de sardines très odorantes.

Alors qu'il nageait entre deux eaux parmi d'autres tritons, Flaminio sentit un poulpe importun qui enroulait son tentacule autour de sa cuisse. C'était sa patronne qui le poussait du pied. Elle avait ôté la bâche. L'appât n'était plus là.

– Dieu soit loué ! dit Flaminio.

Sa patronne ne partageait pas ce soulagement. Ils étaient au milieu des marais, Epifania ne pouvait être allée nulle part à pied sec. Il fallait qu'on l'ait enlevée pendant leur sommeil. Elle avait dû s'endormir à son tour et n'avait pas entendu approcher les ravisseurs.

– Pauvre enfant ! dit Leonora, envahie par un épouvantable sentiment de culpabilité.

– Pauvres ravisseurs ! dit Flaminio avant de farfouiller dans les paniers à la recherche d'un morceau de pain et d'un peu d'eau.

Ils entendirent des voix. Une lueur apparut au détour d'un îlot. Une grosse barque approchait à la rame, dans un clapotement très peu discret.

– Qui êtes-vous ? Que faites-vous là ? demanda une ombre debout à la poupe.

– Nous cherchons une petite... un petit garçon, dit Flaminio. En auriez-vous vu passer un, dernièrement ?

Mieux aurait valu prendre le temps d'inventer autre chose. Les esprits s'échauffèrent immédiatement. Les gens de San Pietro in Volta s'étaient organisés en patrouilles de volontaires pour assurer la sécurité de la lagune, sans grande efficacité, vu les événements. Le bruit avait couru qu'un couple bizarre posait des questions suspectes et rôdait dans la zone où les enfants avaient disparu.

Tandis que Zanni Merlini sautait dans leur barque pour la fouiller, Leonora tâcha de rectifier la mauvaise impression qu'ils venaient de produire. Mais l'affirmation qu'ils étaient venus tendre un piège aux bandits à l'aide d'une petite fille suscita l'incrédulité. Non seulement les bandits n'enlevaient que des garçons, mais l'absence de tout enfant dans leur embarcation jetait un doute tragique sur cette version déjà fort curieuse.

En revanche, l'inspection révéla la présence des anguilles qui se tortillaient dans leur panier.

– Et en plus ils nous volent ! s'écria Zanni Merlini en brandissant l'objet du délit.

– Le gouvernement les envoie ruiner notre protestation ! cria l'un de ses compagnons.

Les injures fusèrent :

– *Malviventi ! Spia d'Inquisitori !*

Leonora affirma qu'elle était au contraire missionnée par Son Éminence le patriarche Bragadin.

– D'ailleurs, je vis dans un couvent ! ajouta-t-elle comme preuve de son excellente moralité.

Ce n'était peut-être pas la meilleure chose à dire. Une nonne qui folâtrait dans la nature, la nuit, avec un homme dont l'accoutrement de fantaisie était une insulte aux habitants de la lagune avait peu de chances de convaincre quiconque de ses bonnes mœurs.

– Et ça, qu'est-ce que c'est ? clama Zanni Merlini, qui venait de découvrir parmi les anguilles un poignard de forme curieusement courbée.

– On dirait un couteau à dépecer les bars, dit un pêcheur.

– Un couteau pour tuer nos enfants ! s'écria un autre. Monstres ! Assassins !

– Mais non ! protesta Flaminio. C'est un poignard turc !

Cette révélation provoqua la stupeur.

– Ce sont des Turcs ! dit Zanni Merlini. À mort les Turcs mangeurs d'enfants !

On était prêt à leur faire un mauvais sort sur place. Certains parlaient de les noyer dans les bacs à poissons. Les soupçons de Leonora sur le double jeu que menait Zanni Merlini au profit de la Sérénissime se renforcèrent quand elle l'entendit intervenir pour détourner ses compagnons de ce projet expéditif :

– Allons, mes amis ! Comportons-nous en chrétiens !

– Oui, oui, en chrétiens ! approuva Flaminio.

– Ramenons-les au village pour les pendre au campanile ! conclut Merlini.

On leur lia les mains dans le dos avec du fil de pêche. Pour passer le temps pendant le trajet, la « Turquesse » consulta son complice sur la conjecture qui s'ouvrait à eux :

– Préférez-vous mourir comme Turc assassin d'enfants ou comme agent de la Sérénissime briseur de grève ?

– Je préfère mourir après vous, répondit le jeune homme, fort dépité de s'être embarqué dans cette fatale aventure pour quelques malheureux sequins dorés.

On voyait, depuis le quai de San Pietro in Volta, l'ombre du campanile se découper sinistrement dans la lumière de la lune. Déjà les pêcheurs s'emparaient d'une corde solide et les poussaient en direction de l'église. Pris de panique, Flaminio hurla qu'il avait été entraîné malgré lui par une sorcière démente qui l'avait envoûté avec quelque philtre maléfique. La sorcière démente se dit qu'en tout cas il ne mourrait pas en gentilhomme.

La tour de San Pietro se dressait devant eux, aussi funèbre d'un gibet. Alerté par les éclats de voix, le curé accourut pour empêcher des exactions qu'il redoutait depuis le premier jour.

– C'est un péché d'utiliser la maison du Bon Dieu pour donner la mort ! prévint-il en leur barrant l'entrée de son sanctuaire.

– Le saint homme ! approuva Flaminio, soulagé.

Le prêtre expliqua à ses paroissiens qu'ils seraient tous damnés s'ils pendaient ces mécréants à son campanile. Il leur intima l'ordre d'imaginer un autre mode d'exécution, qu'il laissa à leur libre appréciation. L'Église ne les avait sauvés que provisoirement.

– L'abruti va nous faire noyer ! se lamenta le courtisan vénitien, de nouveau désespéré.

Comme on avait du mal à prendre un parti, entre noyade, étranglement ou même lapidation, Leonora demanda qu'on lui permît de faire une suggestion. L'espoir renaquit en Flaminio : après tout, elle était bien parvenue à le convaincre, lui, de se jeter dans cette maudite équipée qui avait mal commencé et finissait plus mal encore.

– Oui, clama-t-il, écoutez ma patronne, elle est de bon conseil !

Elle leur suggéra de les envelopper dans un filet pour qu'ils ne puissent pas nager, d'y mettre aussi quelque chose de lourd, par exemple une grosse pierre, et de faire basculer le tout dans la mer. Ainsi, rien ne remonterait à la surface et l'administration ne viendrait pas chercher des poux aux pêcheurs pour s'être fait justice eux-mêmes.

– Ne l'écoutez pas ! Elle a perdu l'esprit ! les exhorta Flaminio quand il fut revenu de son ahurissement.

Les pêcheurs étaient assez séduits par cette proposition. On voyait bien que madame la tueuse connaissait son métier. L'un d'eux saisit un filet qu'on avait mis à sécher sur le quai. L'objet n'était pas à lui. Le propriétaire s'interposa. Un débat s'engagea sur la fourniture du matériel. La zizanie ne fut pas longue à s'installer. Leonora eut soin de jeter de l'huile sur le feu de temps à autre, afin d'entretenir la discorde, en vraie cuisinière des vanités humaines.

– Vraiment ? s'étonna-t-elle. C'est vous qui avez offert le vin qu'on a servi au banquet de la Saint-Pierre ? Dans ce cas, il serait juste de prendre le filet de ce monsieur. Vous n'avez rien payé pour la paroisse, vous ?

Il apparut que non, ce qui relança les récriminations de toutes parts. On refaisait le budget de la commune. Flaminio suivit les débats sans en croire ses oreilles.

– Vous avez un don pour provoquer l'anarchie partout où vous passez, murmura-t-il à l'oreille de la « Turquesse ».

Les discussions allaient si bon train qu'on s'aperçut à peine que l'aube était en train de poindre. On en était à comparer les dépenses du bal de la Saint-Jean à celles consacrées à l'entretien de l'église, dont le mur nord avait une fissure – Leonora demanda à aller constater *de visu* la décrépitude en question, pour juger si le curé avait bon droit de se plaindre –, quand parut une gondole chargée de sbires.

Les pêcheurs furent presque heureux de les voir : ils avaient des querelles de clocher plutôt envenimées à faire arbitrer par les autorités. Il apparut que Zanni Merlini avait discrètement envoyé son fils alerter la police. Heureusement, les espions de la Sérénissime n'étaient jamais loin.

– Qu'est-ce qui vous a retardés ? demanda Leonora, qui ne doutait pas d'avoir été suivie depuis le début.

– Nous voulions voir comment vous vous en tireriez, répondit leur chef.

Il se fit raconter les faits, écouta les deux versions – Flaminio demanda qu'on le détache, car, en bon Italien, il avait du mal à s'exprimer les mains liées –, et réfléchit quelques instants, moins pour se faire une idée que pour fournir aux gens de San Pietro in Volta un mensonge plausible. Après avoir réclamé le silence, il annonça qu'il allait leur révéler une grande découverte, faite grâce à l'enquête que ses services conduisaient *en toute discrétion* – ces derniers mots furent prononcés avec un regard appuyé à l'intention de l'échappée des couvents déguisée en homme.

Les coupables étaient des Turcs. C'était un fait établi, certifié, garanti, et le poignard qu'ils avaient perdu au cours du dernier enlèvement achevait de l'attester. Les deux hurluberlus capturés cette nuit étaient bien au service du patriarche. La nonne menait l'enquête, assistée d'un abbé.

Les pêcheurs s'expliquèrent mieux pourquoi l'acolyte avait l'air si emprunté. Le ridicule de la situation fut tout entier pour Mgr Bragadin, exutoire encore meilleur que les Turcs. Ses « émissaires » purent enfin récupérer leurs *barcaroli* et se faire reconduire à Venise, après que les forces de police républicaines les eurent chargés, non sans ironie, de présenter leurs salutations à Son Éminence.

Emmitouflé dans son manteau, Flaminio bouda un long moment sur son coin de banquette, tandis que Leonora restait elle aussi silencieuse.

– Heureusement, j'avais prévu que cette opération pouvait être un fiasco, dit-elle enfin quand les tours de la Dominante commencèrent à se découper sur le ciel bleu clair. Prévoir ses échecs, voilà en quoi réside la force d'un stratège.

Son courtisan doutait fort qu'elle eût prévu d'être pendue au campanile. Pour sa part, remplacer les cloches de San Pietro n'avait jamais figuré à son programme.

– Vous me devez une augmentation. Quand je frôle la mort, j'ai droit à une augmentation.

Elle lui promit trois sequins. L'été précédent, il l'avait vendue pour cinq cents ducats. Le cours de la vie humaine était plutôt en baisse.

En un tout autre lieu, Epifania serrait contre elle la colombe qu'elle était censée envoyer à Leonora quand elle aurait une idée de l'endroit où on la retenait. Pour l'heure, on venait de la pousser à l'intérieur d'une salle obscure, remplie de garçons de son âge assis sur des paillasses. Plus perspicaces que les deux bandits qui les gardaient, les enfants demandèrent immédiatement pourquoi on leur adjoignait une fille.

– Imbécile ! s'exclama l'un des geôliers, un grand balourd à la carrure de charpentier, en assenant à l'autre une taloche sur l'arrière du crâne.

Ils s'étaient fait refiler du petit pêcheur frelaté.

– Qu'est-ce qu'on en fait ? demanda celui qui avait reçu le coup.

Ils ne pouvaient pas la relâcher. Peut-être avait-elle déjà compris où elle se trouvait et qui ils étaient, elle risquait de faire manquer toute l'opération. Le mieux était de ne rien dire. Le patron s'y laisserait prendre comme eux. Le plus impulsif des deux s'adressa aux jeunes prisonniers :

– Le premier qui dit que c'est une fille aura affaire à moi !

Il agitait l'énorme paluche qui s'était abattue sur la tête de son compère.

Les garçons tremblèrent d'effroi. Ils n'étaient pas près de parler. Epifania venait d'être officiellement admise dans un monde exclusivement masculin.

Elle commença à trouver un grand intérêt à cette aventure.

XIV

Chargée de venir chercher Leonora, sœur Chiara la trouva penchée dans l'encadrement d'une fenêtre ouverte. La jeune femme guettait le ciel.

– Que faites-vous donc ? demanda la religieuse.

– J'attends le courrier, répondit la Frascadina.

La nonne en conclut qu'elle avait perdu l'esprit. Avec un peu de chance, le bonhomme qui l'attendait dans le parloir l'enlèverait, et ça ferait une folle de moins dans un couvent qui avait été jusque-là de bonne tenue.

Les pensionnaires étaient justement en train de fouiller le bâtiment de fond en comble : personne n'avait vu Epifania depuis la veille. Leonora rosit. Elle espérait ne pas avoir envoyé cette enfant à la mort. Après tout, qui savait ce qu'on faisait des disparus ? Voguait-elle vers Constantinople ? La pauvre petite avait craint de passer sa vie au fond d'un cloître, ce n'était pas pour la voir s'écouler dans un recoin de sérail tout aussi hermétique.

Trois messieurs en masque se tenaient debout derrière la grille. Sœur Chiara répéta à Leonora ce qu'on l'avait priée de lui dire : on la mettait au défi de deviner lequel d'entre eux était son visiteur.

Sans prendre la peine de réfléchir, Leonora invita celui de droite à s'asseoir. Elle lut de la déception sur le visage de dell'Oio lorsqu'il ôta son *volto*. Il venait de perdre six ducats, que les deux autres empochèrent avant de rejoindre les dames avec qui ils étaient venus s'entretenir.

– Vous étiez le seul à sentir la violette, expliqua la jeune femme. J'ai eu un léger doute à cause de « monsieur eau de rose », à gauche ; mais la violette, décidément, c'est vous.

Quand les deux inconnus furent assez loin, elle lâcha ce qu'elle avait sur le cœur, en prenant garde de n'être entendue de personne :

– La supérieure se demande où est passée Epifania. Je suis très ennuyée.

Flaminio convint de ce qu'il y avait là un motif de contrariété. Des personnes sourcilleuses pourraient lui faire quelques représentations pour avoir hasardé la vie de cette enfant sur la lagune, un lieu où sévissaient des monstres venus d'on ne savait où.

– Je crains que mère Maria Nicopeia ne soit pas très sensible aux nécessités de mon enquête, admit la Frascadina.

– Ni les parents, chère patronne ; attendons-nous à des remarques de leur part.

Pour l'instant, Venise s'inquiétait surtout des Turcs. Les confidents du Haut Tribunal avaient lancé d'horribles rumeurs de cannibalisme qui permettaient au moins de souder la population autour de son gouvernement. Une réclamation officielle venait d'être envoyée à la Sublime Porte, premier pas vers des mesures de rétorsion aussi sévères que l'instauration de quotas commerciaux, voire même un mot très sec adressé au sultan et signé par le doge en personne.

– Je vois que nos magistrats ont trouvé leurs Juifs, dit Leonora, qui se souvenait fort bien d'avoir vu les inquisiteurs chercher un bouc émissaire dès le début de cette affaire.

Puisque la Sérénissime République faisait tant d'efforts pour incriminer les natifs d'Istanbul, et puisque, surtout, le pigeon voyageur tardait à revenir, il valait peut-être bien la peine d'aller fouiner de ce côté-là.

– Je ne sais pas si vous pourrez approcher les Turcs, la prévint Flaminio. Ils n'ont pas pour habitude de fréquenter les femmes avec qui ils ne sont pas mariés. Ce doit être pour cette raison qu'ils en épousent autant.

– Vous, en revanche, vous avez toutes vos chances, supposa-t-elle.

De fait, depuis que des soupçons d'enlèvements couraient sur leur compte, les Turcs de Venise se faisaient discrets. Le carnaval était par ailleurs la fête de l'anonymat. Où pourrait-elle trouver des Turcs à espionner ?

– Les Turcs se trouvent chez les Turcs, déclara son courtisan vénitien. Et le domicile de tous les Turcs de Venise est au Fondaco dei Turchi.

Leonora alla se changer pour sa filature. Sœur Maria-Anzela, qui tenait le vestiaire, lui conseilla de prendre des souliers de bal bien confortables :

– Vous allez avoir un succès fou : les messieurs adorent faire danser les religieuses. Mais, par pitié, masquez-vous ! Vous ne voudriez pas sortir toute nue, n'est-ce pas ?

C'était de la décence à la vénitienne.

Leonora avait voulu passer inaperçue, mais on se retournait sur eux avec des airs réprobateurs.

– Mettez donc votre masque ! lui enjoignit Flaminio. Vous vous faites remarquer !

– C'est qu'avec ces ponts sans parapets[1], je crains de faire un faux pas.

– Ce n'est pas l'eau qui est dangereuse, à Venise, c'est le ridicule, trancha son courtisan.

Les dames faisaient leurs courses en masque. Les mères berçaient leur enfant en masque. C'était partout un concours de masques blancs, noirs, couleur cuir ou bariolés.

À peine eurent-ils quitté la paroisse de San Lorenzo que la chance parut leur sourire. Un Turc en gilet court et culotte bouffante faisait ses achats de liqueurs prohibées par Mahomet.

– Suivons celui-ci ! dit Leonora.

– Ou celui-là, suggéra Flaminio en indiquant la direction opposée.

Au bout de la rue, un autre Turc faisait la queue devant l'échoppe d'un cordonnier. Il était d'aspect tout aussi oriental que le premier, avec en prime une superbe moustache recourbée et des babouches brodées.

---

1. Les parapets ont pour la plupart été ajoutés au XIXᵉ siècle.

Plus ils approchaient de la Piazza, plus ils étaient environnés de *travestiti*, plus ils voyaient de « Turcs ». Il y en avait certainement bien davantage, de par les *calli*, que Venise n'en comptait en réalité. Ils virent des derviches, des muphtis, des armées de *matassins*, sortes de soldats grotesques qui exécutaient des danses guerrières, un sabre en carton à la main.

Puisque chacun se déguisait à l'inverse de ce qu'il était, Leonora se demanda qui pouvait s'être travesti en mahométans. Des Juifs ?

– Allons donc ! Les mahométans sont les meilleurs amis des Juifs, ils s'entendent comme larrons en foire !

– Des Autrichiens, alors ?

Ils s'en furent guetter dans les quartiers nord, du côté du Fondaco dei Turchi, là où l'on parquait les vrais Orientaux.

– Voici le ghetto des Turcs ! déclara dell'Oio lorsqu'ils furent en vue d'une espèce de château fort médiéval planté au bord du Grand Canal.

Les Ottomans avaient là, en un seul lieu, leur demeure, leurs entrepôts et leurs boutiques.

– Ils y ont bâti une petite mosquée, et même un bain oriental où l'on se prélasse tout nu dans de la vapeur avant de se faire masser.

– Comment savez-vous cela, vous ?

Il répondit que c'était de notoriété publique.

Les Vénitiens avaient exilé leur archevêque sur une île, mais ils avaient installé les marchands mahométans en plein centre, sur leur grande avenue

177

marine. On voyait bien quelles étaient leurs véritables priorités : le commerce était une religion dont les adeptes étaient tous frères. Les émissaires du sultan les dérangeaient moins que ceux du pape.

Ils firent les cent pas à l'arrière du bâtiment en tâchant de ne pas geler sur pied. Au bout d'un moment, la porte s'ouvrit sur un groupe d'officiers empanachés qui n'auraient jamais dû se trouver là : ils portaient l'uniforme autrichien. Leurs visages étaient dissimulés par des masques aux sourcils froncés. Partout ailleurs, on les aurait pris pour des hussards, mais il était inimaginable que des officiers de l'impératrice se soient aventurés à l'intérieur du *fondaco* où vivaient leurs ennemis. Il ne pouvait s'agir que de Turcs.

Il y avait dans ce déguisement quelque chose d'illogique. Leur vêtement habituel aurait suffi à les fondre dans la foule. S'ils avaient pris la peine d'en changer, peut-être voulaient-ils se rendre en quelque lieu où les mahométans n'étaient pas les bienvenus...

Les jeunes gens leur emboîtèrent le pas. Ils traversèrent le pont du Rialto, flanqué des deux côtés d'échoppes de changeurs, de banquiers et de prêteurs sur gages dont les employés attendaient le client derrière leurs trébuchets, fort utiles pour vérifier le poids des pièces d'or. Ils bifurquèrent vers la gauche : les « hussards » les ramenaient dans le quartier de Castello.

Une discussion s'engagea entre les inconnus masqués devant une maison où avait lieu ce que les Vénitiens appelaient un « *festin* ». C'était un bal privé comme on en rencontrait un peu partout pendant le carnaval. Le propriétaire avait suspendu près de la porte une lanterne ornée de guirlandes qui servait d'enseigne. L'entrée était ouverte à tous. Ce qui suscitait l'intérêt des hussards, c'était le grand nombre de femmes masquées qui s'y engouffraient gaiement. On entendait la musique d'un violon et d'une épinette. Ils y pénétrèrent sans plus tergiverser, et leurs crampons leur emboîtèrent le pas.

Les fêtards dansaient des menuets, danses de promenade, comme dans les bals des gentilshommes, en alternance avec des gavottes italiennes. Après avoir joué trois ou quatre morceaux, parmi lesquels se trouvait toujours une fourlane, la danse préférée des Vénitiens, les musiciens s'interrompaient, et l'organisateur faisait passer le chapeau. On pouvait se restaurer dans une pièce voisine, ce qui était l'occasion pour les messieurs et les dames, nobles et *cittadini*, bourgeois et courtisanes, d'engager la conversation. Ces bals étaient d'une grande liberté de mœurs, telle qu'il n'en existait sûrement pas en Turquie, ni, du reste, ailleurs en Europe.

Après avoir lâché son écot dans le chapeau, Leonora se livra à un rapide calcul, dont il ressortit que cette activité devait produire un profit considérable. Elle s'arrangea pour se faire inviter par un hussard, et acheva la fourlane convaincue d'avoir dansé avec un Turc. Son partenaire avait beaucoup trop de souplesse pour un officier autrichien et il sentait le patchouli.

179

Après avoir paradé une heure durant devant les dames, les « hussards » quittèrent le bal et prirent la direction de l'Arsenal. Parvenus à une ruelle déserte qui longeait l'enceinte de brique, ils relevèrent une échelle qu'une main probablement pas innocente avait abandonnée là et y grimpèrent pour jeter un coup d'œil par-dessus le mur. Les jeunes gens les observèrent depuis l'angle de la rue. Leonora fut soudain prise d'un doute.

– Est-ce qu'ils n'étaient pas six, tout à l'heure ?

Elle n'en comptait plus que quatre.

Elle sentit une pointe contre son omoplate gauche. Les deux hommes manquants étaient derrière eux, le poignard à la main. L'un d'eux siffla, et les deux Vénitiens se virent bientôt cernés de hussards dont on pouvait sérieusement douter qu'ils fussent réellement au service de Sa Majesté Impériale Marie-Thérèse.

Après avoir manqué d'être pendus parce qu'on les prenait pour des espions d'Istanbul, ils étaient sur le point de se faire écharper par de vrais espions turcs. La thèse des égorgeurs d'enfants venus de l'Orient mystérieux prit une vigueur effrayante. L'un d'eux plaqua la jeune femme contre le mur et posa sa lame sous sa gorge.

– Ne me touchez pas ! parvint-elle à articuler. Je suis pour ainsi dire une bénédictine de San Lorenzo ! Respectez l'habit que je porte !

Elle était en robe rose et portait une *moretta* assortie. Un autre Turc avait posé son couteau sous le menton de dell'Oio.

– Je ne suis pas votre ennemi ! clama le courtisan vénitien.

Il ajouta quelques mots dans leur langue chantante, ce qui était curieux, pour un homme qui n'avait jamais mis les pieds dans le hammam du *fondaco*.

Il y eut un instant de perplexité chez leurs agresseurs.

– Non, je ne vends pas des loukoums, répondit avec un accent oriental celui qui pressait son arme contre le cou du Vénitien.

– Vous nous espionnez pour le Haut Tribunal ! leur lança le « hussard » le plus galonné des six.

Puisque les connaissances linguistiques de son employé avaient montré leurs limites, Leonora opta pour une discussion franche avec leurs agresseurs.

– Pas du tout ! Nous vous espionnons pour le compte du patriarche !

Les Turcs parurent soulagés. Avec le « vieux curé de San Pietro in Isola », on pouvait toujours s'entendre, entre réprouvés. Une demi-bonne sœur et un hurluberlu amateur de loukoums ne leur semblèrent pas des adversaires très dangereux.

Leonora en profita pour expliquer que Son Éminence l'avait chargée de définir s'ils étaient ou non les auteurs des rapts.

– Dites au mufti de Rome que nous ne sommes pour rien dans ces crimes, dit le chef des Turcs.

Ils étaient indignés de voir les « confidents » du Haut Tribunal les faire passer pour des mangeurs d'enfants. C'était une avanie de plus, qu'il leur fallait supporter avec la constance et la sagesse insufflées par les enseignements du Prophète, béni soit son nom. Ils ne cessaient, au reste, de subir des affronts, en ces temps difficiles pour les terres de l'islam. Les royaumes et empires du sultan étaient une carcasse usée, dont des vautours sans scrupules attendaient de se disputer des morceaux encore palpitants. Ils avaient bien d'autres préoccupations que d'alimenter en jeunes eunuques les sérails de leur capitale. Leur mission était toute différente.

La Frascadina ne doutait pas que cette mission consistât à espionner l'Arsenal pour savoir ce qui s'y tramait, et peut-être à saboter un peu les galéasses qu'on y réparait.

– Ah, tant mieux ! dit-elle, sincèrement soulagée. Vous surveillez notre flotte de guerre !

– Notre flotte de guerre ? s'étonna Flaminio. Mais cela fait des lustres que l'Arsenal n'a pas produit une galère militaire !

Les Turcs émirent quelques ricanements. Ils avaient leurs sources d'information, sur l'autre rive de l'Adriatique, dans leurs comptoirs des îles, dans les ports du Levant et tout autour de la Méditerranée. Il n'y avait qu'à Venise que le peuple ne se doutait de rien. Leurs diplomates avaient lieu de croire que l'on préparait quelque chose, derrière ces murs, quelque chose d'offensif, et ce quelque chose les dérangeait.

Partant, Leonora se sentit dérangée, elle aussi.

XV

Dans la salle commune de San Lorenzo, la sœur chargée de l'appel égrena la suite des chanceuses du jour, puis elle regarda longuement Leonora, soucieuse de ménager son effet, comme à la comédie. Chacune retenait son souffle.

– Dalla Frascada : le Bon Dieu ! annonça-t-elle d'une voix puissante.

Toute la salle éclata de rire, ce qui montra qu'on était fort à l'aise sur ces questions, dans ces institutions pieuses.

La jeune femme avait certes un visiteur, mais il était d'une nature moins éthérée. Flaminio dell'Oio lui annonça qu'un nouvel attentat venait d'être perpétré. Avec le carnaval, les petits-sages n'étaient plus systématiquement vêtus en petits-sages, ils étaient plus difficiles à repérer. L'assassin s'était donc donné la peine d'en cueillir un chez lui, où le malheureux se préparait à partir pour le Palais. Le noble Fosco Duodo de Santa Maria Zobenigo avait fini dans le rio en bas de chez lui.

– On l'a poussé ?

Plus extraordinaire, il avait sauté de son propre chef. Il n'avait trouvé que ce moyen pour échapper à l'assassin qui l'attaquait à coups de couteau.

– Est-il blessé ?

– Bien pire ! Sa toge violette est en lambeaux !

C'était un outrage insupportable. Les sénateurs étaient furieux. Le meurtre d'un jeune patricien aurait, à la rigueur, pu trouver une explication acceptable, qu'il s'agisse d'une dette de jeu ou d'une affaire de cœur. Mais la destruction d'une robe officielle, emblème de la République aristocratique, était une atteinte impardonnable à la dignité de Leurs Excellences. Chacun s'estimait blessé dans son honneur. Le devoir de tous les « confidents » de Venise était désormais d'identifier et d'appréhender le fauteur de troubles.

La Frascadina jugea qu'il était temps de rendre une nouvelle visite au curé de San Samuele.

Ils trouvèrent Don Anzolo Santibusca dans sa sacristie, occupé à faire du rangement avec nervosité. Il sursauta quand Flaminio lui souhaita le bonjour.

– N'ayez crainte ! le rassura Leonora. Ce n'est pas le tueur masqué, ce n'est que nous !

– En ce moment, j'aurais presque préféré, répondit le prêtre avec un coup d'œil vers la porte qui donnait sur l'église.

Il leur fit signe d'approcher. Il paraissait très contrarié.

– Le masque n'est pas revenu, mais hâtez-vous de conclure votre enquête ! Je suis cerné par les émissaires du malin !

Les jeunes gens jetèrent un coup d'œil aux silhouettes qui déambulaient dans la pénombre, entre les colonnes.

– Des assassins ? s'inquiéta Flaminio. Des Turcs ?
Des… des Génois !

– Je pencherais plutôt pour des confidents du Haut
Tribunal, murmura le prêtre en désignant d'un geste
vif quelques formes indistinctes qui flânaient sous les
tableaux.

L'église était remplie d'indiscrets à la recherche
d'un renseignement négociable. La rumeur qu'il se
passait quelque chose à San Samuele s'était répandue dans leur corporation. Depuis deux jours, le
curé n'avait plus un moment de tranquillité. Il en
venait à regretter le meurtrier : au moins celui-ci ne
l'occupait-il que quelques minutes dans la journée.
Il était sans cesse dérangé par des fouineurs qui faisaient fuir les ouailles habituelles – et sans doute
aussi le tueur. Don Santibusca en profitait pour les
confesser quand il parvenait à en coincer un. Il y
avait là un immense chantier pour le Seigneur, mais
il aurait fallu un bataillon de missionnaires pour en
venir à bout.

Joignant le geste à la parole, il alla en saisir un qui
feignait d'admirer les peintures encrassées par la
fumée des cierges.

– Allez, mon fils ! À confesse ! Vous avez sans
doute autant à m'en dire qu'à nos magistrats, et je
vous paierai mieux.

L'absolution de ses péchés valait tous les trésors
du monde.

Don Anzolo entraînait sa proie vers le confessionnal quand une figure surmontée d'un tricorne surgit
derrière eux comme un pantin d'une boîte.

– Quand on parle du diable ! dit le curé.

Il venait de reconnaître Missier Grande, l'homme le plus craint de Venise après l'inquisiteur Barbaran, son maître. Le capitaine du Haut Tribunal avait un message pour la demoiselle des dalla Frascada : on l'attendait à l'Arsenal.

Afin de leur offrir l'occasion d'explorer le chantier naval sans éveiller l'attention d'éventuels comploteurs, ainsi qu'elle le lui avait demandé la veille par courrier, Saverio Barbaran avait obtenu l'organisation d'une visite guidée à l'intention de quelques voyageurs étrangers désireux d'admirer les beautés secrètes de la ville. Il s'agissait de gens sans importance, triés sur le volet, une petite troupe d'Allemands, d'Anglais et de Français qui traversaient l'Italie pour leur instruction et pour leur plaisir.

Pour le révérend père Santibusca, un autre genre de promenade avait été prévu. Le prêtre profita de l'irruption de la hiérarchie policière pour se plaindre du remue-ménage :

– On n'a jamais vu pareille impiété dans ce lieu saint !

Missier Grande était hélas une vivante encyclopédie des turpitudes vénitiennes.

– Vous oubliez, monsieur l'abbé, que l'un de vos prédécesseurs, le père Carello, fut condamné à plusieurs reprises pour adultère. C'est en ces lieux mêmes que fut baptisé un certain Casanova, impie notoire, sévèrement condamné par le Haut Tribunal pour ses blasphèmes, actes de luxure et apologie de la franc-maçonnerie, un bandit toujours en fuite à l'heure qu'il est.

Le curé se tourna vers Leonora.

– Sauvez-moi !

– Du tueur ?

– Non ! De ces gens !

Missier Grande affirma qu'il n'avait rien à craindre, pourvu qu'il voulût bien lui révéler ce que lui avait dit l'assassin.

– Trahiriez-vous la confiance du Sérénissime Prince ? rétorqua le prêtre. Eh bien, moi non plus, je ne peux trahir celle du prince qui me commande. Son nom est Jésus Christ.

C'était l'affrontement du *corno* brodé et de la tiare papale. Le crâne de Missier Grande commençait à lui chauffer sous le tricorne.

– Écoutez, mon père, la vie de nos magistrats est en jeu. Oubliez un peu vos serments, il faut avoir le sens des priorités.

– C'est justement parce que je l'ai que je n'oublie rien, objecta le prêtre.

Missier Grande abattit sa carte maîtresse : le Haut Tribunal le soupçonnait d'avoir inventé de bout en bout cette histoire de confessions. Les yeux exorbités, les joues rouges, Don Anzolo parut au bord du malaise.

– Et dans quel but, au nom du Ciel !

– Il est clair que vous avez perdu l'esprit, dit le chef des sbires. Tout porte à croire que c'est vous qui commettez ces crimes. Ce ne serait pas le premier cas du genre.

Il cita diverses occasions où Rome s'était permis d'excommunier Venise en totalité, gouvernants et gouvernés.

– Si vous ne me dites pas immédiatement tout ce que vous savez, ce sont les geôles des Puits qui vous attendent.

Le peu de respect que les autorités montraient pour l'habit ecclésiastique n'entama pas la fermeté du prêtre. On n'obtint de lui que des éructations, des rugissements, des « *Asinus !* », des « *Ingratus !* » et autres injures d'une époque reculée.

– *Qui aures habet, audiat*[1] ! conclut Anzolo Santibusca en se retenant de souligner son propos de gestes trop grossiers pour le lieu où ils étaient.

– Ah ! Vous voyez ! dit le capitaine, prenant Leonora à témoin. Du latin !

Don Anzolo se laissa mener au Palais ducal comme s'il gravissait le Golgotha. Leonora et Flaminio ne pouvaient rien pour lui, pour l'instant, et on les attendait à l'Arsenal.

À mesure qu'ils s'enfonçaient dans le *sestiere* de Castello, les rues prenaient des noms de plus en plus évocateurs : ils passèrent par les *calli* des Bombardiers, des Cuirassiers, de la Poix, du Plomb, des Ancres, des Boucliers et des Voiles. Ils approchaient indubitablement.

Dans le quartier de Marinarezza, les maisons qui entouraient l'interminable muraille de brique cré-

---

1. « Que celui qui a des oreilles entende. »

nelée avaient été attribuées aux marins qui s'étaient distingués au service de la République. On y rencontrait toutes les nationalités : rameurs slaves, marchands grecs, arméniens, arabes, syriens, esclaves libérés, soldats, aventuriers, dans ce mélange qui avait fait à Venise une réputation d'ouverture et de tolérance unique en Europe.

Flaminio arrêta Leonora à l'entrée du campo où avait été érigée l'entrée monumentale. Des personnes masquées arrivaient d'ici et de là, soit en flânant le long du quai, soit en barques doucement ballottées par les flots.

– Voici nos amis d'un jour, prédit le courtisan.

Les Vénitiens reconnaissaient facilement les étrangers au fait qu'ils étaient filés par des confidents. Chacun, qu'il fût à pied ou en gondole, avait le sien, espion discret, invisible pour qui n'était pas au fait de cette pratique. Les visiteurs étaient comme des dames qui promènent leur chien, eux seuls l'ignoraient. Tout espion qui apprenait quelque chose s'empressait de déposer un message dans l'une des innombrables « bouches de lion » dont la ville était remplie. Il y avait souvent des « poc ! » qui étonnaient les étrangers lorsqu'ils passaient à proximité de l'une d'elles.

– Avez-vous remarqué ce bruit bizarre qu'on n'entend que dans cette ville ? dit un Anglais.

– Cela doit venir des gondoliers, c'est leur godille, répondit un autre.

Cela venait des *barcaroli*, les gondoliers, mais aussi des *sartori*, les tailleurs, des *zavateri*, les savetiers, et même des *luganegheri*, les charcutiers.

Une gondole transportant un couple d'Allemands déboucha d'un rio. La dame contemplait avec réprobation les culottes et les draps sous lesquels on les faisait glisser. Castello était un quartier populaire, les canaux étaient traversés par des cordes à linge qui couraient d'une maison à l'autre. On ne voyait plus, par endroits, qu'une profusion de linges mis à sécher.

– Ce n'est pas Venise sous son plus bel aspect, dit l'Allemande.

Au reste, c'était carnaval, ils étaient tous masqués, ils s'amusaient beaucoup. Seul l'Allemand ronchonnait. On supposa que le mari s'amusait un peu moins que les autres messieurs.

Dell'Oio leur présenta sa patronne.

– Elle est avec son sigisbée, commenta tout bas un Anglais que tout le monde entendit. Vous savez : ces jeunes gens sans fortune qui accompagnent les personnes du sexe.

– Quel beau pays, dit la dame avec un soupir.

– Chez nous, ceux qui font cela finissent mal, observa le mari.

– Ici, on leur fait des rentes, dit le Français.

L'Anglais était enchanté par le caractère facile de ceux qu'il appelait alternativement « les natifs » ou « les indigènes » :

– Le Vénitien est gai, vif, aimable, il s'amuse de tout, il rit de tout, c'est un grand enfant.

« Abruti », songea Flaminio, tout en souriant, car il maîtrisait lui aussi l'art du sourire à la vénitienne. Il se demanda s'il devait grimper aux arbres et faire des pirouettes pour conforter l'Anglais dans son préjugé risible. Certes, les commerçants de la Dominante acceptaient avec une grande amabilité l'or qui leur arrivait de tous les pays du monde.

Ce qui ravissait surtout ces habitants du continent, c'étaient ces rues pavées de briques, où ne passaient ni carrosses, ni charrettes, ni cabriolets, ni chevaux, ni bœufs, ni ânes, ni mulets, ni traîneaux. La marche à pied y devenait un vrai plaisir. Les Vénitiens en déduisaient que les autres villes étaient des cloaques où l'on pataugeait dans des excréments qui menaçaient aussi bien de vous tomber sur le chapeau, ce qui arrivait en effet.

Le Français était surtout enchanté de l'*incognito*, une spécialité encore plus précieuse que les *bigoli* aux moules.

– Je ne connais nul endroit où l'honnête homme puisse mieux cacher sa vie.

– C'est parce que notre police est bien faite, l'informa dell'Oio. Dès que vous posez le pied sur la riva degli Schiavoni, on s'informe de votre identité, de votre rang, de vos mœurs. Le principe est de tout savoir de vous sans vous incommoder.

Cette idée fit bien rire les visiteurs. Ils crurent avoir identifié une nouvelle particularité locale, qu'ils baptisèrent « causticité vénitienne ».

Les amateurs de curiosités patientèrent en admirant les lions de pierre blanche adossés au mur d'enceinte, dont l'un avait autrefois gardé l'entrée du Pirée avant de devenir trophée de guerre.

– Bienvenue à la Darsena ! leur lança un homme qui se présenta comme « le secrétaire Zorzi ».

– Zorzi ? répéta le Français. Ah, Giorgio ! On voit bien que le vénitien est une langue de pêcheurs édentés !

Sior Zorzi leur annonça l'arrivée imminente du « Patron » chargé de les recevoir. La Darsena était administrée par *l'Eccelentissima Banca,* un conseil composé de trois *Provveditori all'Arsenal* et de trois *Padroni,* tous nobles. Par roulement de quinze jours, chacun des Patrons se voyait confier les clefs des magasins et des ateliers, il couchait sur place et inspectait les veilleurs de nuit. Enveloppé dans sa toge noire et coiffé d'une perruque grise à marteaux, le Patron de la quinzaine, Polisseno Vendelin, s'encadra dans le portail, qu'il bouchait à moitié, les bras croisés, campé sur ses jambes écartées, façon « colosse de Rhodes qui se serait levé du mauvais pied ».

– Vous admirez les statues ? À leur arrivée, ces pierres étaient couvertes du sang de nos ennemis et de la sueur de nos héros.

Tous les Vénitiens étaient affables, sympathiques et accueillants, sauf les maîtres de l'Arsenal. Les camerlingues qui veillaient sur les coffres de la Zecca ne devaient pas être plus jaloux de leur trésor.

– Leurs Excellences du Haut Tribunal nous ont priés de vous ouvrir notre sanctuaire, reprit Polisseno Vendelin avec ce qui ressemblait fort à de la réticence. Je suppose que les églises et les *scuole* remplies de peintures ne sont plus d'aucun intérêt pour le voyageur d'aujourd'hui.

Il leur tourna le dos, ce qu'ils interprétèrent comme une invitation à le suivre.

– Celui-ci doit être napolitain, dit l'un des Anglais.

– Excusez-moi, monsieur…, dit le Français en français.

– On dit « Excellence ».

– Pardonnez-moi, Excellence.

– On retire son *volto* ! Pas de masque ici ! Je veux voir des visages ! De bons visages de bons chrétiens bien de chez nous !

Ils ôtèrent leurs masques. Pour des étrangers, c'était un retour à la normale ; ils auraient fait plus de difficultés s'ils avaient su que, pour un Vénitien, en plein carnaval, c'était comme de laisser tomber les hauts-de-chausses.

Le petit groupe franchit le seuil gardé par le fauve de pierre griffu qui surplombait la corniche. Dès que le portail se fut refermé derrière eux comme une trappe, on les arrêta pour faire l'appel. Il convenait de vérifier qu'il ne s'était pas glissé parmi eux un espion d'un pays avec lequel Venise était en conflit. *Ser* Vendelin jaugea particulièrement le Français, un Méridional au teint suspect.

– Vous êtes bien brun, signor. Chrétien ? Jusqu'à la troisième génération ? Jamais traîné du côté de la mer de Marmara ?

Bien que le Provençal eût répondu par la négative, le Patron se tourna vers sior Zorzi et murmura :

– Je ne le sens pas, celui-là. Notez son nom.

« Sentir » était le mot juste. On les renifla quasiment, on alla jusqu'à tourner autour des dames pour repérer une éventuelle odalisque envoyée en avant-garde par les séides de Mustafa III.

193

– Nous devons nous préserver de ceux qui nous veulent du mal, expliqua le Patron.

– Des Turcs, précisa Flaminio à l'intention de ceux qui se seraient crus visés.

– Il nous est impossible d'oublier un instant que nous sommes surveillés par nos ennemis, reprit *ser* Vendelin.

– Par les Turcs.

– Notre devoir est de contenir le perfide Oriental toujours capable d'un mauvais coup.

– De contenir les Turcs.

– Pas seulement les Turcs ! s'exclama leur guide.

Il y avait aussi le Russe brutal, le redoutable Barbaresque et le Grec prêt à vendre les secrets de la République au plus offrant. L'Anglais sournois, le Français arrogant et l'Allemand ambitieux étaient tolérés, mais de justesse.

– Nous sommes la première civilisation du monde. Notre réussite est enviée, elle doit être protégée, nous nous y appliquons de toutes nos forces.

– Voilà pourquoi l'on bâtit ici des vaisseaux de guerre, insinua Leonora.

Polisseno Vendelin la dévisagea de ses yeux de bouledogue aux sourcils broussailleux.

– Des vaisseaux de guerre ? Pas du tout. Nous retapons des navires marchands. Ceux qui disent le contraire sont des traîtres.

Ce point établi, la visite put commencer. On la leur fit superficielle et encadrée. Ils pénétraient dans un enclos de trente-sept hectares, tout à fait séparé du reste de cette agglomération riante qui leur semblait déjà un lointain souvenir.

– La Darsena est une ville à part entière. Nous allons vous montrer tout, tout, tout, promit *ser* Vendelin, tandis que son visage disait « rien, rien, rien ».

Et pour s'en assurer, il s'était adjoint un architecte, venu pimenter la visite d'un vernis culturel – chargé en réalité d'écarter la conversation de tout sujet scabreux. Mieux valait se concentrer sur la structure des lieux plutôt que sur leur usage.

– Vous traversez actuellement une voûte du XIVᵉ siècle édifiée sous le doge Mocenigo. La hauteur des murs est de cinquante pieds. Leur épaisseur est de…

Le Patron émit un claquement de langue sec et sonore. Nul n'avait besoin de connaître l'épaisseur des murs, si tant est que le reste de cette logorrhée pleine de chiffres présentât un intérêt.

– Il vous suffit de savoir que le canon capable de les percer n'a pas encore été inventé, conclut *ser* Vendelin, content de sa mise en garde pleine de ruse et de finesse.

Ils avançaient le nez en l'air pour observer les voûtes que l'architecte désignait à leurs yeux éblouis.

– Vous vous trouvez dans « le cœur palpitant de l'État vénitien », selon la formule consacrée par notre Excellentissime Sénat. Vous contemplez ici à la fois la plus grande entreprise navale, le plus important complexe de production, la plus forte concentration d'ouvriers jamais vus au monde !

Pour l'heure, ils voyaient, de chaque côté, une interminable muraille de brique, paysage à peu près semblable à ce qu'avait découvert Thésée en pénétrant dans l'antre du Minotaure. Quant au monstre mal embouché, ils l'avaient en face d'eux, aussi noir qu'un taureau de combat, et le mufle fumant. Le couloir était absolument dénué de vue, ils auraient aussi bien pu écouter le pensum dans une *bottega del caffè* de la Piazza San Marco.

Le quai déboucha enfin sur le premier bassin, dit de l'Arsenal ancien, dont ils apprirent avec ravissement qu'il avait été agencé en l'an de grâce 1104 après la naissance de Notre Seigneur. Il y avait là, dans des sortes de loges disposées autour de l'eau, vingt-quatre chantiers placés sous les ordres de l'État. On y réparait, entretenait et radoubait les embarcations les moins encombrantes, principalement des *peate* de pêche et des *vipere* de police.

– Combien y a-t-il de bassins comme celui-ci ? demanda un Anglais familier de ces questions maritimes.

– Pourquoi, ça vous intéresse ? grogna Polisseno Vendelin.

Comme l'Anglais restait interloqué, il ajouta :

– Vous répondrez au roi George que vous n'en savez rien !

Amateur de papiers anciens, l'Allemand avait consulté à la Libreria Marciana un plan vieux de trois siècles.

– Il y en a quatre, chuchota-t-il à son voisin. Faites passer !

L'information fut transmise de bouche à oreille dans le dos du Patron.

– Ils complotent quelque chose, dit tout bas Vendolin à son secrétaire. Nous les ferons tous arrêter à la sortie.

– Le Haut Tribunal a dit non, lui rappela sior Zorzi.

Il y eut un nouveau grognement.

On rencontrait régulièrement des *arsenalotti*, sortes de miliciens pourvus d'une épée, d'un bâton rouge et d'un bonnet assorti, qui assuraient la sécurité de l'Arsenal, de la Zecca, la Monnaie, et des séances du Grand Conseil. Le Français tira de sa poche un carnet et commença à esquisser la silhouette d'un de ces grands gaillards aux muscles saillants. Le Patron se précipita pour le lui faire ranger :

– Pas de croquis ! Pas de notes ! Et puis quoi encore ?

Il lui conseilla de retenir plutôt la date de la bataille de Lépante, pour laquelle l'Arsenal avait réussi à fournir une flotte gigantesque. Il était patent que cette ville dans la ville vivait dans le souvenir des exploits accomplis par ses ateliers, comme l'armement de cent galères en deux mois lors de la guerre de 1570 contre les Turcs. Leonora se demanda s'ils parviendraient aujourd'hui à en armer une seule.

La dame allemande était perdue.

– C'est un vrai labyrinthe. Ne pourrait-on voir un plan ?

– Il n'y a pas de plan ! Il est interdit de faire un plan !

– Pourtant, il me semble avoir vu à la Libreria..., objecta son mari.

– Un dessin grotesque, imprimé à Amsterdam et répandu par nos concurrents hollandais ! Je peux vous assurer qu'il n'est conforme en rien à la réalité ! Moi vivant, il n'y aura pas de plan de la Darsena ! Si l'on m'écoutait, on ne laisserait pas entrer n'importe qui, dans la Darsena !

« En tout cas, on sait recevoir, dans la Darsena », se dit Leonora.

– Lors de notre visite à la Chancellerie ducale, dit un Anglais, l'archiviste a bien voulu nous laisser voir un dessin du XVIe siècle fort intéressant...

– Notez son nom, dit le Patron.

Il condescendit à leur montrer l'intérieur d'un bâtiment présenté comme un centre de commandement secret. Ils y virent une chapelle dédiée à saint Nicolas de Myra, protecteur des navigateurs – c'était pour cette raison que le doge suivait la messe à San Nicolo du Lido, le jour de l'Ascension. Les murs étaient couverts d'ex-voto offerts par les marins réchappés des naufrages et des tempêtes, ou par les ouvriers victimes d'accidents de chantier.

Polisseno Vendelin ouvrit pour leurs yeux éblouis une sorte de cellule de moine aux murs badigeonnés de chaux.

– C'est là que je dors.

Il les introduisit ensuite dans une petite salle à manger triste.

– C'est là que je dîne.

– Il ne manque que de nous montrer la fosse d'aisance et nous aurons tout vu, dit Flaminio.

Les Anglais trouvaient qu'on les récompensait mal de leur long voyage.

– Cela est fort plaisant, mais ne pourrait-on voir aussi les lieux où se construisent les bateaux ?

Le Patron le dévisagea avec la résignation du pauvre peuple devant une calamité inévitable.

– Puisque vos seigneuries sont insatiables...

Il leur montra les entrepôts de céréales et les fours adossés au mur d'enceinte, côté riva degli Schiavoni. On y cuisait les biscuits et les galettes pour tous les équipages de la République et même pour les garnisons d'outre-mer. On leur fit goûter ces rations de bord. C'était sec.

– Si les Turcs ont de la sauce, l'Occident est perdu, déclara Flaminio.

Là s'élevait aussi la Tana, édifice long de trois cents mètres, où l'on tressait le chanvre pour en faire des cordages, élément essentiel de la marine à voiles.

L'architecte leur désigna une épaisse porte en bois derrière laquelle, dit-il, s'étendait « le jardin de fer », un dépôt d'artillerie riche de plus de cinq mille bouches à feu. Il fallut le croire sur parole. Le commentaire du Patron, en revanche, était fourni sans supplément :

– L'ennemi peut venir ! Nous sommes là !

– Les oies du Capitole ont parlé, dit l'Anglais, qui avait vu moins de prêtres à Rome que de vantards à Venise.

Pour leur consolation, on leur donna un bref aperçu du bassin de l'Arsenal nouveau, où l'on prenait soin de la flotte de la Sérénissime. Presque tout des rives servait de cales de construction. Les troncs utilisés pour les mâts avaient traversé l'Adriatique depuis la vallée de Montona, en Istrie, après avoir été portés jusqu'à la mer par les eaux du Quieto.

L'œil aux aguets, Polisseno Vendelin repéra le carnet qui venait de faire une seconde apparition. Le Français préparait un recueil illustré de ses impressions de voyage, pour le publier à son retour. Le Patron lui arracha l'objet des mains et le jeta à l'eau sans un mot. Puis il agita son doigt sous le nez du délinquant, d'une manière qui exprimait sans ambiguïté son regret de ne pouvoir y jeter aussi le propriétaire.

La reprise de la visite offrit un dérivatif presque charmant.

– Voici l'endroit où sont construites les nefs qui partent chercher, de l'autre côté des mers, les marchandises qui font la grandeur de notre République ! Les épices des Indes ! Les soies de Chine ! Les tapis de Perse !

Les étrangers échangèrent des regards ébahis. Il y avait beau temps que tout cela était fini. La fortune venait à présent des Amériques, des Antilles, de la Traite. Même les voies maritimes de l'Orient ne passaient plus par Venise.

– Si les gouvernements anglais et français entendaient cela, ils riraient de nous ! se lamenta Flaminio.

De fait, leurs compagnons étaient effarés. Le discours qu'on leur servait datait de la même époque

que ces belles voûtes de brique. L'Anglais se dévoua pour éclaircir ce point.

– Êtes-vous au courant de la découverte d'un nouveau monde, très loin à l'ouest, par un dénommé Christophe Colomb ? Vous ne recevez pas les gazettes, ici ?

– Nous n'allons pas nous laisser démoraliser par des modes transitoires ! répondit *ser* Vendelin.

« Note son nom », l'entendit-on glisser à son secrétaire, avec la discrétion d'un maillet de charpentier. Il était si pitoyable que l'Allemande en conçut de la pitié.

– Il faudrait promener un peu ce malheureux à l'extérieur.

On leur montra le vaste bassin dit de l'Arsenal tout nouveau, encombré d'une foule de navires grands et petits, qu'on retapait. Partout des charpentiers, des fondeurs, des forgerons, des calfats, des maîtres d'armes. La trentaine de corps de métier composaient une fourmilière assourdissante.

– Rendons hommage à nos courageux travailleurs qui ont conçu les plafonds des églises et du Palais ducal ! déclara le Patron.

Ces artisans jouissaient de privilèges et formaient une aristocratie ouvrière investie de tâches exclusives, telles que la lutte contre les incendies. Flaminio était en arrêt devant la musculature des ouvriers.

– C'est fascinant, reconnut-il bien volontiers.

Leurs épouses étaient employées à la voilerie, où elles taillaient et cousaient les voiles qui habilleraient les mâts.

– Nos courageuses matrones ! indiqua Polisseno Vendelin.

Autre avantage du métier, elles n'étaient pas loin de leurs enfants, qui débutaient dès dix ans comme apprentis. Une foule de gamins couraient entre les tables, soit pour transporter le matériel de couture, soit par jeu.

– Nos courageux bambins malappris, grogna *ser* Vendelin.

– Mais où s'occupe-t-on des navires de guerre ? demanda l'Allemand, à qui certaines subtilités du discours officiel avaient échappé.

Polisseno Vendelin explosa avec plus de fracas que l'aurait fait l'un de ses barils de poudre.

– Quels navires de guerre ? Pour quoi faire ? Venise est en paix avec le monde entier ! Tout le monde nous aime ! La preuve : vous êtes là, vous !

Ce « vous » semblait désigner toute la lie de l'humanité. *Ser* Vendelin posa un index sous sa paupière, une façon de dire : Je vous ai à l'œil.

– Bienvenue dans la cité des fous, souffla dell'Oio à l'oreille de sa patronne.

La boussole naturelle de Flaminio – celle que possédait dans le crâne tout Vénitien pour se repérer dans les méandres de sa ville natale – lui indiqua qu'ils avaient atteint la limite nord de l'enclos. Au-delà de la muraille, après les quais des Fondamente Nuove, commençait la lagune. Résolue à en avoir le cœur net, Leonora interpella l'architecte :

– N'est-ce pas la mer, derrière ce mur ?

– Pourquoi ? Ça vous intéresse ? répondit à sa place le Patron.

On leur fit faire un détour par l'armurerie.

Les salles étaient pleines de toutes sortes d'armes antiques et modernes, ainsi que d'autres curiosités, bustes, statues et tableaux. La Darsena était aussi riche de belles choses que le Palais ducal, où les visiteurs avaient vu des trésors disposés dans de grandes armoires au fond tapissé de velours noir. Une victoire ou un haut fait était attaché à chaque objet. Telle épée avait pourfendu mille Turcs, tel sabre avait servi à la prise de telle ville, de telle galère, ou coupé la tête d'un gouverneur du sultan. Il y avait une vaste collection d'armes anciennes et exotiques, de poignards et de cimeterres enlevés à l'issue de combats épiques.

L'une de ces lames était semblable à celle trouvée dans leur barque après l'enlèvement d'Epifania.

– Beau couteau, dit la Frascadina. Vous en avez d'autres comme celui-ci ?

– Beaucoup ! Dites cela à ceux qui rêvent de réduire Venise au simple village de pêcheurs qu'elle fut il y a mille ans !

Les visiteurs eurent l'amabilité de s'extasier devant le butin, bien qu'il fût clair à leurs yeux que les Vénitiens faisaient accompagner les visites par des fous.

En sortant du musée, ils entendirent des coups de marteau et des cris d'hommes qui provenaient de l'autre côté d'un mur. Flaminio demanda ce qu'il y avait là.

– Pourquoi ? grogna leur guide.

– Parce que ça nous intéresse ! répondit le courtisan vénitien.

Polisseno Vendelin suspendit la réponse cinglante qu'il avait en tête. Un homme assez âgé, entouré d'une véritable cour de contremaîtres, approchait dans le corridor de brique. Bien que son vêtement civil indiquât qu'il ne faisait pas partie de la noblesse héréditaire, il devait s'agir d'un très puissant personnage, car chaque *arsenalotto* s'inclinait avec respect sur son passage. Le Patron prit la pose d'un héraut à la cour de François Ier.

– On se découvre devant le Magnifique Amiral Gaelazzo Premarin !

Las de ces puérilités qu'on ne leur expliquait pas, les messieurs ôtèrent leur chapeau et exécutèrent un salut trop appuyé pour être sincère. Le Magnifique Amiral poursuivit son chemin sans leur accorder un regard et disparut par la porte du campo, à présent grande ouverte.

– Nous venons de voir passer l'âme de cet endroit, dit Leonora.

– Jusqu'à présent, nous n'en avions eu que les jappements, ajouta Flaminio.

Bien qu'ancien contremaître et roturier, le chef de l'Arsenal détenait le privilège de brandir l'étendard ducal le jour de l'élection du doge. Il s'asseyait à côté du nouveau prince et faisait avec lui le tour de la Piazza, porté par ses *arsenalotti*. C'est lui qui commandait le vaisseau *Bucentaure* lors des cérémonies de l'Ascension, pour les épousailles de Venise et de la mer. Il possédait davantage d'autorité sur les charpentiers, les fabricants de rames, les scieurs, les ouvriers aux salpêtres, c'est-à-dire les fabricants de poudres, que n'en avait le doge sur ses sujets.

On avait atteint l'apogée de la visite, rien ne pouvait rivaliser avec cette apparition quasi divine. Le Patron leur donna congé. Pour un peu, il se serait hissé sur une barrique pour clamer, tel un prophète oriental : « Coupez-leur les mains ! Crevez-leur les yeux ! » Il se posta face à eux et les foudroya de son regard haineux, et ce fut presque pire.

– Vous pourrez témoigner de ce que l'*Eccelentissima Banca* n'a rien à cacher. Elle vous a accueillis avec bienveillance et cordialité pour vous dévoiler les mystères de sa puissance, en conformité avec la tradition vénitienne qui nous incite à la bienveillance envers les étrangers qui viennent à nous le cœur ouvert et les mains nues.

Sous son regard d'aigle, les étrangers aux mains nues s'engouffrèrent par la porte restée béante, de peur qu'elle se referme, que leur hôte se ravise et décide finalement de les noyer dans ses bassins pour protéger ses si précieux mystères. La plupart s'arrêtèrent dans le premier *magasin*, commerce de vin au détail, pour noyer dans le malvoisie cette déplaisante impression.

À première vue, la Frascadina et son courtisan n'avaient guère obtenu de renseignement concret. Pourtant, la jeune femme était ravie.

– On a été très désagréable avec nous. Comprenez-vous ce que cela veut dire ?

– Que nous sommes gouvernés par des rustres ?
supposa Flaminio.

– Que nous touchons au but !

Dell'Oio n'était pas sûr de partager son enthousiasme. À ce compte-là, les gens de San Pietro in
Volta, qui avaient voulu les pendre à leur campanile,
protégeaient les plus grands secrets de Venise.

XVI

À sa visite suivante à Leonora, Flaminio lui apporta une lettre rédigée à son intention qui avait été adressée chez lui. Lazaro Corner lui écrivait de Mantoue, ville où s'arrêtaient souvent ceux qui voulaient se mettre hors d'atteinte des autorités vénitiennes. Il s'enquérait de sa « santé » et déclarait avoir entendu dire qu'elle remuait « beaucoup d'air et beaucoup d'eau ». Elle le soupçonna de tâter le terrain pour voir s'il avait une chance de pouvoir rentrer bientôt dans la Dominante.

La réponse tint en deux phrases :

Oui, je m'intéresse à notre marine. Je suis allée explorer la Darsena, le sior dell'Oio surveille le Magnifique Amiral, mon père intrigue chez les Savi da mar, *et toi, tu rameras bientôt sur nos galères.*

Après cela, nul doute que Lazaro Corner aurait à cœur de ramer loin des tribunaux.

Le bruit courait que Don Anzolo Santibusca avait été emprisonné discrètement pour refus de collaboration avec les autorités.

– Merveilleux ! se réjouit Leonora.

La place était libre pour y tendre un piège à l'assassin. Flaminio comprit immédiatement où elle voulait en venir.

– Vous voulez me faire tenir le rôle du prêtre face au meurtrier ? s'écria-t-il, prêt à rendre son tablier.

Dans un second temps, il songea que les sequins allaient couler à flots. Leonora lui glissa d'ailleurs un échantillon de cette manne à travers la clôture.

– Procurez-vous un habit de prêtre et retrouvez-moi sur le campo dans une heure, ordonna-t-elle.

Elle s'attela de son côté à la principale difficulté de son projet : se faire prêter un tenue de nonne. Le couvent possédait une « garde-robe », pièce meublée de bancs et d'armoires où les pensionnaires se fournissaient en « linge d'appoint », à savoir de toutes sortes de rubans, chapeaux à plumes, rembourrage pour les hanches, faux cheveux bien épais, robes à cloche, manteaux à la romaine, et même quelques *zendaletti*, ces longs châles à l'orientale, censés protéger la femme des regards lubriques, mais tellement garnis de dentelles qu'ils attiraient l'œil des galants. Quoique voilée, sœur Maria-Anzela, qui s'occupait avec passion de ce vestiaire, était pomponnée à la dernière mode, dont elle tenait à jour le registre pour la communauté. Il lui appartenait d'aller sur la Piazza, tous les premiers lundis du mois, même par temps d'*aqua alta*, pour découvrir les derniers modèles tout juste arrivés de Paris. Cette mission était d'importance : il n'aurait pas fallu arborer des teintes hors de saison et passer pour un couvent de seconde zone face aux intrigantes de San Zaccaria ou aux péronnelles de Santa Caterina.

– Une tenue de nonne ? répéta la religieuse avec une moue. Quelle idée ! Pour quoi faire ? J'ignore si nous avons cela. Vous ne préférez pas une petite jupe à la Pierrette ? J'ai la *moretta* assortie, en soie rose pâle brodée d'or.

Le déguisement ayant été rejeté, sœur Maria-Anzela proposa ce que portaient les dames de San Lorenzo en dehors du carnaval : un corsage décolleté sur le devant, un voile léger à porter repoussé vers l'arrière, et des dentelles en lieu et place du scapulaire.

– C'est un peu sobre, mais avec quelques jolies fleurs en tissu, ce sera très portable, assura-t-elle.

– Je voudrais une *vraie* robe de religieuse, insista Leonora.

La costumière parut penser que l'on voyait vraiment de tout en ce bas monde. Elle finit par exhumer une robe noire toute raide oubliée au fond d'un coffre. La supérieure se l'était fait couper pour aller voir le patriarche précédent, un homme devenu curieusement à cheval sur le décorum, vers la fin. Il avait à moitié perdu la tête, il lui arrivait d'oublier qu'il vivait à Venise.

– Vous aurez du mal à danser avec ça, si tant est qu'on vous invite, prévint l'habilleuse avec une moue de réprobation. A-t-on idée, à votre âge, de s'enlaidir ainsi ! Enfin ! Surtout, ne dites pas que vous êtes de chez nous !

Pour le cas où elle aurait eu l'intention de vivre en religieuse, ou quelque lubie de ce genre, sœur Maria-Anzela lui indiqua l'adresse d'un monastère éloigné où l'on acceptait n'importe qui, même les égarées. Elle regarda avec réprobation la moniale d'emprunt quitter son vestiaire. La cloche sonna l'office de tierce. Maria-Anzela eut la conviction que l'illuminée se rendait à la messe. Qu'allaient-elles devenir si on leur donnait les bigotes à garder ? Une de ces communautés vouées à la prière et au recueillement ?

Leonora ne se dirigea pas vers l'église, mais vers la sortie, où la tourière fut si stupéfaite qu'elle ne lui demanda même pas où elle allait ni quand elle comptait rentrer.

Flaminio l'attendait sur le campo. Il avait revêtu un habit noir avec un collet et une perruque carrée comme en portaient les ecclésiastiques fortunés. Le costume n'engageait pas beaucoup celui qui le portait. Flaminio ressemblait à ces abbés mondains qui hantaient les salons de tous les hôtels et châteaux d'Europe, à la recherche de bénéfices et de prébendes. Il eut un mouvement de recul à la vue de la « religieuse ».

– Vous ne comptez pas sortir dans cette tenue ? Je vais avoir honte de me montrer en votre compagnie.

Elle lui fit observer qu'il était en prêtre.

– Et alors ?

Elle avait heureusement prévu du matériel pour lui conférer l'air du révérend père Santibusca. Elle s'efforça de le vieillir en lui poudrant le visage et en traçant de fausses rides au charbon sous ses yeux, sur son front et autour de sa bouche, puis elle lui remit une canne à bout ferré et à pommeau d'argent qui traînait dans un placard du couvent. S'étant miré dans la devanture d'une boutique, dell'Oio constata avec plaisir qu'il restait le curé le plus coquet de Venise.

– Je me demandais de quoi j'aurais l'air dans un siècle ou deux ; grâce à vous, je le sais.

– Vous ferez un très beau vieillard, lui prédit Leonora. Mais je vous rappelle que Don Anzolo n'a que cinquante-huit ans. Inutile de jouer les centenaires.

Tout en marchant, il s'amusait à frapper le sol de sa canne. Ce n'était pas discret.

– Croyez-vous nécessaire de brandir cet objet ? demanda-t-elle.

– Vous le trouverez très nécessaire quand nous serons attaqués par un assassin armé, chère patronne.

Dell'Oio lui jeta maints coups d'œil agacés tout au long de leur déambulation.

– Vous jouez très mal les religieuses vénitiennes, sioreta Leonora. Qu'est-ce que c'est que cette façon de baisser les yeux quand nous croisons des jeunes gens ? Vous n'avez pas encore l'âge d'une pécheresse repentie ! C'est sainte Thérèse d'Avila dans les plaines de Castille, que vous nous interprétez là !

Ils s'arrêtèrent un moment sur le campo de San Samuele pour voir si l'endroit était surveillé. Comme Leonora s'y attendait, Missier Grande avait retiré ses hommes dès qu'il s'était convaincu de la culpabilité du père Santibusca.

Ils pénétrèrent dans l'église, qui était presque vide, hormis deux ou trois mendiants avachis sur un banc et quelques rares fidèles qui ressortaient après avoir allumé un cierge et récité une prière. Leonora dut empêcher Flaminio, emporté par son rôle, de prodiguer sa bénédiction autour de lui. Elle lui reprocha de mettre en danger leur couverture.

– Vous avez manqué une carrière au théâtre. Comme bouffon.

– Mais non, je suis dans le ton, regardez.

Il avisa deux paroissiennes agenouillées devant une effigie de saint Pancrace et s'adressa à elles d'une voix chevrotante.

– Assez de prières, mes filles ! Vous priez trop ! Vous fatiguez nos saints par vos discours !

Il se tourna vers la plus richement parée :

– En revanche, n'oubliez pas nos bonnes œuvres. Notre toit compte sur vous ! Souvenez-vous qu'il n'y a pas d'avares au paradis ! Nous acceptons les dons en nature : bagues, colliers, babioles en ivoire…

C'était Pantalon, le vieux grigou de la commedia dell'arte. Leonora le saisit fermement par le bras pour l'emmener à l'écart. Les deux femmes le regardèrent s'éloigner en hochant la tête.

– Notre pauvre abbé a pris un terrible coup de vieux, chuchota l'une d'elles.

L'autre lorgnait les souliers vernis de ce curé claudicant.

– Il fait preuve d'une coquetterie du plus mauvais genre. As-tu vu ses escarpins de jeune blondin ? Je ne suis pas près de lâcher une lire dans le tronc de cette église !

Noé, à moins que ce ne fût Moïse ou Esaü, s'installa dans le confessionnal, tandis que Leonora rôdait entre les colonnes.

Elle commençait à avoir mal aux jambes, et Flaminio, à s'endormir dans son fauteuil, quand un homme à la silhouette massive, en *volto* blanc, tricorne et *tabarro* noirs, se posta sur le seuil pour observer l'intérieur de l'église. Leonora se força à ne pas détourner la tête de l'image pieuse qu'elle faisait mine de prier. Satisfait par son examen – les confidents avaient enfin vidé les lieux –, l'inconnu se dirigea vers le chœur. La religieuse se leva pour choisir un cierge, afin de voir de quoi il avait l'air. Elle l'aurait préféré moins grand, moins énergique, avec des épaules moins musclées. Il obliqua vers le confessionnal, où le curé d'emprunt n'en menait pas large. La boiserie émit une plainte grinçante lorsque le masque s'agenouilla derrière la grille. Flaminio tira le volet d'une main tremblante en se répétant à mi-voix : « mes sequins, mes sequins ».

– Que dites-vous, mon père ? fit une voix grave qui paraissait monter du tréfonds de la terre.

– J'ai dit : je suis à vous, mon fils, bredouilla dell'Oio, qui n'avait plus besoin de se forcer pour chevroter.

– Bénissez-moi, mon père, car j'ai commis un terrible péché.

Le faux prêtre assis dans l'alvéole centrale n'avait aucun doute à ce sujet. Il émit un bruit inarticulé qui pouvait passer pour un encouragement à poursuivre.

– Ces jours derniers, j'ai médité la mort d'un homme pour de l'argent. Je sais que c'est mal.

– *Gnouif,* confirma le curé, que cette révélation semblait mettre au bord de l'apoplexie.

– Pourtant, je sais que je ne serai pas damné, car j'œuvre pour la plus grande gloire de Dieu.

Il y avait là l'ombre d'un mobile. Dell'Oio aurait aimé retrouver l'usage de la parole afin de poser la question adéquate. La crainte d'éveiller les soupçons du meurtrier par une remarque inappropriée le paralysait. Heureusement, le pêcheur était en veine de bavardage.

– Vous ne croyez pas qu'il est mauvais de tuer si c'est pour faire triompher le bien, la vérité et la vertu, n'est-ce pas, mon père ?

Horrifié, Flaminio tâcha désespérément de coller à son imitation de Don Santibusca :

– Moi ? Non ! Pas du tout ! Pourquoi ?

Les exemples étaient légion à travers l'histoire de la chrétienté. Il cita les croisades pour libérer le tombeau du Christ, l'extermination des cathares et de divers schismatiques … Sans les bûchers, que d'hérésies !

Les mérites du pogrom et de l'autodafé bien établis, le défenseur d'une foi combattante prit son courage à deux mains et chuchota la question qui importait le plus à sa patronne :

– Et de qui méditez-vous de débarrasser notre pauvre monde ? articula-t-il, la bouche sèche.

La réponse le terrifia.

Il y eut un silence. On entendait la cire couler le long des cierges et la sueur faire de même sur le front du curé.

– Je vous en prie, donnez-moi ma pénitence et votre absolution, mon père, reprit la voix d'outre-tombe.

A cet instant seulement, le prêtre d'occasion se rendit compte qu'il ne se rappelait plus la formule consacrée. Pour la première fois, il regretta de n'être pas allé plus souvent à confesse.

– *Ego ti absurdo de peccati tuis… Vada in pacem*[1]…

L'assassin bondit sur ses pieds. Les paroissiennes agenouillées devant saint Pancrace haussèrent le sourcil : il y avait du remue-ménage dans le confessionnal.

Paralysé, terrifié, épouvanté, Flaminio vit la face de cuir aux yeux fous s'encadrer entre les parois de son fauteuil. Une main gantée fit sauter son couvre-chef et sa perruque. L'inconnu émit un juron dans une langue qui était probablement du latin. Il s'empara de la canne à pommeau d'argent et se rua vers la sortie.

Tandis que son courtisan vénitien à demi évanoui glissait lentement sur le dallage glacé, Leonora quitta son prie-Dieu pour se lancer à la poursuite de l'assassin. Hélas, ce dernier sauta dans une gondole de louage qui l'emporta vers le premier rio perpendiculaire au Grand Canal.

La Frascadina songea un instant à héler un *barcarol*, mais déjà l'embarcation de son adversaire s'était

---

1. La formule exacte est : *Deinde ego te absolvo a peccatis tuis. Vade in pace.* « Je t'absous par conséquent de tes péchés : Va en paix. »

fondue dans une foule anonyme de gondoles toutes identiques. Elle décida qu'il valait mieux aller voir si son employé était encore en vie.

Assis sur les marches de l'autel, Flaminio, en nage, s'épongeait le visage avec un mouchoir de dentelle qui ne cadrait pas mieux avec sa tenue de prêtre que ses souliers vernis. Leonora lui reprocha vertement sa méconnaissance des formules consacrées.

– Voilà ce qu'on gagne à être mauvais chrétien !

– Pardonnez-moi ! Sans doute aurait-il mieux valu engager un bienheureux en instance de sanctification pour jouer les faux prêtres !

Les paroissiennes les considéraient avec horreur. Voilà que le révérend père se disputait avec une nonne comme s'ils étaient mari et femme ! Ils étaient en train de faire à Don Anzolo une réputation de satrape.

Les jeunes gens quittèrent cette église si décevante sans ajouter un mot, chacun boudant de son côté.

– Alors ? finit par demander Leonora. Vous a-t-il au moins donné un indice sur sa prochaine victime ?

– Oh oui ! Je sais son nom.

Elle l'exhorta à le lui livrer.

– C'est vous, répondit son courtisan vénitien.

XVII

Octobre était le mois des crabes mous appelés *moleche*. Ces aimables bestioles avaient la bonne idée de se départir de leur carapace pour effectuer leur mue, ce qui faisait d'eux de succulents paquets de chair au goût subtil, à déguster frits après les avoir badigeonnés de jaune d'œuf. L'une des terribles conséquences des troubles qui agitaient la lagune était la privation de ce mets traditionnel, saisonnier et si délicieusement vénitien. La saison allait passer, ce qui avait été perdu ne se rattraperait pas, tous s'en désolaient, hormis la gent crustacée, qui s'ébattait en toute liberté sur les sables des îlots.

Aussi les religieuses accueillirent-elles comme une bénédiction céleste la livraison inopinée d'un baril ventru rempli de ces chers animaux, cadeau d'un fidèle anonyme, ou plutôt d'un admirateur discret, soucieux de récompenser l'ardeur de leurs prières.

Un petit groupe de bénédictines alléchées entourait la cuisinière en chef alors qu'elle retirait un à un du récipient les amas de chairs souples qui composaient l'offrande, pour les déposer avec délicatesse sur la planche à fariner. Un cri strident résonna jusque dans le cloître de San Lorenzo quand apparut la chose dépourvue de pinces, mais dotées de cinq doigts velus, que sœur Aracoelis jeta aussitôt en l'air dans un mouvement de répulsion irrépressible.

– Sainte Marie mère de Dieu ! dit-elle en se signant trois fois.

Elles contemplèrent la main qui gisait sur le carrelage.

– Encore un coup des filles de San Zaccaria ! grogna la prieure.

Leonora doutait que les dames de San Zaccaria gâchassent ainsi un baril de crabes, si tant est qu'elles fusssent parvenues à se procurer une denrée aussi rare. Dans un moment d'égarement, les bénédictines acceptèrent d'avertir la police, et l'on envoya une novice tremblante au tribunal des Seigneurs de la Nuit.

Il n'en restait pas moins que le gros de la livraison se composait d'appétissants crabes introuvables à la Pescaria. Ces créatures du Seigneur n'étaient en rien responsables de la cohabitation qu'un esprit dérangé leur avait imposée avec un membre humain d'essence masculine. On se remit à couver d'un œil plein d'appétit les petites bêtes innocentes.

Le premier dégoût passé, les cuisinières reçurent l'ordre de ne pas laisser perdre un mets si convoité, ce qui aurait été un péché. On avança un peu l'heure du déjeuner.

Vers la fin du repas surgit Zancarol Usmago, l'un des six *Signori di Notte al Civil*, organe qui, malgré son nom, s'occupait des atteintes à l'ordre public commises dans la journée. Il était accompagné de deux bombardiers, dont la confrérie fournissait l'administration en gardiens de la paix.

Quand on lui demanda où était le contenu du tonneau, mère Maria Nicopeia désigna les assiettes vides. Sior Usmago poussa les hauts cris.

– Comment avez-vous pu ! C'est un crime, ma mère !

La supérieure repoussa doucement les morceaux de cartilages au bord de son plat.

– Nous prierons le Seigneur de vous pardonner votre aveuglement, mon fils. Dieu a créé la pierre pour bâtir des couvents, les couvents pour abriter les nonnes, et les *moleche* pour être mangées par elles au mois d'octobre.

– Au milieu de toutes ces horreurs, il importe de se raccrocher à ce qui existe de bon en ce monde, renchérit la prieure.

– Il voudrait nous affamer, celui-là ! s'écria sœur Arcangela.

– Mécréant ! marmonna la couturière, occupée à débarrasser ses dents des reliquats du sympathique crustacé.

Leonora, chez qui la curiosité l'emportait sur la gourmandise, avait pris soin de conserver l'un des animaux, prélevé sur sa ration personnelle, dans l'espoir que la police pourrait identifier son origine géographique. En récompense de ce sacrifice, Zancarol Usmago lui accorda la faveur de l'accompagner à la Pescaria, où il comptait bien faire identifier le crabe.

– Et si vous pouviez nous le rapporter après, dit une nonne, nous le ferions en beignet pour sœur Carla, qui aime tant ça et qui n'a plus de dents.

Le policier enfouit au fond d'un sac sa pièce à conviction menacée par des mâchoires voraces. L'appétit des Vénitiens pour les produits de la mer commençait, à son avis, à prendre un tour inquiétant.

– Assommez quelqu'un avec une langouste et vous êtes sûr de voir disparaître l'arme du crime dans l'heure qui suit ! maugréa-t-il.

Il y avait tout lieu de penser que le dément qui avait réussi à se procurer un lot de *moleche* était un pêcheur, ou quelqu'un en relation avec eux. Il importait donc de savoir de quelle île venait la pièce à conviction.

Ils se trouvèrent pris, à mesure qu'ils approchaient du Rialto, dans un encombrement de gondoles de plus en plus compact. Même les ponts et les quais semblaient faire l'objet d'un mouvement de foule inhabituel.

– Il paraît qu'il y a du poisson ! cria-t-on à une dame qui se tenait à sa fenêtre.

Le bruit s'était répandu à la vitesse de la marée, on accourait de tous les quartiers. Leonora se réjouit pour les Vénitiens et s'inquiéta pour son enquête : si la pêche avait repris, c'était peut-être que l'énigme des disparitions d'enfants était résolue.

Ils arrivèrent en vue des colonnes de la Pescaria. L'embarcation des *Signori di Notte* se fraya avec peine un passage parmi les barques que l'on tâchait d'amarrer au plus près. Des marins slaves étaient en train de décharger leur pêche sous la direction d'un des petits-sages en robe violette. Il s'agissait, indiqua Zancarol Usmago, du *nobiluomo ser* Zeno Soranzo de San Polo.

Le jeune Soranzo avait certainement une plus grande pratique des affaires maritimes que du maintien de l'ordre. Il aurait été prudent de prévoir un cordon de sécurité pour protéger les produits de la mer et ceux qui voulaient les acheter. D'ordinaire facile à raisonner, la foule des amateurs de poisson était pour l'heure incontrôlable. Si deux injonctions un peu fermes suffisaient d'ordinaire à mettre tout le monde au pas, les Vénitiens se battaient pour l'instant comme des assoiffés du désert qui découvrent une cruche d'eau potable.

Zancarol Usmago s'efforça d'user de son autorité pour ramener la paix. Quant à Zeno Soranzo, la stupéfaction le rendait incapable de réagir. Si l'assassin masqué s'était trouvé là à cet instant, il aurait aisément atteint son but. Peut-être même n'aurait-il rien eu à faire, car on commençait à se piétiner joyeusement parmi les limandes et les anguilles encore frétillantes. Un prêtre bénit un lot de sardines, puis s'assit dessus en déclarant :

– N'y touchez pas ! Ce panier est au Christ !

– Il est au plus offrant ! cria un affamé qui tâchait de bousculer le prélat dont le fessier était bien calé sur sa promesse de friture.

Afin de contourner le mauvais vouloir des pêcheurs locaux, les sages du Palais ducal avaient eu la brillante idée de s'approvisionner en Istrie, de l'autre côté de l'Adriatique, une dépendance de la République dont la pêche était la seule activité florissante. Ils espéraient que cette concurrence déloyale ramènerait les grévistes à la raison ou les forcerait à jeter de nouveau leurs filets.

La première partie de cet objectif, le réveil du peuple, fut très vite atteint. Les trognes courroucées du bataillon de marins vénitiens qui apparurent aux deux extrémités du Grand Canal, sur une flotte de grosses barques très fournie, témoignèrent de leur énergie recouvrée. Ils employèrent celle-ci à sauter d'une gondole à l'autre jusqu'à la rive, où ils saisirent tous les paniers débarqués par les Slaves pour les renverser dans les eaux glauques qui coulaient sous le Rialto, au grand désespoir des habitants, peu soucieux cependant de s'exposer à la colère des insulaires.

Zancarol Usmago, qui avait une petite expérience des mécontentements populaires, conseilla à Son Excellence Soranzo de ne pas broncher. Le jeune magistrat contempla d'un œil catastrophé la ruine de la mission que lui avaient confiée ses supérieurs, les sages-grands.

Leonora profita de leur parenté pour se faire présenter : *ser* Cesare dalla Frascada, son père, était marié à Soranza Soranzo, les jeunes gens étaient donc vaguement liés par l'alliance de leurs *casade* respectives.

– Et ce scandale a lieu devant la famille ! se lamenta Zeno Soranzo de San Polo. C'était tout ce qui me manquait !

Il aurait volontiers envoyé la parentèle dans le canal avec les paniers. Une verte réprimande l'attendait au Palais pour n'avoir pas mieux supervisé cette magnifique opération. Aucun argument sensé ne lui éviterait les reproches : il n'avait plus affaire à des cerveaux, mais à des estomacs.

– Comment avez-vous pu importer du poisson au nez de ces pauvres pêcheurs ! l'accabla sa « cousine » de fraîche date.

Ser Zeno écarta les bras en signe d'impuissance, ce qui lui donna l'air d'une grosse chauve-souris violette.

– Que faire d'autre ? Nous n'allions tout de même pas importer des petits garçons !

Les pères inquiets étaient en train d'envoyer en toute impunité les paniers rejoindre leur contenu sous le pont.

– On n'a pas le respect de mon travail, glapit Soranzo.

– C'est que vous n'avez guère de respect pour celui des autres, reprit Leonora, pas très en veine de diplomatie, ce jour-là.

– Et alors ? s'indigna le haut magistrat de la Sérénissime. Le mien est tellement plus important !

Il se rappela soudain que la branche dalla Frascada avait la réputation de regrouper sous un même toit tous les idiots de la famille.

Après avoir fait de son mieux pour ramener le calme, Zancarol Usmago fit le tour de la Pescaria avec le crabe rescapé, qu'il exposa avec circonspection au regard des marchands comme s'il leur dévoilait un rubis géant dérobé au retable de Saint-Marc.

– D'où vient ce crabe ? demanda-t-il au premier poissonnier pressenti pour l'expertise.

– De chez un mort, répondit celui-ci sans hésiter.

Leonora fut aussi ébahie que le Seigneur de la Nuit.

– Comment le savez-vous ? demanda ce dernier.

– Parce que le briseur de grève qui a ramassé cet animal a joué avec sa vie, mon bon *signor*. N'avez-vous pas vu ce que ces brutes ont fait à ces succulentes anguilles d'Istrie ? Ah ! Quand je pense que j'aurais pu en tirer cinquante lires la pièce ! Assassins ! cria-t-il à l'intention des sacrilèges, heureusement trop loin et trop occupés à lancer leurs propres imprécations contre l'État pour l'entendre.

Leonora et le policier passèrent à un autre expert, avec l'espoir que celui-ci serait moins obnubilé par ses propres déconvenues.

– Connaissez-vous ce crabe ? lui demanda le *Signor di Notte* en écartant les pans du mouchoir dont il avait enveloppé la relique.

Le marchand se pencha sur cet objet tant apprécié et dont on commençait à ne plus savoir comment il était fait.

– Pas personnellement, mais si vous nous laissez en tête à tête, j'aurai plaisir à faire plus ample connaissance.

Il parut impossible de déterminer de quel banc de sable marécageux était issu l'animal. En revanche, on pouvait se faire une idée du genre de personne qui osait braconner sur les territoires des pêcheurs. Il n'y avait pas tant de gens assez déterminés pour braver leur fureur.

Le petit-sage contemplait avec amertume les calmars crevés qui flottaient à la surface du Grand Canal, d'où nul n'osait les retirer. Si le Haut Tribunal, toujours si bien renseigné, avait daigné le prévenir que les pêcheurs méditaient l'attaque de la Pescaria, il ne se serait pas exposé à subir les foudres des *Savii Grandi*.

Cette idée en donna une autre à la Frascadina. Si le Haut Tribunal était si bien informé, n'était-ce pas qu'il possédait un confident chez les gens de mer ?

– Bien sûr, les inquisiteurs ont un informateur làbas, lui confirma Zancarol Usmago.

– Ils en ont partout, renchérit le cousin Zeno.

Zanni Merlini, qui avait si habilement manipulé les habitants de San Pietro in Volta résolus à le pendre à leur campanile, en était certainement un. Il n'avait rien à redouter de l'un ou de l'autre camp. Si quelqu'un pouvait se permettre de trafiquer de la *moleca* en période de crise, c'était bien lui.

Après que le policier eut pris congé, Leonora proposa à son cousin de prendre un café dans l'un des établissements alentour. Le petit-sage réfléchit un instant. Les plus hauts responsables de Venise attendaient impatiemment son rapport pour lui frotter les oreilles et lui rincer la tête. Il avait donc tout à fait le temps de s'arrêter dans une *bottega del caffè*.

Ils entrèrent dans un petit café du Rialto dont l'enseigne en forme de homard avait été recouverte d'un voile de crêpe noir en manière de protestation. Un peu remis de ses émotions, *ser* Zeno Soranzo de San Polo s'étonna que sa cousine ne fût pas en villégiature sur la Brenta avec tonton Cesare et tata Soranza. Leonora expliqua qu'elle avait préféré se retirer quelque temps dans la paix d'un lieu propice au recueillement et à la prière. Zeno jaugea cette jeune femme qui déambulait seule dans Venise avec une prédilection pour les endroits où se produisaient des émeutes ; c'était là une étrange conception du recueillement. Il était certes de notoriété publique que tonton Cesare avait besoin de toutes les prières qu'on voulait bien adresser en sa faveur, et pas seulement à l'intention du Seigneur qui régnait du haut des cieux.

– Puisque j'ai l'immense plaisir de rencontrer Votre Excellence, dit la cousine à la mode de Venise, j'aimerais en profiter pour parler un peu de vos soucis.

Zeno se révéla intarissable sur l'énumération des difficultés qui l'accablaient, au premier rang desquelles les attentats dont ses collègues avaient été la cible. Les charges administratives réservées aux nobles n'avaient plus rien d'une sinécure.

– Quand je pense que j'ai choisi le service du Palais plutôt que les galéasses ou les comptoirs de Méditerranée, parce que c'était plus pépère !

En revanche, quand la Frascadina se mit en tête de lui tirer les vers du nez, le cousin se montra plus renfermé que le confesseur de San Samuele. En manière de provocation, elle suggéra que les petits-sages avaient éventé un secret qu'ils n'auraient pas dû connaître.

– Comment ! Nous ? Mais pas du tout ! Pas du tout ! Quelle idée ! D'où tenez-vous cela ?

Puisqu'il venait de confirmer ses déductions, elle récapitula les faits : l'un d'entre eux avait été poussé sous les sabots d'un taureau, un autre avait été assommé et à demi noyé, un troisième n'avait dû son salut qu'à sa témérité : il avait sauté par une fenêtre. Désirait-il attendre que son tour vienne pour se décider à aider à l'arrestation du coupable ?

Après avoir un peu réfléchi, il vérifia que personne ne les espionnait, se rapprocha d'elle et baissa la voix au point de n'être presque plus audible.

– L'un de nous a été imprudent, reconnut-il avec plus de gravité que s'il lui avait indiqué que le doge était en réalité une femme polygame de couleur, adepte du vaudou. L'imprudence est un tort impardonnable.

– Il a donc découvert un secret interdit ?

– Pire que cela. Il a menacé d'en faire usage.

Évidemment, s'il y avait parmi eux des patriciens suicidaires, il ne fallait plus s'étonner que la folie se fût emparé de la ville.

– Mais nous ne sommes pas les seuls sur qui pèse une menace…, reprit *ser* Zeno Soranzo avec un regard par en dessous.

Le bruit courait, dans les conseils, que la communauté de San Lorenzo avait fortement déplu à certaines instances influentes. Ce qui s'y passait ne recevait plus leur assentiment.

Il jeta quelques lires sur la table, salua et disparut en direction du Palais ducal et de la douche tonitruante qui l'y attendait.

Restée seule devant sa tasse vide, Leonora se demanda laquelle des activités ordinaires de San Lorenzo avait incommodé Leurs Excellences. Puisque les choses allaient du même train depuis plusieurs siècles, elle conclut que c'était elle qui avait déplu. Peu importaient les intrigues galantes, les rubans aux robes des nonnes, les boucles de cheveux dépassant des coiffes blanches, les sorties masquées, les badineries dans le parloir. Ce qui avait changé, dans ce couvent, c'était qu'elle y menait l'enquête pour identifier un tueur et des voleurs d'enfants. Voilà ce que les maîtres de Venise ne pouvaient tolérer !

XVIII

Leonora marcha d'un bon pas jusqu'au môle de la piazzetta et loua une barque à deux solides rameurs pour se rendre à San Pietro in Volta, sur la langue de terre de Pellestrina. Elle s'abstint cette fois d'y emmener Flaminio dell'Oio. Sorti de son élément naturel – canaux, vieilles pierres et roueries en escarpins vernis –, son courtisan ne lui était pas d'une grande utilité. Il avait même plutôt constitué un poids mort dans l'opération « perdons les petites filles sur la lagune », et la jeune femme n'avait pas assez d'imagination pour supposer qu'il accepterait de s'approcher de sitôt du campanile-gibet.

On n'était pas encore au milieu de l'après-midi lorsqu'elle arriva en vue du village aux maisons multicolores. Elle avisa un groupe de pêcheurs qui venaient de lancer de larges filets pas très loin du quai et pria ses *barcaroli* de la conduire jusqu'à eux.

– La grève est terminée ? demanda-t-elle aux travailleurs de la mer.

– Pas du tout, *madamoxeta*.

Ils avaient fait le vœu de ne plus exercer leur métier tant que leurs garçons n'auraient pas été retrouvés, mais non celui de mourir de faim. Ils

229

pêchaient pour leur propre subsistance. Tant qu'il y aurait du poisson, ils pourraient laisser croupir les clients de la Pescaria dans la frustration et la disette. C'était le partage des peines. Quant à eux, leur ressentiment était moins insupportable l'estomac plein.

Elle s'enquit de ce charmant Zanni Merlini qui l'avait si bien accueillie à sa première visite. On lui répondit qu'il était allé défendre les intérêts de ses compatriotes auprès des institutions négligentes et paresseuses qui siégeaient au *Palazzo Ducale*.

Elle s'était donc déplacée pour rien. Afin de donner à ses rameurs le temps de reprendre des forces à l'aide de *vineto piccolo* et de *bouzzolai*, des biscuits en forme d'anneau, elle observa un moment les gestes des pêcheurs de sardines. Avec l'aide de saint Pierre, protecteur du village et de leur profession, ils avaient aisément trouvé dans ces eaux populeuses de quoi subvenir à leur repas. Et même aux repas des semaines à venir, lui sembla-t-il, vu le nombre de petits crustacés à pinces qui grouillaient dans ce filet.

Un objet lourd en creusait le centre. Les pêcheurs échangèrent des regards inquiets. Lorsqu'ils déposèrent le tout sur la *riva* afin de voir ce que c'était, ils parvinrent à la conclusion qu'il allait vraiment falloir arrêter de pêcher : saint Pierre était fâché de leurs demi-mesures.

La masse pesante était un cadavre. Voilà ce qui avait attiré les crabes. La Frascadina sut qu'elle n'en mangerait décidément pas, cette saison. Lorsqu'on eut dégagé des mailles le corps trempé, et chassé les crustacés obstinés à renverser l'ordre habituel de qui mange qui, elle nota un détail contrariant : il manquait à ce noyé une main. Elle pressentit que les gens de San Pietro in Volta allaient devoir se trouver un autre représentant auprès des autorités. Leur défense légale avait pris l'eau.

Rassemblés autour du filet macabre, les villageois s'interrogèrent longuement sur l'identité de l'intrus, rendu méconnaissable par son séjour dans ces eaux très peuplées. Les esprits s'échauffèrent bientôt. Voilà que ces maudits Vénitiens osaient polluer jusqu'au produit de leur pêche avec des manchots crevés ! Quelle manœuvre ne tenteraient-ils pas pour les démoraliser ? Il était fréquent que le reflux draine toutes sortes de saletés venues de la Dominante, chaussures sans semelle, tonneaux moisis ou autres objets, dont certains faisaient le bonheur de ceux qui les récupéraient. Mais ce déchet-là passait les bornes ! Quand renonceraient-ils à cette manie de balancer leurs chers disparus n'importe où ?

Leonora déclara que celui-ci ne venait pas de si loin : leur dévoué négociateur avait poussé le zèle jusqu'à aller parlementer avec la gent à écailles.

D'abord incrédules, les gens de San Pietro in Volta examinèrent de plus près ce qu'il restait de ses vêtements. Quand une femme – la veuve – poussa un cri perçant, on put estimer l'identification faite.

Il fut rapidement établi que nul n'avait vu sior Zanni Merlini depuis la veille au matin. Leonora aurait cédé sa ration de diablotins au chocolat pour savoir avec qui ce sacripant avait trafiqué des *moleche*. Le pourvoyeur de crabes avait été puni par où il avait péché. Il suffit à la jeune femme de voir la mine que faisaient les camarades du défunt pour deviner qu'ils en usaient tous de même.

Le triste sort de leur compagnon leur avait desséché le gosier ; tout le monde s'engouffra dans le *bastione*. L'occasion de profiter de leur désarroi était trop belle. Leonora se réclama du parrainage de Son Éminence pour creuser le sujet de leurs petits trafics. D'une certaine manière, elle confessa le village.

Avec la valeur atteinte par le poisson au marché noir, cette grève était en train de faire leur fortune. Les cuisiniers du Palais ducal, notamment, étaient disposés à payer des sommes folles pour que la table du doge ne fût pas dégarnie lors des banquets officiels.

Pour l'heure, le moral était en berne. D'abord les disparitions d'enfants, à présent les apparitions de cadavres ! Ils résolurent de se porter en délégation au Palais pour exiger que la Sérénissime assure leur sécurité sur la lagune. C'était un territoire immense et difficile à surveiller en totalité, ils risquaient d'être mal reçus. Leonora songea que si leur délégation subissait le même sort que Zanni Merlini, ça allait être la fête chez les crabes.

Pour leur contrition, elle leur suggéra de lui remettre une partie de leur pêche, à l'intention du couvent. Ils avaient bien besoin de prières en leur faveur, ce dont les sœurs s'acquitteraient avec un grand plaisir pendant leur digestion. Elle-même en serait quitte pour souper dehors ce soir-là.

Nulle voix, sinon celles de saintes femmes, ne pouvait couvrir les violons du diable qui menait la danse ; on ne mégota pas sur l'offrande. Ce fut un énorme panier de divers poissons tout frais qui fut déposé dans sa gondole, sous les yeux pleins de convoitise des deux *barcaroli*.

Avant de partir, la Frascadina donna un conseil aux gens de San Pietro pour intéresser le gouvernement à leurs problèmes : à leur place, elle n'eût pas manqué d'insinuer que le dédain avec lequel on les traitait risquait d'inciter le peuple à réclamer la fin des privilèges nobiliaires. Les pêcheurs se récrièrent. Jamais ils n'oseraient remettre en question le fondement aristocratique de l'État. Pour qui les prenait-elle ? Elle en conclut que la révolution vénitienne n'était pas pour demain, et aussi qu'elle allait devoir s'occuper elle-même de retrouver leurs malheureux enfants.

Elle leur recommanda de faire un saut chez les Seigneurs de la Nuit du quartier de Castello pour se faire remettre la partie manquante du cadavre. On la regarda dès cet instant comme une magicienne douée de double vue. Elle ordonna à ses rameurs de souquer ferme avant qu'on eût de nouveau l'idée de la pendre au campanile par mesure de salubrité publique.

La douce lumière de cet après-midi d'octobre et le tranquille balancement de son embarcation étaient propices à la réflexion. Il y avait plus d'impasses dans son enquête que dans les *sestieri* de Venise. Même les crabes se mêlaient de semer son chemin d'embûches. Qu'y avait-il de commun entre une main dans un baril, un latiniste masqué, le plus grand hangar à bateaux du monde, des enlèvements de gamins et des attentats politiques ?

De retour au rio de San Lorenzo, ses *barcaroli* amarrèrent leur gondole contre le quai et l'aidèrent à prendre pied sur le campo. Elle les paya de quatre belles soles et leur fit déposer le panier sur le seuil de la tourière, qui poussa des cris de joie à la vue de cette manne tombée des cieux.

– Alors, ma fille ? dit la mère supérieure, dont la méfiance naturelle n'avait pas été émoussée par ces pots-de-vin à branchies. Avez-vous découvert quel aimable personnage a eu la bonté de nous adresser des crabes avec des doigts ?

Leonora répondit qu'elle n'en savait rien, mais qu'elle avait retrouvé le restant du corps.

Comme elle l'avait prévu, la manne venue des eaux effaça l'amertume de leur déception et gagna aux pêcheurs de San Pietro in Volta les prières du couvent tout entier.

Elle rentrait juste à temps pour assister aux vœux définitifs de sœur Graziana. On avait expliqué à ses parents que des « circonstances exceptionnelles » engageaient à hâter la cérémonie. Ils n'allaient pas tarder à savoir lesquelles.

Comme la nouvelle élue appartenait à la meilleure noblesse, l'église était remplie de beau monde. Il y avait là toute la *casada* des Semitecolo, au premier rang desquels le provéditeur, le sénateur, le « sage du Rialto », et même la tante Lugrezia, qui avait épousé le cousin par alliance d'un oncle utérin du cent quinzième doge, prestigieuse alliance dont l'aura rejaillissait sur toute la parentèle.

Sœur Arcangela donna lecture d'un poème de circonstance rédigé par un écrivain vénitien à qui une poignée de sequins avait donné du lyrisme à défaut de génie. Avec deux mille cinq cents religieuses sur les îles de la lagune, ces commandes faisaient vivre les gens de lettres. Soucieux de conforter l'élue de Dieu et d'alléger les remords éventuels de ceux qui l'avaient vouée à cette vie de renoncement, l'auteur développait l'idée que le cloître représentait un cadre de vie idyllique en comparaison du mariage. Tout bien réfléchi, Leonora n'était pas loin de tirer la même conclusion de sa brève expérience conjugale.

Destiné à magnifier la prise de voile, le poème parlait de voix célestes accompagnées de violons, d'orgues, de violes, qui s'élevaient sous les voûtes en brique tandis que les officiants apparaissaient dans leurs parures brodées d'or et d'argent. Il vantait ensuite les mérites des Semitecolo, ses commanditaires, et engageait la novice à goûter les avantages de sa nouvelle vie, ce qu'elle avait commencé de faire, selon toute évidence. Dans le cas présent, mieux aurait valu couper le passage sur la haute vertu morale des parents, « attentifs à inculquer les valeurs chrétiennes à leur chère progéniture ». Le fier maintien de la noble parentèle perdit de sa solennité à l'entrée de la nonne, dont le nombril précédait de beaucoup le reste de son anatomie. Le texte la citait de façon répétitive sous le terme de « la jeune vierge », ce qui rendit la lecture difficile à entendre sans éclater de rire.

« La jeune vierge » était enveloppée de drap blanc, ses cheveux dénoués étaient répandus sur ses épaules, comme pour des noces terrestres. Elle s'avança vers le prêtre avec humilité, sans réticence – vu son état, il n'était plus temps de faire la révoltée – et répondit à ses questions d'une voix timide, ainsi que prévu dans le programme.

Conformément au poème, « la jeune vierge » fut progressivement vêtue de ses nouveaux habits tandis qu'elle continuait d'échanger les formules rituelles avec le père Diodati. Force fut de reconnaître que l'obéissance était l'une de ses qualités ; cela compensait pour d'autres que son embonpoint momentané portait à regretter qu'elle n'eût pas.

Le rite prévoyait qu'elle s'agenouille devant l'autel pour prier. Les difficultés commencèrent à ce moment. On avait heureusement prévu, pour la soutenir, deux sœurs solidement bâties. Ces précautions firent penser que la supérieure avait une certaine habitude de ces questions, et l'idée qu'on se faisait de la moralité qui régnait en ces lieux n'en sortit pas grandie. Mais enfin, chacun à Venise était au fait de ce qu'était un couvent vénitien, l'important était de continuer à faire bonne figure, même si parfois les circonstances outrepassaient les limites du convenable.

Donna Semitecolo s'empressa de remercier l'organisatrice de la cérémonie.

– Vous avez eu raison de hâter les vœux, ma mère : le Seigneur voulait que notre chère Graziana s'engage au plus tôt dans le droit chemin.

– C'est ce que je me suis dit, répondit mère Maria Nicopeia.

Elle avait eu beau engager ses couturières à redoubler d'efforts pour amincir la silhouette de la postulante, elle avait l'impression que c'était un ventre qui récitait les vœux.

Les noces mystiques décrites dans le poème n'avaient pas grand-chose à voir avec la pantomime grotesque que l'assistance avait sous les yeux. Gênée dans ses mouvements, la nonne aurait été tout à fait incapable de se prosterner sans aide. Plusieurs personnes convinrent de l'opportunité de prévoir un rite allégé pour les religieuses enceintes. On ne comprenait pas que Rome ne se fût pas encore penché sur cette question !

Aussi détendue que fût l'atmosphère, la suite tint de la veillée funèbre. Installée face contre terre, la jeune fille fut recouverte d'un drap noir, on alluma un cierge près de sa tête, un autre près de ses pieds, tandis que ses compagnes entonnaient des litanies.

– Que c'est émouvant ! dit le provéditeur Semitecolo, qui était très myope. Elle meurt au monde pour renaître comme épouse de Jésus Christ !

– J'espère qu'il n'est pas trop regardant, déclara un persifleur dans les travées.

Le poème avait prédit qu'elle « frapperait sereinement à la porte de l'enceinte sacrée, confirmant par là sa volonté d'entrer dans ce sanctuaire ». Si sa volonté d'entrer était incontestable, sa façon de frapper manqua de sérénité. On supposa que sa vessie, compressée par un embarras de huit ou neuf mois, avait mal supporté la longueur des formalités, et qu'un besoin urgent, sans rapport avec l'attrait de la vie monastique, l'appelait en des lieux plus intimes.

Les réjouissances ne s'achevèrent pas avec la disparition de l'intéressée, elles commençaient au contraire. Les invités envahirent le parloir où les attendaient les sœurs, assises derrière leur grille, pour papoter autour du chocolat, du café, des gâteaux et des sorbets. Seule manquait la nouvelle religieuse, contrainte par le rite à trois jours de silence.

Leonora remarqua que sœur Chiara était rayonnante. Un gros pigeon posé sur ses genoux s'empiffrait de miettes en roucoulant. Elle racontait à tout le monde que l'oiseau lui était revenu après avoir échappé à son voleur.

La Frascadina contint son émotion et demanda s'il avait un message accroché à la patte.

– Un message ? Pourquoi y aurait-il un message ?

Déjà l'enquêtrice sombrait dans les eaux noires du désespoir quand elle entendit la nonne ajouter :

– Ces animaux sont bien plus malins qu'on ne le croit. Ma pauvre Cicciolina a réussi à se défaire de la corde avec laquelle un barbare l'avait attachée.

Elle lui montra un morceau de ficelle qu'elle avait dénoué de l'une des pattes.

Leonora referma son poing sur ces quelques fibres, certaine de tenir enfin le message envoyé par la petite Epifania.

XIX

Religieuses et pensionnaires venaient de retourner dans la salle commune quand on appela pour le parloir :

– Tarabotti : trois mécréants !

Sœur Arcangela se leva, confuse, sous les regards réprobateurs de ses compagnes. Comment osait-elle déserter ses devoirs, à pareille heure, pour aller discuter avec trois mauvais sujets, en un jour voué à la célébration de leur vocation, dans les confiseries et les menus propos !

La philosophe ne tarda pas à revenir, affolée, répétant : « Ma mère ! Ma mère ! »

Elle arracha presque la supérieure de sa chaise et l'entraîna à la grille, où Leonora et d'autres curieuses les accompagnèrent. Il y avait là trois hommes vêtus pour le carnaval.

– Messieurs, pas de masque entre nos murs, déclara d'emblée la supérieure des bénédictines.

Quand chacun d'eux eut fait glisser son *volto* de cuir sur son crâne, Leonora reconnut les philosophes avec lesquels la religieuse aimait à refaire le monde : Reno Reni, Elio Bora et Anacleto Pontano. Une indiscrétion inquiétante était revenue à leurs oreilles : les

Signori sopra Monasteri avaient ordonné une visite de San Lorenzo. Il y eut des exclamations.

– Votre source est-elle fiable ? demanda mère Maria Nicopeia, du ton d'un général qui s'informe des positions ennemies.

Sior Elio Bora avait un cousin dont le beau-frère, qui chassait la bécasse tous les premiers samedis du mois avec un secrétaire du conseil susnommé, lui avait fait passer un message par l'intermédiaire de la logeuse de sa bonne amie, une petite blonde du quartier de San Stae.

– Voilà un renseignement de première main ! admit la supérieure. Nous avons les deux socques dans le limon !

Son visage était presque aussi blanc que le linge empesé qui l'encadrait. Selon la logeuse de la maîtresse du beau-frère du cousin de sior Bora, l'irruption de la police dans leur petit paradis conventuel était aussi imminente qu'inévitable.

La nouvelle fit l'effet d'un boulet enflammé fonçant sur la charpente en bois d'une église du XVe siècle. Comment se prémunir contre pareil malheur ? Les *Signori sopra Monasteri* jouissaient d'une autorité souveraine sur tous les religieux de Vénétie. Même le patriarche de San Pietro di Castello était soumis à leur pouvoir. Ils chapeautaient les règlements appliqués aux moines et nonnes, y compris aux sévères carmélites, aux augustines industrieuses ou, en l'occurrence, aux aimables et charmantes bénédictines. Nul doute qu'une perquisition menée par une bande d'hypocrites malintentionnés permettrait de dénicher, ici et là, d'infimes manquements à la morale dont ce conseil aurait tout loisir de se servir contre elles. Toutes les bonnes sœurs de Venise se rappelaient un incident survenu quelques années plus tôt à San Alvise. Surgie à l'improviste, la police avait surpris plusieurs messieurs de familles honorables qui rôdaient dans les corridors, ainsi que celles qui les y avaient conviés en toute bonne foi, et la communauté tout entière avait été cloîtrée au sens propre pendant un an. Une année sans visites, sans bals, sans carnaval… L'idée avait de quoi faire frémir la nonne vénitienne la plus confite en dévotion.

Mère Maria Nicopeia exhorta ses protégées à se lamenter en silence et se recueillit quelques instants au milieu du désarroi général. Faute de pouvoir empêcher l'incendie, la meilleure tactique était peut-être de l'étendre à tous les toits alentour, afin que chacun ait intérêt à son extinction.

Par chance, les organes de police de Venise étaient aussi divers et fractionnés que les autres instances républicaines. La supérieure envoya immédiatement les servantes prévenir les *arsenalotti*, la confrérie des bombardiers et les *Signori di Notte al Criminal* que leur couvent était pris d'assaut par une bande de pouilleux. Les figures catastrophées des domestiques appuieraient sans difficulté son appel au secours. Des nonnes allèrent faire le guet autour du campo, dans l'ombre des porches, au pied des ponts. Maria Nicopeia conseilla en outre à ses ouailles de se défaire au plus vite de tout colifichet, bibelot ou être humain qu'un policier à l'esprit mal tourné pourrait s'offusquer de rencontrer chez elles, quitte à jeter ces trois sortes d'articles dans le rio. L'assemblée se dispersa comme un vol de pigeons devant la basilique.

– Nous voilà parée, conclut-elle. Il ne peut rien nous arriver de pire.

Un cri déchirant, sorti d'une gorge à l'agonie, fit trembler les nonnes jusqu'aux orteils. Une novice aux abois vint chuchoter quelques mots à l'oreille de l'abbesse.

– Sœur Grazia va avoir son bébé ! répéta celle-ci, submergée par l'adversité.

Les prévisions de sœur Arcangela étaient justes, elle triomphait à la manière de Cassandre :

– Que vous avais-je dit ! C'est quand les gradins sont pleins que les arènes s'effondrent !

– Les catastrophes vont toujours par deux, lui concéda la prieure avant de se laisser tomber sur un banc.

Un accouchement discret dans une masure du quartier avait été prévu de longue date, mais, hélas, les plans divins semblaient différents. Tous ces exercices de prise de voile peu appropriés aux femmes enceintes avaient déclenché le travail. La supérieure tenta de considérer l'aspect positif de l'événement :

– Étant donné les conditions particulières de sa conception, cet enfant avait grand besoin de naître dans un lieu voué au Seigneur. J'aurais mieux aimé un autre jour, voilà tout.

La délivrance ne se faisait pas dans la discrétion. Sœur Graziana, novice en matière d'enfantement, se mit à hurler de plus belle. Ces dames étaient glacées d'effroi. Voilà qui n'allait pas plaider la cause de leur probité auprès des institutions ducales. Si leurs ennemis cherchaient des preuves pour les compromettre, ils allaient en trouver une de sept ou huit livres, beuglante et congestionnée.

Il ne fallait pas songer à reléguer la parturiente dans quelque coffre ou au fond d'une armoire. Il était même trop tard pour la déménager, elle ne tenait plus assise. La supérieure opta pour la fuite en avant. Les religieuses les plus costaudes parvinrent tout juste à allonger leur compagne dans une couverture et se mirent à six pour l'emporter vers la chapelle. Leonora était perplexe.

– A-t-elle l'intention de la faire accoucher devant l'autel ? Elle veut placer l'enfant sous la protection de la Madone ?

Certes, la Sainte Vierge avait elle-même connu une grossesse périlleuse et un accouchement inconfortable, mais là n'était pas le principal aux yeux de mère Maria Nicopeia.

Quelques minutes plus tard, des coups fermes ébranlèrent la porte du campo. La tourière fit glisser son volet et demanda ce que c'était, sur le ton revêche et naturel qu'on lui avait recommandé de conserver. Elle aperçut, dans la lumière des lanternes, une petite troupe en armes dont le capitaine se présenta sous le nom de Tebaldo Sanguinazzo, officier au service de Leurs Excellences Illustrissimes les *Signori sopra Monasteri*.

– C'est pour quoi ? s'enquit la tourière de la voix sans aménité avec laquelle elle accueillait les innombrables quémandeurs qui prétendaient abuser de leur charité.

Leurs Excellences Illustrissimes avaient mandaté ces hommes pour visiter toutes les pièces du couvent et s'en faire ouvrir toutes les portes.

– Et pourquoi ça ? reprit la tourière, la main toujours posée sur le volet, comme si elle s'apprêtait à le refermer au nez des importuns.

Le capitaine expliqua que ce décret n'avait pas été prononcé contre les bonnes dames qui vivaient là, mais afin qu'un examen rapide et discret fît taire de méchantes rumeurs indignes d'une si sainte institution. Il fallut bien ouvrir. Ce fut la ruée.

Leur idée d'un examen « rapide et discret » n'avait aucun rapport avec ce que les nonnes auraient imaginé. Au train où ils allaient, ouvrant chaque coffre, chaque garde-manger, la « rapidité » allait s'étirer jusqu'au milieu de la nuit. Quant à la « discrétion », les bruits des couvercles qu'on laissait retomber et des portes qu'on claquait devaient s'entendre jusqu'à l'Arsenal. Mère Maria Nicopeia escomptait, en tout cas, que ces bruits parviendraient à San Pietro di Castello, où le patriarche ne devait pas finir sa nuit sans avoir eu vent des outrages infligés à ses religieuses.

– Ah ! s'exclama la prieure avec un mugissement de buffle en colère. Ils nous ont enfermées et maintenant ils nous envahissent !

– Qu'est-ce à dire, mon fils ? dit la supérieure. On renoue avec les sacrifices païens ? Vous vous croyez au cirque Maxime ?

Les trois sénateurs chargés de leur surveillance avaient été saisis d'une plainte. Maria Nicopeia demanda si cette ignoble dénonciation émanait de certaine communauté prétendument pieuse, dont le nom détestable commençait par un Z et dont la maison se dressait dans une zone malsaine, près de la riva degli Schiavoni.

– Les dames de San Zaccaria n'ont rien à voir là-dedans, ma mère, lui assura Tebaldo Sanguinazzo, non sans agacement.

Ses sbires ne purent ignorer longtemps les chants de vierges au martyr qui s'élevaient de la chapelle et s'infiltraient dans tout le couvent. Les religieuses n'auraient pas crié plus fort si l'on avait été en train de les égorger. Leurs vocalises vigoureuses faisaient concurrence au raffut des troupes en délire, qui en étaient presque dérangées dans leurs exactions.

– On chante fort, ce soir, dit l'officier. En quel honneur ?

– En l'honneur du Petit Jésus, répondit la supérieure.

Tebaldo Sanguinazzo pénétra dans l'église du même pas martial qui avait résonné sur le dallage du vestibule. Tout un chœur de nonnes était en train de s'époumoner comme jamais sur des chants liturgiques. On ne savait qui, d'elles ou des grandes orgues, avait décidé d'assourdir l'autre. L'officier crut voir trembler la voûte et ne fut pas sûr qu'il s'agît d'une illusion.

Il se boucha les oreilles et cria à son lieutenant qu'elles étaient totalement insanes. Ce n'était pas de mauvaises mœurs, qu'il fallait les soupçonner, mais de folie furieuse.

Dissimulées par les robes des chanteuses, deux nonnes assistaient la future mère, allongée sur un matelas, et l'encourageaient à pousser. Sœur Graziana émit un hurlement, aussitôt relayé en *ut* mineur par les choristes.

Sior Sanguinazzo se douta bien qu'il y avait du louche là-dessous, vu qu'il était tard et qu'on n'était pas à la messe de Noël. D'un côté, le groupe des démentes qui faisaient subir au Te Deum ce que les Huns avaient infligé à l'Europe centrale ; de l'autre, la porte que mère Maria Nicopeia maintenait ouverte vers le couvent et un peu plus de paix. Il repoussa la perquisition de l'église à plus tard, quand le tintamarre se serait tu : le Palais ducal n'avait pas d'emploi pour les officiers devenus sourds.

– Il y en a une dans le tas qui chante atrocement faux ! lança-t-il en quittant la nef.

Pour se consoler, il reprit la fouille avec une énergie renouvelée.

Au parloir, ils surprirent l'abbé Diodati en entretien privé avec l'une de ses pupilles, chacun d'eux d'un côté de la clôture. Grille ou pas, il était interdit aux ecclésiastiques, tous fort suspects à la République, de rencontrer les bonnes sœurs sans une permission expresse des *Signori*. Ils saisirent aussi deux servantes dépourvues du visa imposé aux domestiques des religieuses.

Le plus embarrassant fut les grands « floc ! » qu'on entendait au fil de leur progression dans les cellules.

Ce bruit de chute pouvait laisser penser que quelques personnes sautaient dans le rio pour échapper à la force publique.

– Les rats sont gros, cette année, déclara la supérieure, afin de conserver sa contenance, tandis que le capitaine la foudroyait du regard.

Il lui présenta maints articles de vêtements masculins confisqués par ses *birri*.

– Qu'est-ce que c'est que ça, ma mère ?

– C'est carnaval, mon fils. Il nous arrive de nous travestir en homme, comme vous en tortionnaire voué aux flammes éternelles.

Un garde quitta la cellule de sœur Arcangela en brandissant l'un des ouvrages dont les étagères étaient remplies. C'était le traité d'un philosophe français affilié à ce mouvement séditieux et sacrilège connu sous le nom de « Lumières ».

– Le diable ! s'écria Sanguinazzo avec horreur.

Ils fourrèrent dans un sac les écrits personnels d'Arcangela, dont le caractère subversif était indéniable. Ils y mirent aussi *La Pucelle*, de Voltaire, et *La Nouvelle Héloïse*, de Rousseau, deux auteurs que leurs idées opposaient mais que le bûcher réunirait. L'administration républicaine se montra, ce soir-là, plus prude que l'Église romaine.

– Capitaine ! brailla un *birro*. J'ai encore trouvé une cochonnerie française !

Il brandissait un volume des *Fables* de La Fontaine. Comme aucun d'eux n'entendait le français, on mit les fables avec le reste – et, en vérité, si on avait compris le sujet de certaines d'entre elles, on aurait brûlé le livre dans le couloir.

Ils ajoutèrent à leur collection des tabatières, des nécessaires à café décorés d'anges tout nus, des carnets remplis de noms masculins avec des adresses. Les pensionnaires étaient catastrophées.

– On nous supprime tout ! Ça va être le... le...

– Le couvent ! acheva l'une d'elles.

Tebaldo Sanguinazzo considéra d'un œil suspicieux le ventre des femmes qui l'entouraient.

– On nous affirme qu'il y a ici des religieuses enceintes, lâcha-t-il d'une voix sépulcrale.

La supérieure rétorqua que seul un esprit malade pouvait imaginer pareille absurdité, ce que les autres appuyèrent d'exclamations scandalisées.

Bien entendu, il y avait eu des fuites. Il s'était forcément trouvé des espions à la prise de voile de l'après-midi, il y en avait partout. Mère Maria Nicopeia n'aurait pourtant jamais imaginé que les institutions s'arrêteraient à pareilles vétilles. Il y avait dans cet acharnement quelque chose d'étrange.

Les *birri* voulurent rafler les religieuses dont l'embonpoint leur paraissait suspect.

– J'ai des flatulences ! protesta la tourière. Je suis ballonnée !

– Méfiez-vous : elle dit vrai, prévint la prieure.

– Vous attentez à la réputation de notre ordre ! s'indigna mère Maria Nicopeia.

Du ricanement du capitaine on déduisit qu'il valait mieux ne pas l'entraîner sur ce sujet.

Il y eut un bruit de bottes sur le campo.

– Enfin ! murmura la supérieure.

Il se produisit instantanément dans le vestibule une telle suite d'accidents et de courants d'air que toutes les lampes s'éteignirent. Des religieuses trébuchèrent sur les lanternes, d'autres soufflèrent les bougies que tenaient les sbires. Ce fut dans une obscurité à peine soulignée par la lueur d'un croissant de lune que des ombres menaçantes s'engouffrèrent par la porte, qu'une main inconnue venait d'ouvrir en grand.

Les intrus – les nonnes supposèrent qu'il s'agissait des Dalmates de la force publique – se heurtèrent aux sbires. Avant d'avoir eu le temps de s'expliquer, ces messieurs furent interrompus par l'irruption des *arsenalotti*, puis des *Signori di Notte*. Arrivés en derniers, les bombardiers se jetèrent dans la mêlée, le gourdin en avant. Bien qu'on n'y vît goutte, il était net que tout le monde se tapait dessus dans le noir, à qui mieux mieux, au nom du doge. Ce fut l'empoignade générale, au son de l'alléluia tonitruant venu de l'église mitoyenne. Il ne fallut pas longtemps pour que les adversaires commencent à se frapper sans distinction. Le capitaine poussa un cri de douleur.

– Raimondo, dix jours d'arrêt sans solde !

La rixe dura jusqu'à ce que Tebaldo Sanguinazzo s'écrie : « Mes *birri*, autour de moi ! », à quoi il fut répliqué : « Bombardiers, par ici », puis : « La Darsena, vers la porte ! ». Certains parvinrent à rallumer leurs lampes au feu de l'éclairage public qui brûlait sur le campo. Une fois la lumière revenue, on vit que les Seigneurs de la Nuit, moins rompus aux exercices physiques, étaient restés sur le carreau.

Les sœurs quittèrent les colonnes derrière lesquelles elles s'étaient accroupies et allèrent chercher des sels, de l'eau, des linges et des liqueurs. Il leur fut facile de jouer les infirmières face à l'infâme Sanguinazzo qui les tourmentait depuis presque une heure.

– Qui a osé s'en prendre à nous ? articulèrent les trois *Signori di Notte*, une fois revenus à eux.

Les nonnes pointèrent l'index vers l'abominable capitaine des sbires.

Les différents corps de police, qui ne s'entendaient guère en temps ordinaire, s'expliquèrent avec des mots rageurs, sans cesser de s'accuser les uns les autres. Un point restait à éclaircir : les *arsenalotti* cherchaient en vain les « pouilleux » dont parlait l'appel à l'aide.

– On nous avait dit que ce couvent était attaqué !

– Vu le bruit qu'ont fait ces messieurs, les voisins auront cru qu'on renouvelait le massacre des onze mille vierges, répondit la supérieure.

Tebaldo Sanguinazzo avait des doutes quant à la possibilité de trouver beaucoup de vierges entre ces murs, mais il préféra continuer à masser sa mâchoire endolorie.

Des visages hébétés se profilaient effectivement aux fenêtres du campo, toutes ouvertes et illuminées. Les gens se demandaient surtout ce que c'était que cette messe nocturne et bruyante comme jamais, alors qu'on n'était pas au mercredi des Cendres. Même les *Signori di Notte* s'étonnèrent de ces chants et de cette musique que rien ne semblait devoir interrompre.

– Quelqu'un est mort, ma mère ?

– S'il n'avait tenu qu'à sior Sanguinazzo ! Mes pauvres sœurs sont si effrayées qu'elles supplient le Seigneur de les sauver !

On la pria de leur faire savoir qu'elles n'avaient jamais été en danger et qu'elles pouvaient cesser leurs prières. Mère Maria Nicopeia fit mine d'obtempérer, mais ordonna discrètement de continuer à masquer tout beuglement intempestif qui eût immanquablement mené à des questions gênantes. Leurs invités n'étaient sûrement pas disposés à jouer les rois mages, l'âne, le bœuf et le ravi de la crèche.

Afin de les pousser vers la sortie, elle déclara que la paix et l'harmonie censées régner en ces lieux avaient déjà été bien trop troublées pour cette nuit, et renvoya tout ce vilain monde qui se dévisageait avec fureur, les poings serrés.

– La colère n'a pas droit de cité dans notre maison, énonça-t-elle avec la sérénité d'une bienheureuse.

Ces messieurs se promirent mutuellement de porter l'affaire devant les tribunaux dès qu'il ferait jour. Tebaldo Sanguinazzo, particulièrement, écarta tout espoir de s'en tirer à si bon compte.

Dès que les hommes d'armes se furent dispersés dans les *calli* de Castello, une nonne vint annoncer la grande nouvelle.

– Sœur Graziana a un bébé !

– Miracle ! s'écria une novice en joignant les mains.

– Taisez-vous, sacrilège ! la rabroua Maria Nicopeia.

On se rendit à la chapelle pour voir comment se portaient la mère et le nouveau-né. La scène était à présent beaucoup plus présentable. Son bébé dans les bras et son voile sur les cheveux, la jeune femme avait tout d'une Vierge à l'enfant dans un mystère de la Nativité.

– Avec ce qu'il est né de gamins dans ce couvent, on pourrait ouvrir un orphelinat, observa la tourière.

Leonora pouvait en parler : elle était l'un d'eux.

L'enfant était un garçon.

– Dommage, dit la prieure. S'il avait été de notre sexe, sa carrière aurait été toute tracée. N'est-ce pas, mes sœurs ?

Leonora supposa que toutes celles qui hochaient la tête étaient en religion de mère en fille. S'il y avait une vertu qu'on pratiquait ici, c'était bien le respect des traditions familiales.

Elles avaient prié pour la délivrance, elles avaient prié pour que la foudre ne s'abatte pas sur elles pendant l'accouchement, il convenait à présent de prier pour le pardon de la pécheresse, et sans doute de toutes les autres femmes présentes.

Leonora les laissa à leurs *Pater noster* et regagna sa cellule pour vérifier que l'invasion barbare n'avait pas occasionné trop de désordre dans ses affaires.

Elle entendit le souffle d'une respiration oppressée. Quelqu'un se tenait derrière la porte entrouverte qui donnait sur le réfectoire. Elle craignit qu'il n'y eût là une religieuse blessée, qui s'était traînée à l'écart dans la confusion de la bataille et qu'on avait oubliée. Quelle brute infecte avait osé s'en prendre à une nonne ?

– Rassurez-vous, je suis là, tout est calme, les sbires sont partis, je vais vous aider, dit-elle en repoussant doucement la porte.

Elle se trouva face à un homme de haute taille, masqué, enveloppé d'un *tabarro*, un tricorne sur la tête. La surprise et l'effroi lui firent faire un pas en arrière, ce qui lui évita d'être happée par les mains gantées qui se propulsaient vers elle.

Toute à sa stupéfaction, Leonora eut l'impression que ses jambes l'emportaient à travers le corridor sans qu'elle eût besoin de les commander. Au premier angle, elle se prit les pieds dans un fatras de coffres et de livres saisis dans les cellules par les agents, sur lequel on avait posé en équilibre un grand crucifix de bois. Elle s'étala de tout son long sur le dallage tandis que le fourbi s'effondrait sur elle. À peine eut-elle le temps de se mettre à quatre pattes, l'assassin fondait sur elle, l'empêchant de se relever. Les doigts gantés se refermèrent sur son cou étroit, qu'ils enserraient entièrement.

– Pourquoi ? parvint-elle à articuler en manière de dernière volonté, alors que son visage virait déjà au rouge bleuté dans la lueur de la chandelle qui gisait au sol.

– *Quia nominor leo*[1], récita, derrière le masque blanc, la voix grave de l'homme qui la tuait.

L'éboulement avait fait un raffut de tous les diables. Deux pensionnaires en robe de nuit, pieds nus, une chandelle à la main, apparurent aux extrémités

---

1. « Parce que je m'appelle lion », vers du poète latin Phèdre.

du corridor, effarées, persuadées du retour des sbires sénatoriaux. Dans sa surprise, l'assassin relâcha un peu son étreinte, ce qui permit à Leonora de glisser ses bras entre les siens pour lui faire perdre prise. Des religieuses approchaient à pas prudents. L'inconnu masqué comprit que la retraite lui serait bientôt coupée. Il se redressa. Sa haute stature, son allure de fantôme macabre firent reculer les bénédictines. Il chercha des yeux une issue. N'en ayant pas trouvé d'autre qu'une fenêtre, il l'ouvrit, l'enjamba et disparut dans la nuit avec un bruit de chute dans l'eau – ce qui n'empêcha pas certaines de ces demoiselles de jurer qu'elles avaient vu Belzébuth s'envoler dans les airs ainsi qu'on pouvait le voir faire sur les mosaïques de la basilique.

Alors seulement la panique s'empara des nonnes, qui se mirent à courir dans tous les sens en petite tenue. Deux attentats dans la même nuit ! Comment était-il entré ? Il y avait eu, ce soir, tant de brigands chez elles, pour la plupart appointés par le gouvernement !

C'était trop pour leurs nerfs. Les novices pleuraient, les pensionnaires étaient terrorisées, les religieuses, scandalisées. La supérieure commença de craindre qu'on ne lui retirât ses pupilles ; leurs familles les avaient placées dans un couvent, certes pas le plus hermétique d'Italie, non dans une arène où se donnait une corrida permanente.

La Frascadina réfléchit à haute voix : il fallait que cet odieux personnage ait fait partie d'un des corps de police qui avaient envahi le bâtiment.

– Oui, à ce propos…, dit mère Maria Nicopeia.

Leonora sentit l'orage sur le point d'éclater au-dessus de sa tête. Le sermon qui s'annonçait n'aurait rien des aimables considérations égrenées par le père Diodati.

– Ma fille, en cinq siècles, on nous a fait subir d'innombrables avanies, mais nos tablettes ne portent pas trace d'une tentative d'assassinat nocturne. Voilà un genre de turpitude qui était resté inédit entre ces murs.

C'était probablement le seul.

La mine soucieuse de mère Maria Nicopeia n'annonçait rien de bon. La tête pensante de la communauté n'avait guère eu le temps, au cours de la soirée, de se pencher sur le sens de leurs déboires. Jamais les sénateurs, aussi pudibonds soient-ils, ne s'étaient alarmés de leurs petits à-côtés. Quelque chose avait changé. Plus elle examinait la situation, plus elle se persuadait que le principal changement intervenu ces derniers mois était l'arrivée du rejeton des dalla Frascada. Cette ultime agression pointait dans le même sens.

– Je sais bien que je dirige ici la plus grande attraction publique de Venise, mais, depuis que vous êtes là, nous faisons concurrence à la foire de la Sensa. Si j'avais voulu devenir montreuse de monstres, je serais...

– Devenue abbesse de San Zaccaria ? suggéra Leonora.

La supérieure ne put s'empêcher de ricaner.

– Très amusant. Et si juste !

Elle se reprit, hélas, dès que l'évocation des sorcières à collerette blanche eut fini de la réjouir.

– Vous ne vous en tirerez pas avec des bons mots ! Hier, nous courions le risque d'aller en enfer après notre mort ; aujourd'hui, nous y sommes de notre vivant !

En un quart d'heure, le contenu d'une cellule fut vidé dans un sac et sa propriétaire reconduite à la porte du campo.

– Si vous avez besoin de quelque argent pour trouver un refuge…, proposa sœur Arcangela.

Ce n'était pas d'argent qu'elle avait besoin, c'était de sucreries. Leonora fit un détour par les cuisines, où sœur Aracoelis lui remit ce qu'elle demandait, et un long couteau, en plus, pour servir en cas de mauvaise rencontre.

La tourière signala que la sortie du campo était surveillée par les sbires.

– Dans ce cas, je ne vois pas comment je pourrais m'en aller, dit Leonora, soulagée de n'avoir pas à courir Venise, la nuit, avec un meurtrier à ses trousses.

– Ah, mais si ! déclara celle qui la mettait à la porte, nullement disposée à se laisser contrarier pour si peu. Vous allez partir par le chemin des fournitures.

Les religieuses disposaient d'un accès au rio qui facilitait les livraisons. La tourière fit tourner l'une de ses clés dans la serrure de la porte ogivale. Mère Maria Nicopeia posa résolument le pied sur le porche léché par l'eau noire. Une gondole de louage passait justement ; elle héla le *barcarol*, poussa la jeune femme dans l'embarcation, promit de prier pour elle et referma d'un coup sec qui avait tout d'un « n'y revenez pas ! ».

L'exilée se fit conduire dans la paroisse de Santa Giustina. Là se trouvait la maison de la signora Pauli, chez qui elle louait une chambre pour ce genre d'extrémité. Le quartier était assez excentré pour qu'on n'y rencontre pas grand monde à cette heure de la nuit, même en période de carnaval. Elle gratta au volet, puis dut tambouriner pour obtenir une réponse.

– Passez au large, bandits ! clama une voix.

– Signora Pauli ! C'est moi, Leonora Pucci !

Le volet fut entrouvert avec prudence. La jeune femme en profita pour glisser quelques biscuits dans l'interstice. Il fallait parler à chacun le langage qu'il comprenait.

– Il m'est tombé par hasard entre les mains plusieurs paquets de diablotins de San Lorenzo. Je sais qu'il est tard, mais vous n'ignorez pas que ces friandises se dégustent fraîches.

Le volet s'ouvrit plus grand.

– *Plusieurs ?*

La signora Pauli était un dragon qui aimait les sucreries. Elles avaient sur elle un effet sédatif immédiat. La porte du meublé s'ouvrit comme sous la force d'un ouragan, et Leonora retrouva sa chambrette sous les toits. Elle pouvait enfin se reposer sans peur. Nul assassin ne franchirait le rempart constitué par sa logeuse, à moins de disposer d'une provision de bonbons rares.

Allongée sur son lit, une bougie sur la table de nuit, la jeune femme réfléchit à sa situation en regardant les ombres danser sur le plafond. D'une certaine manière, elle avait perdu la partie. Les bénédictines l'avaient chassée, elle se voyait isolée et démunie. D'un autre point de vue, son enquête venait de faire un grand pas en avant. Le spectacle de ces différents corps d'État qui se distribuaient des taloches comme des marionnettes dans un théâtre de carton lui avait donné une idée fascinante. Et si ceux qui s'en prenaient aux petits-sages n'étaient autres que les membres d'un conseil concurrent, au sein même de l'administration ducale ? Et si tout cela n'avait été en quelque sorte qu'une affaire de famille sous les lambris de la grande maison rose, une bataille entre cousins ? Il était temps d'étudier l'aspect politique de ces crimes. Elle n'avait que trop tardé. À Venise, tout était politique, depuis l'établissement des traités internationaux jusqu'aux querelles des gondoliers.

XX

Un homme totalement enveloppé dans une *bauta* noire qui lui couvrait la tête et dans un *tabarro* de même teinte qui dissimulait le reste quitta le meublé de Santa Giustina pour se diriger vers le couvent de San Lorenzo. Il s'arrêta avant le dernier pont et observa le curieux spectacle qui se déroulait de l'autre côté.

Sous la conduite de quelques *birri* armés de bâtons, les bonnes sœurs rejoignaient les barques prévues pour leur transfert au Palais ducal, entre deux rangs de badauds médusés. Très digne, mère Maria Nicopeia marchait à la tête d'une file de nonnes qui chantaient en latin, afin que tout le monde sût bien de quel côté était le Bon Dieu. L'effet n'aurait pas été plus dramatique si on les avait menées participer aux jeux du cirque sous Dioclétien. Les Dalmates ne savaient plus où se mettre. Leur chef ne cessait de répéter avec son accent slave : « Ma mère ! S'il vous plaît ! Ayez pitié ! »

Le guetteur masqué se sentit coupable. Il était assez de l'avis de la supérieure : c'était la Frascadina qui avait été visée, et elle savait très bien pourquoi. Elle avait agité la vase du rio et le fond remontait à la

261

surface. Les bonnes dames partaient affronter leurs accusateurs, elle non.

Pour ce qui était de ce point-là, l'équilibre fut immédiatement restauré. L'homme à la *bauta* tressaillit : une main s'était posée sur son épaule. C'était celle, gantée, de Missier Grande, l'exécuteur des basses œuvres du Haut Tribunal. L'officier esquissa un salut et lui transmit l'ordre de comparaître sans tarder devant ses maîtres.

Pour l'avoir reconnue aussi facilement, il avait dû être sur ses talons depuis sa sortie de chez la signora Pauli. Leonora abandonna momentanément les religieuses aux griffes de leurs tourmenteurs – bien qu'il eût été difficile de déterminer qui tourmentait qui – et suivit le policier vers sa gondole de service, qui les attendait au pont suivant.

Dans la lumière du matin, sa façade rose et blanche conférait au Palais ducal une douceur trompeuse. Alors que la Piazza s'éveillait avec la mollesse qui suivait l'effervescence nocturne, les patriciens en toge noire se pressaient vers leurs conseils comme un vol de corbeau attirés par quelque charogne.

Leonora venait d'accéder aux galeries du premier étage quand la litanie se fit entendre. Elle sortit sur la loggia pour regarder le défilé des bénédictines chantantes qui pénétraient dans la cour aux mots de : « Seigneur, accueille-nous en ton royaume ». Outre l'expression atterrée de tout le personnel, dans la fenêtre en face d'elle se découpait une silhouette coiffée du *corno* doré. Il était peu probable que le doge appréciât ce spectacle davantage que le patriarche. Sommée elle aussi de venir rendre des comptes, Son Éminence descendit accueillir ses religieuses au bas des marches.

– Voyons, mes sœurs, je ne crois pas que les autorités veuillent vous conduire au supplice.

Pour toute réponse, mère Maria Nicopeia s'agenouilla et baisa avec une ferveur de bienheureuse l'anneau qu'il portait par-dessus son gant blanc. Lorsqu'il voulut la relever, la pauvre nonne, épuisée par ces épreuves, vacilla, posa une main sur son front et, finalement, défaillit entre les mains du prince de l'Église. Celui-ci appela à l'aide, les huissiers se précipitèrent, ce fut l'affolement. Alors qu'on étendait la malheureuse, celle-ci parvint tout juste à articuler, dans un souffle qui peut-être était le dernier :

– Ah, Monseigneur ! Si vous saviez ce qu'on nous a fait subir !

Elle n'en dit pas plus, et cela valait mieux. Les témoins en déduisirent ce qu'ils voulaient. L'ardoise des *Signori sopra Monasteri* se trouva chargée de mille sévices plus ou moins épouvantables, selon l'imagination de chacun.

Leonora se promit de tout faire pour secourir la supérieure, bien que celle-ci s'en tirât assez bien sans aide, pour ce qu'elle en voyait. Elle s'arracha à la contemplation de ce tableau déchirant alors que les clercs de l'évêché obligeaient une religieuse mourante à gravir l'escalier des Géants, et rentra à l'intérieur du bâtiment.

Elle retrouva l'antichambre du Sanctuaire et ses *fanti*, qui assuraient l'intendance du Haut Tribunal et commençaient à bien la connaître.

– Encore punie ? plaisanta le secrétaire de service.

Il la mit en garde : Leurs Excellences n'étaient pas de bonne humeur. Au reste, c'était rarement pour partager avec elle des moments de joie et d'hilarité qu'ils la faisaient appeler.

Assis dos au mur derrière leur longue table aussi sombre que les boiseries, les trois hauts magistrats en toge doublée d'hermine et perruque grise à marteau remarquèrent à peine que la demoiselle était vêtue en homme. De son côté, dans son ample robe rouge, Saverio Barbaran avait tout d'une araignée écarlate coincée entre deux scorpions. C'était une vraie planche entomologique.

Ils exigeaient l'arrêt de son enquête. Cela faisait un moment qu'on n'avait plus essayé d'estourbir un petit-sage et il s'était exercé de fortes pressions pour qu'elle cessât de fouiner ici et là.

Cette dernière information confirma les doutes que nourrissait la Frascadina. Elle leur exposa sa théorie : ces tentatives de meurtre avaient été préparées dans l'une des salles voisines, les commanditaires siégeaient sous ces fresques grandioses, entre ces tableaux de maîtres et ces lambris prestigieux.

Ce ne fut pas l'explication en elle-même qui frappa ses interlocuteurs. Ils y avaient déjà songé et cela n'aurait pas été la première fois. Ce qui les inquiéta, ce fut qu'une telle idée ait pu lui venir, à elle qui ne siégeait pas dans les conseils du gouvernement. Si elle en était là de ses réflexions, d'autres personnes, de simples citoyens, le clergé, les résidents étrangers, tous ces gens qu'on appelait « le peuple » et qu'ils avaient mission de surveiller, risquaient de tenir un raisonnement similaire.

– Cette affaire a un goût de polenta pourrie, résuma Son Excellence Pisani.

Leonora poussa un soupir.

– Dans les récits, les contes, les romans, les fables, les tragédies, expliqua-t-elle, il existe en général un méchant, ou une bande de méchants, que les gentils affrontent et dont ils doivent triompher. À Venise, il n'en est pas besoin : les Vénitiens *sont* leurs propres méchants : ils ont leurs magistrats élus.

L'inquisiteur Tiepolo faillit en avaler son col de dentelles.

– Vous frisez l'insolence !

Leonora reprit son discours et, quand elle l'eut fini l'insolence arborait de belles boucles qui lui tombaient sur les oreilles, sur le front et jusqu'au milieu du dos.

Saverio Barbaran fut le premier à s'exprimer, peut-être parce qu'il n'était pas en train d'éructer ou de baver en levant les bras au ciel. Il était temps de remédier à ces déboires et de mettre au pas les demoiselles qui s'en servaient pour leur tenir des propos irrévérencieux. Il lui interdit de fouler le sol de San Lorenzo. Ce couvent était la cible d'un scandale public auquel un agent du Haut Tribunal ne pouvait être mêlé.

Puisque la conversation roulait sur ce sujet, Leonora demanda la faveur d'assister à l'audience des bonnes sœurs. Elle était persuadée que ce scandale était une manœuvre destinée à l'empêcher de poursuivre ses recherches.

Les inquisiteurs restèrent songeurs : toutes ces manigances venaient-elles des *Signori sopra Monasteri* ? Ils résolurent de lancer leurs « confidents » de ce côté et accédèrent à sa requête, à la condition qu'elle resterait incognito.

Avant de la laisser partir, Barbaran résuma les directives, « prises en accord avec leurs chers collègues des autres conseils » : elle était sommée de ne plus s'occuper de rien et de se faire oublier jusqu'à nouvel ordre. Leonora saisit le message. Officiellement, ils cédaient aux pressions et la déchargeaient de toute mission. Ce qui signifiait que l'on continuait comme avant, mais qu'elle ne jouissait plus de leur protection.

Les dames de San Lorenzo avaient été déférées devant les *Cinque alla Pace*, une cour dotée des attributions d'un tribunal correctionnel.

Pendant le carnaval, chacun était autorisé à exercer son métier en masque, y compris les avocats. Après s'être brièvement entretenue avec la mère supérieure, Leonora se présenta au greffe du tribunal pour plaider sous le nom de *Sior dotor* Robolino Robolini, le seul homme de loi dont elle connût le nom.

En cette saison de villégiature, les *Cinque* n'étaient pas cinq, on avait tout juste réussi à en réunir trois,

encore ceux-ci n'étaient-ils pas contents. Ils considérèrent d'un œil las le groupe de religieuses, le père
Gaolezzo Diodati, les policiers et les sacs contenant
le bric-à-brac ramassé dans les cellules.

Les clercs s'étaient efforcés de débrouiller le dossier. Tebaldo Sanguinazzo, capitaine des *Signori sopra
Monasteri*, était à la tête d'un réseau d'espions qui
hantaient les parloirs et tenaient le répertoire de ceux
qui s'y montraient. En temps ordinaire, leurs rapports suscitaient peu d'intérêt. La noblesse les mépri-
sait sans gêne, ils ne servaient qu'à supplanter la
hiérarchie ecclésiale.

Le père Diodati, prêtre, roturier, surpris à la grille
sans autorisation, à une heure indue, entrait parfaitement dans la catégorie des personnes visées par cette
répression.

– Il n'y a pas d'heure pour soulager une âme de ses
péchés ! s'insurgea l'avocat fluet qui semblait vouloir
faire au prélat un rempart de son corps.

De son point de vue, une telle abnégation devait
au contraire forcer l'admiration. L'heure n'avait pas
semblé trop tardive aux « molosses » des *Signori sopra
Monasteri* pour se livrer à leurs voies de fait.

Tebaldo Sanguinazzo enrageait. L'institution à
laquelle il appartenait s'employait à dénoncer les
« vices » qui envahissaient les « temples sacrés » pour
en faire des « lieux de récréation » fréquentés par des
masques, des étrangers de tout poil et des gens aux
intentions impures.

Il y avait, à cet égard, le cas de sœur Arcangela.
Non seulement sa bibliothèque regorgeait d'ouvra-

ges suspects, mais des témoins dignes de foi, puisque appointés par Leurs Excellences, assuraient qu'elle s'entretenait presque chaque jour en privé avec des philosophes.

Pour les ouvrages, la religieuse indiqua qu'ils avaient été fabriqués à Venise, dont l'imprimerie était une grosse source de revenu pour la République. Quant aux réunions, elle assura qu'elles n'avaient pour sujet que la philosophie. Perplexes, les trois *Cinque alla Pace* se tournèrent vers le patriarche, qui confirma d'un hochement de tête, poussa un soupir et leva les yeux au ciel.

– Ma sœur, dit l'un des juges, un couvent ne se prête pas davantage à la philosophie qu'aux débordements des sens.

L'un des *Signori sopra Monasteri* saisit cette occasion pour reprocher au patriarche la liberté de pensée dont on jouissait dans ses couvents.

– Oh, s'il ne tenait qu'à moi…, répondit Son Éminence.

Il était assez étrange de voir les nobles, premiers bénéficiaires de la licence, jouer les pères la pudeur. Quant à Mgr Bragadin, il était surtout offusqué qu'on fît des descentes dans ses monastères sans qu'il l'eût demandé :

– Parce que quand c'est moi qui suis mécontent…

Il exprima d'un geste sans ambiguïté le peu de cas qu'on faisait de ses *desiderata* dans les salons de la Sérénissime.

L'avocat demanda qu'on fasse entrer les témoins qui attendaient dans le vestibule, tous des nobles de grandes familles. Il argua du fait que les sœurs étaient issues d'honorables *casade* à la moralité sans tache, et prit soin de citer des patronymes où figuraient précisément ceux des juges assis devant eux. Nul ne pouvait espérer sortir tout à fait indemne d'un tel scandale.

Les *Cinque* voulurent entendre le témoignage des différents policiers. Un avant-goût des réjouissances à venir leur fut donné par les quatre compagnies de gardes chargées du maintien de l'ordre, qui s'accusaient mutuellement de coups, blessures et injures en tout genre.

Tout cela était fâcheux. Même les *Signori sopra Monasteri* prirent peur. Faire respecter les bonnes mœurs, oui ; susciter une crise politique, compromettre la paix publique, s'exposer à des reproches acides lors des déjeuners familiaux sur le Canal Grande, nul n'en avait envie. Ils n'avaient pas l'amour de la vertu chevillé au corps au point de provoquer des troubles sur la Piazza et du ressentiment dans les boudoirs.

– Qu'avons-nous contre ces bonnes dames de San Lorenzo, en fin de compte ? résuma l'un des juges. Quelques vêtements d'hommes, certes peu à leur place entre ces murs, un ouvrage de... *Roussé-a-u* ? et des ragots sans preuve.

– Votre Excellence oublie les bruits de plongeon ! s'exclama Tebaldo Sanguinazzo.

Le fait manquait de consistance. Pressé de mettre fin à cet intermède embarrassant, on mit aux voix.

Après une courte délibération, les *Cinque alla Pace* décrétèrent que les objets personnels seraient rendus aux bénédictines et que les *Signori sopra Monasteri* leur présenteraient des excuses écrites pour avoir diligenté une perquisition sans fondement, à afficher sur le campo San Lorenzo, devant l'église.

– C'est un déni de justice ! tempêta le capitaine. Ces sorcières vous ont envoûtés !

Les trois juges haussèrent le sourcil.

– Méfiez-vous, sior Sanguinazzo : à force de dire des sottises, on finit par les penser.

– J'en appellerai à la Quarantie criminelle !

– Nous transmettrons aux *Avogadori di Comun*, répondit Son Excellence en refermant le dossier.

– Les Cinq Sages seront de notre côté !

– Qu'ils déposent un recours devant le Conseil des Dix, nous les y engageons.

C'était un long périple en perspective dans le labyrinthe inextricable des institutions vénitiennes. Pas sûr que les plaignants en sortiraient jamais. Une fois de plus, Mgr Bragadin voyait le vice et les turpitudes servir de prétexte pour balayer les faits patents qui accablaient une communauté religieuse, la laver de tout soupçon et lui rendre sa pureté originelle.

La séance fut levée. Suivie de ses protégées, mère Maria Nicopeia quitta la salle au bras du patriarche, d'un pas beaucoup plus vif qu'à son arrivée. La justice vénitienne était un baume pour les cœurs purs.

Du côté des *Signori sopra Monasteri*, l'ambiance était morose. Aux sages-grands qui les attendaient devant l'escalier d'or ils reprochèrent de les avoir poussés à se couvrir de ridicule.

– *Merda di moleca* ! dit un sage, furieux d'avoir été tancé. Nous n'allons pas nous laisser engluer de limon par une demi-nonne à peine sortie de son scapulaire !

Pour l'heure, Leonora avait un sujet plus important que les émois d'un des principaux magistrats de la République : l'identification d'un petit bout de corde.

Puisqu'on trouvait de tout dans la rue des *Merzerie* qui partait de la Piazza, elle alla y montrer son échantillon. Il apparut qu'elle avait mis la main sur l'un des rares articles dont les commerçants de cette rue ne disposaient pas. Le *manganer*, lustreur de soie et de laine, à qui elle s'adressa lui assura qu'il s'agissait de câble à bateau fabriqué à la Tana, la corderie de la Darsena.

C'était donc aux fournisseurs de l'Arsenal qu'il convenait de s'intéresser.

Cela faisait longtemps que son courtisan ne lui avait servi à rien. Leonora fit un saut chez les dell'Oio au motif qu'elle allait avoir besoin de lui, bien que la vérité fût plutôt qu'il lui manquait et qu'elle n'avait pas envie de poursuivre ses investigations toute seule.

C'était l'heure parfaite : siora dell'Oio était déjà sortie, et lui toujours au lit. La visiteuse voulut se rendre directement aux appartements du jeune homme.

– Y pensez-vous, *madamoxèta* ! protesta la servante qui lui avait ouvert. Que dirait madame ?

– L'excès de bonheur lui serait fatal, répondit la Frascadina avant de refermer derrière elle la porte de la chambre.

Flaminio ronflait sous les couvertures. Ayant ouvert les rideaux, la jeune femme laissa errer son regard sur les vêtements épars, les souliers renversés, les dés et le roi de trèfle sur la table de nuit, le masque jeté dans un coin, la bourse plate abandonnée sur la commode, tous les signes du jeu, de la paresse et des plaisirs faciles. Elle frappa dans ses mains. La soufflerie s'étant interrompue, elle demanda au dormeur s'il savait qui gérait les fournitures de l'Arsenal. Il y eut un grognement dont elle ne saisit que les mots « au diable », immédiatement suivis d'un redoublement de ronflements. Elle eut beau le secouer, seul l'air expulsé avec force par sa bouche molle le différenciait d'un cadavre. Elle disposait par chance des accessoires nécessaires pour le ramener en ce bas monde.

Le son des sequins le fit jaillir d'entre les draps, l'œil vif et la langue agile.

– La Tana s'occupe des approvisionnements en chanvre, les *Provveditori al Bosco di Montello* et les *Deputati alle Valle di Montana* fournissent le bois, la *Milizia da Mar* organise les corporations de marins, énonça-t-il d'un souffle avant de tendre la main vers sa récompense.

Sa patronne se demanda si elle le prendrait jamais en défaut sur l'organisation administrative de la Sérénissime ou sur l'instinct de lucre. Elle lui exposa son désir d'examiner les comptes de l'Arsenal : comme il était peu probable que les *Padroni* leur laissent voir leurs livres, elle prévoyait des difficultés.

Flaminio réfléchit un instant. Il existait un moyen de contourner le mauvais vouloir des *Padroni*. Seulement, la solution n'était pas moins épineuse que le problème.

– Nous devrons affronter les forces ténébreuses les plus puissantes de l'univers, prévint-il.

Le programme s'annonçait périlleux. Peut-être avait-elle visé trop haut, cette fois. Elle s'inquiéta de ce qui l'attendait.

– Des janissaires ? Des diables du neuvième cercle ? Des… des Anglais ?

– Pire. Des magistrats de la Cour des comptes.

Leur seule chance était de rencontrer les *Esecutori del Senato*, grands argentiers de l'État, fonctionnaires inaccessibles, intouchables, incorruptibles, qui ne dépendaient pas même du doge ni du Conseil des Dix. Rien n'était plus sacré, à Venise, que l'argent. La Zecca en était le temple, les économes les servants, et les cartes de visite qui y donnaient accès étaient d'or et de diamant ou peu s'en fallait.

Le temps que Flaminio prît une apparence présentable et de mettre sur pied un plan d'attaque, ils se rendirent chez le *Savio Cassier*, le sage qui régnait sur les finances de la République.

Ses bureaux occupaient un étage des Procuratie Vecchie, sur le côté ensoleillé de la Piazza. Ils s'étendaient sur une longueur de cent cinquante mètres, depuis la tour de l'Horloge jusqu'à l'église San Gimi-niano[1].

Les jeunes gens exposèrent leur requête à l'huis-sier assis derrière une petite table, sur le palier, en haut des marches.

– Je vais voir si Son Excellence Illustrissime peut examiner votre demande, répondit l'officier public avec autant d'aménité que s'il leur avait annoncé leur condamnation au gibet des parricides.

Il ne resta absent que quarante-cinq minutes, délai extrêmement court pour une décision de cette impor-tance. Son Excellence Illustrissime le *Savio Casser* donnait son accord à une rencontre officieuse avec son homme de confiance chargé de la vérification des dépenses publiques. On les mena donc chez le com-missaire général aux comptes. Leonora eut la certi-tude que l'on voyait plus facilement le cardinal qui dirigeait toute la curie romaine.

Ils pénétrèrent dans un cabinet de forme carrée dont trois murs étaient recouverts de rayonnages gar-nis de dossiers. Les larges fenêtres ouvraient sur la Piazza, où se promenaient les fêtards et les travestis du carnaval, inconscients des enjeux qui se jouaient au-dessus d'eux.

L'officier public se montra très intéressé par le fait que son puissant supérieur leur eût permis de venir jusqu'à lui. Le dernier visiteur à s'être assis dans ce fauteuil était le ministre du duc de Parme, venu rati-

---

1. Cette église, l'une des plus anciennes de Venise, dotée d'une façade de Sansovino, fut abattue pendant l'occupation napoléonienne.

fier un prêt de deux millions gagé sur leurs comptoirs de la mer Égée.

Leonora se sentit d'autant plus flattée qu'elle n'avait, pour sa part, aucun million à prêter au Trésor. Un tel passe-droit ne pouvait avoir qu'une seule signification, et celle-ci apparut très vite dans la conversation.

Le *Savio Cassier* avait connaissance d'un fait qu'il désirait voir cesser d'une manière ou d'une autre, mais contre lequel il ne pouvait rien. Il ne pouvait se risquer à glisser un doigt dans les rouages du Palais, il aurait hasardé son élection au poste de procurateur de Saint-Marc, un couronnement auquel il consacrait ses soins depuis son entrée en fonction. En revanche, la petite dalla Frascada, grain de sable sans importance, n'avait rien à perdre à tenter de gripper cette effarante machine à dilapider les deniers publics. Tout l'art de la haute administration consistait à ouvrir la bonne porte à la bonne personne sans que quiconque pût prouver que vous aviez tourné la poignée.

Les *Esecutori del Senato* avaient la conviction que des dépenses faramineuses avaient été engagées dans des opérations vouées à l'échec. Les factures de l'Arsenal composaient une énorme part des finances publiques.

— De moins en moins grande, hélas, dit le commissaire général avec un soupir. Il est fini, le temps où nos galères faisaient régner l'ordre vénitien à travers la Méditerranée. Aujourd'hui, nous sommes bien heureux quand les Barbaresques laissent passer nos convois sans piller plus d'un navire et nous disputons nos comptoirs à la Sublime Porte. *O tempora, o mores !*

Leonora espéra qu'il n'allait pas continuer de réciter du latin, ou bien elle aurait un nom de plus sur sa liste de suspects.

Chargés de verser leur solde aux soldats, les sept *Esecutori del Senato* avaient trace de frais bizarres, au premier rang desquels ceux nécessités par le recrutement d'un équipage militaire au grand complet, alors qu'il n'y avait rien qui fît soupçonner l'armement d'un nouveau navire de guerre.

Le commissaire brassait ses papiers d'un mouvement de plus en plus nerveux.

– Ah, mais je n'aime pas ça !

Un dossier manquait. C'était la liste complète des fournitures acquises ces derniers mois sur la requête des *Padroni*. Sa divulgation aurait pu faire sauter quelques têtes au sein de la haute administration ; pis, le détenteur de ces documents aurait été en mesure de montrer au peuple à quoi était réellement employé l'argent des taxes, et cela, nul régime au monde ne pouvait se le permettre.

Bien que la Darsena eût acquis de très nombreuses fournitures ces derniers mois, elle avait refusé d'accueillir nombre de navires marchands, qui avaient dû trouver des chantiers navals plus au sud, sur la côte. Même le *Savio Cassier* aurait bien aimé savoir ce que cachaient les maîtres de l'Arsenal.

Un coup d'œil au plan schématique dont disposait le commissaire aux comptes confirma à la Frascadina l'existence d'un bassin qu'on ne leur avait pas montré : le canal des galéasses. C'était donc cela la partie intéressante de la visite.

À la sortie des Procuratie Vecchie, Leonora arborait sa mine la plus déterminée, celle qui inquiétait le plus son courtisan. Sa conviction était faite. Il ne leur restait plus qu'à prendre un grand bain dans un rio de Venise, un rio choisi avec clairvoyance parmi les quelque cent soixante-seize qui découpaient la ville. C'était l'eau qui gouvernait Venise et non les Vénitiens qui commandaient à l'eau ; il était temps de rappeler cet axiome aux patrons de l'Arsenal.

– Nous allons sauver une petite fille, déclara-t-elle alors qu'ils déambulaient sur le liston, la portion de la Piazza qui longeait les arcades, côté nord.

– Comment cela ? s'enquit Flaminio.

– En sautant les deux pieds en avant dans le canal !

« Bien sûr, songea son courtisan, si cela avait pu se faire dans la propreté et l'élégance, ce n'est pas à moi qu'elle aurait fait appel. » Il tendit sa paume ouverte et ne la referma que lorsque deux éclats dorés y eurent brillé.

– Je me demande ce que vous faites de tout l'or que je vous donne, dit sa patronne.

– Je fais nettoyer mes vêtements, répondit-il en serrant avec soin les deux pièces dans une bourse de cuir épais qui était pour lui comme un reliquaire dédié à son chemin de croix.

XXI

Leonora et Flaminio passèrent se restaurer chez les dell'Oio, puis partirent espionner du côté de la Tana, après que la jeune femme eut pris un malin plaisir à déclarer devant siora dell'Oio qu'elle emmenait son fils pour une promenade en amoureux, sans pitié pour la malheureuse mère qui crut le grand jour arrivé.

Sous le couvert de leurs masques, ils rôdèrent au pied du mur d'enceinte, puis glissèrent en gondole sur le rio de la Tana, à la manière d'amants innocents. L'exercice consistait à se faire des gentillesses en tâchant d'étudier la muraille. Les convenances voulaient que ce fût le jeune homme qui prît l'initiative.

– Je suis très gêné, dit Flaminio, rouge de confusion.

Leonora était censée se défendre de ses assiduités, un rôle difficile, car il n'y avait pas grand-chose à repousser. Peu de femmes se sentent compromises quand elles se font tapoter la main par un monsieur à qui ces caresses semblent réclamer un effort sur lui-même. Elle lui abandonna ses doigts à baiser et put se consacrer librement à son observation de l'architecture militaire médiévale.

Le constat fut sans appel : il n'y avait aucune possibilité de s'immiscer dans cette forteresse par des moyens classiques, peu salissants et qui n'incluent pas une forte dose d'humidité.

– Sans l'aide d'un archange, nous n'y parviendrons jamais ! conclut le courtisan vénitien entre deux baisers dépourvus de conviction.

– J'ai beaucoup mieux que cela, dit Leonora.

Le bastion le plus ardu à conquérir n'allait pas être celui qu'elle avait sous les yeux. Elle pria le *barcarol* de la conduire au campo San Lorenzo, où s'élevait une forteresse autrement difficile à soumettre.

Elle se présenta à la porte du couvent, la tête couverte de son *zendaletto* et la mine repentante. Comme elle s'en était doutée, les nonnes étaient peu ravies d'avoir été traînées devant la Quarantie et d'avoir vu leurs petits travers étalés sur la place publique pour une raison qu'elles soupçonnaient d'être liée aux activités de la Frascadina.

Mère Maria Nicopeia avait sa figure des mauvais jours. Le détour en chansons par le Palais ducal ne l'avait pas transportée de joie, elle avait mal dormi et voyait d'un mauvais œil l'éventuelle irruption de nouveaux déboires dans le sillage de cette dalla Frascada calamiteuse. Elle formait avec la cuisinière et la prieure un tribunal plus rébarbatif que celui des trois sages à la Religion.

Pour sa défense, l'accusée promit de leur fournir bientôt l'occasion d'une revanche sur leurs ennemis. La prieure et la cuisinière furent tentées d'accepter.

– Dieu nous enseigne le pardon, ma fille, rappela sèchement mère Maria Nicopeia.

La clémence dont elle parlait s'appliquait à ceux qui les avaient envahies ; pour ce qui était de l'ancienne pensionnaire, sa disgrâce n'était pas près de prendre fin. La supérieure s'estimait par ailleurs de taille à se défendre elle-même, à condition d'éloigner les fauteuses de troubles imperméables à toute discipline.

Leonora n'avait pas eu la naïveté de croire qu'elle obtiendrait gain de cause sans une monnaie d'échange ; on était à Venise, quand même. Elle s'offrit à leur fournir ce qu'elles désiraient le plus au monde.

– Un diplôme papal qui célèbre notre piété ? dit la prieure avec avidité. Voilà un honneur que celles de San Zaccaria ne risquent pas de décrocher !

Leonora s'estima heureuse qu'on ne lui réclamât pas un billet d'entrée pour le paradis ou la rémission de leurs fautes garantie par le sceau de Saint-Pierre.

– Il est inutile de vous fatiguer, nous sommes insensibles au chantage, trancha mère Maria Nicopeia, lasse de se commettre en de vaines transactions.

Leonora avait de quoi ranimer leur enthousiasme.

– Aidez-moi et je vous obtiendrai la recette des ravioles sèches aux amandes que les dames de San Zaccaria préparent le jour de la Sainte-Claire.

Un silence ahuri suivit ces mots. La cuisinière fut la première à mesurer l'ampleur du butin.

– La recette complète ? Avec l'élément secret ?

Leonora acquiesça.

La proposition était irrésistible, même si, bien sûr, en cas de réussite, on ne pourrait douter que cette fille eût conclu un pacte avec le démon. On la considérait d'ores et déjà avec un mélange de fascination et de crainte, mais la recette était plus convoitée que le Saint Graal.

La supérieure attendit l'heure du souper pour s'exprimer devant la communauté rassemblée dans le réfectoire : la demoiselle des dalla Frascada allait leur rendre un grand service empreint d'une profonde moralité ; elles devaient tout mettre en œuvre pour l'assister, d'autant que ses exigences étaient infimes. Elle se tourna vers l'intéressée pour s'assurer que ses exigences étaient infimes.

Il apparut que l'aventurière sollicitait leur assistance pour aller patauger dans un rio. Les voies de la pâtisserie passaient par des ébats natatoires nocturnes et prohibés.

– Je compte cambrioler l'Arsenal, éventer ses secrets d'État et dérober son trésor le plus précieux, résuma-t-elle.

Mère Maria Nicopeia poussa un soupir de soulagement ; elle avait redouté qu'il ne s'agît de quelque chose de grave.

En réalité, pour des femmes habituées à récolter les informations en tout genre et à se ménager des appuis de tous côtés, répondre à de telles attentes ne présentait pas de grande difficulté. En deux heures de temps, l'une trouva moyen d'écarter le planton de service à la porte de la Darsena, une autre lui procura l'horaire des rondes des *arsenalotti*, une troisième leur fournit l'équipement adéquat, la dernière se fit communiquer, Dieu sait comment, le mot de passe du jour.

– Je vous ai ajouté la liste des veilleurs en poste autour des bassins, précisa-t-elle comme si elle leur faisait une grâce commerciale destinée à fidéliser leur clientèle.

Le Patron de la semaine était le *nobiluomo ser* Atanasio Lippomano, soixante-huit ans bien sonnés, obèse, rhumatisant. Il était goutteux, prenait de l'essence de chanvre pour dormir, et l'on savait de source sûre que la dose serait doublée, ce soir, par celui qui la lui préparait, le mari d'une cousine au deuxième degré de la tourière par la branche des Bonfadini de San Stae.

Le rio de l'Arsenal, seule issue aquatique pour l'entrée et la sortie des navires, était clos par un gigantesque portail de bois qui s'enfonçait dans l'eau. Leonora supposait que les battants ne pouvaient descendre jusqu'au fond du canal, où le moindre déchet aurait bloqué leur mouvement. Il devait donc y avoir, tout en bas, un interstice suffisamment large pour livrer passage à deux nageurs qu'une vie saine et des courses incessantes à travers la ville avaient conservés minces et agiles.

Aussi convaincu fût-il de sa sveltesse et de sa souplesse, son courtisan vénitien était peu enchanté par le projet.

Le *barcarol* des bénédictines, un homme dont la fidélité était garantie par une grande piété et de généreux pourboires, les mena aussi près que possible du pont-levis qui précédait le rempart. Quand la gondole se fut immobilisée, Flaminio se dépouilla de son *tabarro*, et sa patronne de son châle. Ils portaient la tenue de lin vert sombre imaginée par Leonora et cousue en un temps record par les bonnes dames de San Lorenzo, qui n'avaient pas eu de vêtement si laid à confectionner depuis que le précédent patriarche s'était mis en tête de leur imposer des voiles de bure écrue. C'était une façon de fuseau parsemé de poches. La jeune femme y avait fourré les instruments les plus divers, dont les manches, les tiges et les lames dépassaient ici et là. L'ensemble répondait parfaitement à son usage, à défaut d'être seyant. Flaminio avait l'air d'une grenouille mal embouchée, et l'eau dans laquelle il s'apprêtait à se laisser glisser n'allait pas arranger cette impression.

– Vous savez que je vous hais, n'est-ce pas ? murmura-t-il quand son pied revêtu d'un simple chausson de feutre noir lui eut confirmé que la fin octobre n'est pas une période propice aux bains de mer.

– C'est bien pour cela que j'ai décidé de vous tuer, rétorqua Leonora avant de disparaître dans ce liquide que l'absence de lune rendait noirâtre.

Ils firent quelques mouvements de brasse pour se rapprocher du portail, puis plongèrent vers le fond du rio. Il s'y trouvait bien un interstice suffisamment large pour permettre à deux téméraires à la taille mince et au dos souple de s'y glisser. Ils émergèrent de l'autre côté, nagèrent sans bruit dans l'eau glaciale jusqu'à l'escalier le plus proche, et montèrent sur le quai après avoir vérifié que nulle lanterne ne signalait la présence d'un veilleur de nuit malencontreux.

– Cela faisait longtemps que vous ne m'aviez plus fait tremper dans un rio, dit Flaminio entre deux claquements de dents. Je vais vous appliquer le tarif « nageur ».

Elle espéra ne pas devoir lui appliquer le tarif « décédé ».

– Qui va là ? leur lança un *arsenalotto* qui venait de tourner l'angle de la muraille de brique, à dix pas d'eux.

– Vers un nouveau 7 octobre ! répondit dell'Oio en faisant un pas vers le canal, prêt à s'enfuir par où ils étaient venus.

Le 7 octobre 1571 était la date de la bataille de Lépante, cette victoire d'immortelle mémoire contre les Turcs.

Le gardien approcha plus près pour voir à qui il avait affaire.

– Comment va ta femme, Nicoleto ? demanda Leonora. Passe-lui le bonjour de sœur Pia. Cela fait longtemps qu'elle ne l'a pas vue au parloir.

Comme l'avait indiqué leur informatrice, l'homme avait le sens de la famille. Des gens qui l'appelaient par son nom et connaissaient la cousine du couvent San Lorenzo ne pouvaient être des voleurs. Et puis ils se rappelaient le mot de passe, contrairement aux crétins habituels qui travaillaient ici. Le veilleur de nuit poursuivit sa ronde après leur avoir souhaité une bonne nuit – un vœu ardemment partagé par Flaminio.

Ils disposaient d'un vague croquis des lieux, dessiné d'après leurs souvenirs. Les propos acerbes de Polisseno Vendelin, leur aimable guide, fournissaient d'excellents repères.

– Au deuxième « Pourquoi, ça vous intéresse ? », il faut tourner à droite, dit Leonora.

– Ah oui, c'est vrai, dit Flaminio. Le portail est situé au troisième « Notez son nom ».

D'énormes rouleaux de corde étaient entreposés le long du mur de la Tana. Il y avait du gros câble destiné à amarrer les navires, des cordelettes plus fines pour les voilures et du filin très souple, identique à celui apporté par le pigeon. Même matériau, même tressage. Epifania était bien prisonnière quelque part dans ce domaine. Restait à la trouver sans faire de bruit, sans se faire voir, en circulant à travers un labyrinthe de bâtiments fermés, d'obstacles de toutes sortes, dans les clapotis des barques et en évitant les rondes.

Ils ignoraient en outre que *ser* Atanasio Lippomano, le Patron de la semaine, était beaucoup moins endormi que promis. La personne qui avait compté ses gouttes d'essence de chanvre avait pourtant eu la main lourde. En fait de doubler la dose, peut-être l'avait-on triplée ou quadruplée ; c'était en tout cas l'explication la moins inquiétante pour son état mental, car Son Excellence vagabondait sous les arches de brique, en proie à un délire qui l'avait tirée de son lit. Impossible de dormir quand on voit des monstres enturbannés et griffus dès qu'on ferme les yeux, et même quand on ne les ferme pas.

Ses cauchemars prirent une consistance supplémentaire lorsqu'il surprit deux batraciens géants qui frôlaient avec circonspection les murs de son petit royaume. Les intrus étaient plus qu'armés jusqu'aux dents : des morceaux de métal jaillissaient de leur tronc, de leurs bras, de leurs jambes comme des épines. Le vieux magistrat brandit ce qu'il croyait être son épée, en fait une louche en bois à long manche.

– Qui êtes-vous ?

Les jeunes gens considérèrent l'adversaire incongru, à l'air halluciné, qui les menaçait d'un instrument de cuisine. Leonora opta pour la réponse la plus logique.

– Des Turcs.

Des crapauds mahométans ! Ils étaient donc venimeux ! Atanasio Lippomano s'éloigna en hurlant :

– Aux Turcs ! Aux Turcs !

Aux *arsenalotti* de garde accourus à ce vacarme il affirma que la Darsena était envahie de crapauds géants envoyés par la Porte. Les ouvriers échangèrent un regard accablé : il est imprudent d'abuser des boissons fortes quand on ne jouit pas d'une bonne santé.

Ils ramenèrent le *Padron* soigner ses visions dans sa chambre badigeonnée à la chaux. Cachée dans un renfoncement obscur, Leonora entendit l'un d'eux déclarer qu'il allait lui donner une deuxième dose de son médicament. Elle espéra qu'on l'attacherait à son lit, car l'assaut des crapauds maléfiques risquait de reprendre de plus belle.

Un *arsenalotto* marqua un arrêt pour écouter à une porte close.

– Encore heureux qu'il n'ait pas affolé les gamins ! dit-il avant de disparaître, le *Padron* au bout du bras.

Dès que les *birri* eurent disparu, les jeunes gens quittèrent leur abri et tirèrent les verrous qui bloquaient cette porte. Flaminio alluma une torche à la lanterne extérieure, et ils pénétrèrent dans la pièce plongée dans la pénombre.

Assis sur une dizaine de paillasses, des garçons de douze ans les regardaient. Au milieu d'eux, ils reconnurent Epifania. La fillette courut s'accrocher aux jambes de Leonora.

– Enfin ! dit la petite pensionnaire des bénédictines. Ce n'est pas que je m'ennuie, ici, mais eux, ils veulent rentrer chez leurs parents.

Elle était la seule que les activités forcées proposées par l'Arsenal intéressaient vraiment. Elle aimait mieux cela que de végéter entre les quatre murs du cloître. Les autres enfants avaient en revanche une famille qui prenait soin d'eux et un foyer qui leur manquait.

Leonora leur fit ses recommandations :

– Nous allons vous ramener chez vous. Il ne faudra pas faire de bruit jusqu'à ce que nous soyons dehors. Vous savez tous nager sous l'eau ?

On venait précisément de leur apprendre à le faire.

– Nous savons grimper à un poteau, marcher sur une corde raide et enfoncer un couteau au bon endroit pour tuer quelqu'un, ajouta fièrement la petite fille.

« Mais quelle sorte d'enseignement leur prodigue-t-on, ici ? » se demanda la Frascadina.

C'était un point qu'ils auraient tout loisir d'examiner une fois en sécurité.

L'accès au portail était bloqué par la ronde de nuit. On pouvait douter que le mot de passe fût un sésame suffisant pour quitter le chantier avec une troupe de gamins. Ils se replièrent vers le nord de la forteresse. Peut-être existait-il une autre sortie du côté du canal des galéasses, l'endroit qu'on leur avait caché avec le plus de soin au cours de la visite guidée.

Ils parvinrent sans encombre au portail du dernier bassin, mais celui-ci était fermé.

– Jamais nous ne parviendrons à ouvrir cette porte ! se lamenta Flaminio.

– Dame ! Sans la clé ! dit Epifania avec un haussement d'épaules, avant de grimper sur les briques saillantes.

Pour plus de commodité, les gardiens cachaient un double dans une anfractuosité du mur. Leonora se demanda si elle ne ferait pas mieux à l'avenir d'engager la petite plutôt que la grenouille gémissante qu'elle traînait derrière elle depuis le bain.

La porte s'ouvrit en grinçant et ils pénétrèrent dans l'ultime sanctuaire de l'Arsenal.

Devant eux se dressait un gigantesque mur de fer.

Ce n'était pas un mur.

C'était la coque d'un navire en construction, un bâtiment d'une taille jamais vue. On avait fait un essai de blindage et prévu des éperons pour couler les galères ennemies. Ils avaient sous les yeux un formidable vaisseau de guerre en forme d'oursin géant.

– Un tel bateau fait au moins mille tonneaux, dit Flaminio.

– Mille quatre cent cinquante ! rectifia fièrement Epifania.

Elle leur détailla le tirant d'eau, la surface de la voilure, la vitesse présumée par grand vent. Elle savait sur le bout des doigts les leçons inculquées par leurs tortionnaires esclavagistes. Elle conclut, emballée :

– On va flanquer une rouste à ces p... de Barbaresques, comme dit le *capitan da mar* !

– Où sont les petites filles d'antan ? gémit Flaminio avant de s'écarter d'un pas du petit monstre.

Plus Leonora perçait les secrets de la Darsena, moins elle les comprenait. Quel rapport y avait-il entre un navire de guerre et de petits enfants ? Elle ne connaissait pas encore assez bien Venise pour rapprocher les deux éléments.

– Ah, mais tout s'explique, dit dell'Oio.

Elle allait le prier de le lui expliquer à elle aussi quand un bruit de course retentit dans leur dos.

Un groupe d'*arsenalotti* surgit, l'arme au poing, avec des mines obtuses que l'évocation de Lépante et des cousines cloîtrées allait avoir du mal à adoucir.

XXII

Flaminio eut beau clamer : « Un nouveau 7 octobre ! Vive le 7 octobre ! À bas les Turcs ! », le mot de passe échoua à excuser la présence nocturne des gamins dans cette zone interdite.

Le temps de longer deux quais, en traînant les pieds, sous la menace des fusils, et ils furent enfermés dans le dortoir des gamins avec une pauvre lampe à huile pour tout éclairage. La plupart des enfants s'étaient jetés sur leurs grabats et pleuraient. Epifania ronchonnait.

– C'était bien la peine de vous déranger, vraiment. Merci pour la promenade.

– Dis donc ! s'insurgea Flaminio, indigné par l'ingratitude de la jeunesse. Vous étiez enfermés, la situation ne s'est pas aggravée, il me semble !

– Sauf qu'avant, les mioches se tenaient tranquilles, lui lança la fillette.

L'habitude de vivre au milieu de femmes d'âge adulte l'avait fait mûrir plus vite. Endurcie par sa vie de recluse, elle ne ressentait guère d'empathie envers les petits pêcheurs qui ne cessaient de réclamer leurs parents.

Leonora se chargea de remonter le moral des troupes. Elle désigna la grenouille géante qui piétinait pour se réchauffer en faisant de grands « floc » :

– Le seigneur dell'Oio, ici présent, est un héros plein de courage. Il va nous sauver, ayez confiance.

Le héros n'avait pas fière allure dans sa tenue trempée de cambrioleur. Contraint à l'action par le regard résolument extatique de sa patronne, il tenta de s'agripper aux barreaux, y parvint, resta suspendu contre le mur, fit d'infructueux efforts pour se hisser plus haut, finit par tomber à la renverse et heurta le sol avec un cri de douleur. Toujours prompts à compatir aux douleurs d'autrui, les enfants éclatèrent de rire.

– J'ai bien fait de vous amener, dit Leonora, qui aurait préféré être surprise, pour une fois.

– Vous feriez fortune comme comédien, renchérit Epifania sur le même ton. Il fallait venir en Arlequin.

Dell'Oio s'estima le plus infortuné du groupe : il avait travaillé aux ordres d'une mégère ; à présent, elles étaient deux.

Leonora étudia méthodiquement les ouvertures avec l'espoir de découvrir une faille à agrandir, un loquet à forcer, un barreau descellé. Elle en était à l'examen des énormes gonds de la porte bardée de métal quand ils entendirent des bruits de pas et des voix en provenance du corridor.

– Pénétrer ici sans autorisation est une infraction pendable ! déclara très haut un inconnu. Déférons-les à la Quarantie criminelle !

– Avez-vous perdu la tête ? se récria un autre. Autant exposer notre grand projet sur la Piazza !

Leonora n'eut que le temps de s'asseoir sur un galetas. Les verrous furent tirés, des gardes entrèrent, les saisirent aux épaules et les poussèrent dehors, où d'autres les attendaient avec des torches.

Les jeunes gens avaient devant eux l'*Eccelentissima Banca* au grand complet : les trois sénateurs *Provveditori all'Arsenal* et les trois *Padroni* en charge de l'intendance, dont leur ami Polisseno Vendelin, vrai bouledogue prêt à leur sauter à la gorge. Accourus en hâte après qu'on les eut sortis de leurs lits, ils étaient très inquiets, hormis Atanasio Lippomano, qui se battait contre d'invisibles batraciens de Marmara à l'aide d'un gratte-dos taillé dans une dent d'espadon.

Dell'Oio ôta son bonnet humide pour saluer bien bas Leurs Excellences. Il leur présenta son employeuse, l'*illustrissima nobildonna* Leonora dalla Frascada, dont la révérence put laisser croire qu'elle était venue pour le thé.

– Taisez-vous ! lui ordonna celui des trois Patrons qu'ils ne connaissaient pas. Vous insultez à notre dignité !

La mention de leur dignité se mariait mal avec l'état de *nobiluomo* ser Atanasio Lippomano, toujours sous l'emprise de son chanvre somnifère. Ses confrères le regardaient avec consternation sautiller sur place comme s'il voulait saisir on ne savait trop quoi. L'un des provéditeurs s'informa de son état auprès d'un *arsenalotto* :

– Il est ivre ?

– Je ne comprends pas, *lustrisimo* : il n'a pris que ses gouttes pour dormir.

– Et tu trouves qu'il a l'air de dormir ?

Le seul point commun avec la somnolence, c'était cette espèce de rêve dans lequel l'insomniaque était englué.

Leonora n'avait pas encore eu l'occasion de s'expliquer quand survint le Magnifique Amiral, en pourpoint rouge brodé d'or et tricorne à plumes. Il arborait toujours cet air très « au-dessus du panier » qui lui donnait l'allure d'un roi au milieu de sa cour. Au contraire des autres maîtres de l'Arsenal, il posa sur leur prisonnière un regard de triomphe.

– Enfin nous la tenons !

La jeune femme se promit de lui montrer qui tenait qui. Pour l'instant, Gaelazzo Premarin était tout à sa satisfaction.

– L'ursuline de Vicence ! Cette demi-religieuse qui a trouvé moyen d'épouser un bandit entre deux séjours au cloître ! Nous allons faire œuvre de salubrité publique en vous retirant de la circulation, ma chère.

Polisseno Vendelin était d'avis de les étouffer discrètement et de jeter les corps au milieu de l'Adriatique. Quoique d'une séduisante facilité, cette solution heurtait la bonhomie coutumière des magistrats vénitiens dont ses confrères ne s'étaient pas départis. En outre, il était à craindre que le conseiller ducal dalla Frascada, à son retour des champs, ne réclamât sa fille.

– Bah ! éructa *ser* Vendelin. Faites-le élire procurateur de Saint-Marc et il oubliera même qu'il avait une fille !

À son grand dam, Leonora s'avoua qu'elle était assez d'accord avec cette assertion. Il était temps pour elle de mettre son grain de sel dans les délibérations, avant que ces bons chrétiens ne s'entendent pour les vendre à un margoulin qui ferait d'eux une marchandise de choix sur le marché aux esclaves de Constantinople. Elle les prévint qu'elle ne s'était pas embarquée dans cette aventure sans précautions. Elle avait pris soin d'alerter « qui de droit ».

– *Qui de droit ?* répéta le Magnifique Amiral, le sourire aux lèvres.

Même ses confrères les plus respectueux des usages ne purent s'empêcher de ricaner. Aucune institution vénitienne n'oserait s'opposer à eux. Ce n'était pas ainsi que fonctionnait la République. Mus par le souci de disperser le pouvoir, ses fondateurs avaient placé tous les conseils sur un pied d'égalité. Ils se faisaient concurrence, se gênaient peut-être, mais aucun n'avait le pas sur les autres.

– Pourquoi croyez-vous que les inquisiteurs se sont résignés à employer une oiselle indiscrète ? résuma le maître de la Darsena.

L'« oiselle indiscrète » n'avait pas dit son dernier mot.

– Il y a quelqu'un au-dessus des conseils du Palais, répondit-elle en tâchant de contenir sa colère. Il y a même quelqu'un au-dessus du doge.

– Ah oui ? fit le Magnifique Amiral. Et qui donc, je vous prie ?

Un *arsenalotto* approcha timidement, attendit quelques instants non loin de Gaelazzo Premarin avant de se résoudre à l'interrompre. Un étrange rassemblement était en train de se former devant le portail aux lions de marbre. Des gens arrivaient de toutes parts, il en surgissait de toutes les *calli* de Castello, des barques de pêche en déposaient sans discontinuer à l'embouchure du rio. Il y avait là toute la population de San Pietro in Volta, mais aussi des gens de Pellestrina, de Malamocco, de Chioggia, de Burano, enfin tout ce que la lagune comptait de pêcheurs.

– Il semble que vous ayez enfin trouvé une marine à combattre, ironisa la Frascadina.

Le Magnifique Amiral balaya la nouvelle avec mépris.

– Nous avons l'habitude d'affronter les Barbaresques ; vous ne croyez pas que quelques gueux vont nous intimider !

– Vous avez l'habitude de vous faire *étriller* par les Barbaresques, rectifia la jeune femme. Et, oui, je crois que vous allez apprendre à connaître ceux dont vous avez enlevé la progéniture.

– C'était pour le bien de l'État ! explosa Gaelazzo Premarin dans un grand mouvement de manches brodées.

Cet argument allait être difficile à exposer aux gens qui étaient dehors. Le Magnifique Amiral dut en prendre conscience, car il ordonna qu'on s'enquît de ce que voulaient ces importuns.

Il apparut qu'ils ne réclamaient rien. Ils attendaient. Leur silence était plus inquiétant que tout le bruit qu'ils auraient pu faire.

– Qu'est-ce que vous leur avez dit ? hurla l'amiral, aussi écarlate que le bonnet de ses *arsenalotti*.

Leonora, en revanche, ne ressentait plus aucune fureur. Elle avait le calme d'un joueur d'échecs sur le point de bloquer la reine adverse.

– Je leur ai annoncé qu'aujourd'hui, à l'aube, l'*Eccelentissima Banca* leur rendrait leurs garçons. À quelle heure pensez-vous que le jour se lève, en cette saison ?

Chacun des hommes présents leva instinctivement les yeux vers le ciel. Déjà le firmament pâlissait à l'est.

– Faites donner la garde ! clama le Magnifique Amiral. Tirez dans le tas ! Sortez les canons ! Flanquez-les-moi à l'eau !

– Sus ! enchaîna Atanasio Lippomano avant de charger tout seul, un balai en avant. Mort aux crapauds !

Cette fois, même Polisseno Vendelin cessa de suivre. La « garde », c'était leurs *arsenalotti*, garants de l'ordre public depuis des siècles. Outre qu'il allait être difficile de les convaincre d'attaquer des Vénitiens non armés, qui ne menaçaient pas les institutions et ne réclamaient rien, le scandale prendrait des dimensions phénoménales. Or les propagateurs de scandale, à Venise, finissaient leurs jours dans de discrètes forteresses disséminées dans la lagune ou sur la Terre ferme, on n'entendait jamais plus parler d'eux. Triste perspective. Les mines perplexes des ouvriers en bonnet rouge qui brandissaient torches et hallebardes laissaient entrevoir des difficultés à plus d'un titre.

– Je suggère d'opter pour une solution discrète, préconisa l'un des provéditeurs.

À son avis, la restitution des petits pêcheurs permettrait peut-être d'éviter les troubles. Polisseno Vendelin en doutait.

– Les petits-sages ne vont pas nous rater, cette fois ! Ce sont eux qu'on aurait dû noyer !

Leonora sut dès cet instant qui avait mandaté le tueur au masque. Les coupables se tenaient devant elle.

– Vous avez fait une chose horrible ! s'écria-t-elle en les englobant tous du geste.

– À quelle chose horrible faites-vous allusion, précisément ? demanda le provéditeur.

Elle les accusa d'avoir appointé un assassin pour se débarrasser de gêneurs, au nombre desquels cinq jeunes *Savii* du Palais.

– Ah, cette chose horrible-là, fit le haut magistrat.

Il estima qu'on ne pouvait leur en tenir rigueur, puisque c'était pour préserver la construction d'un navire de guerre d'un modèle nouveau, capable d'anéantir n'importe quel ennemi de la civilisation lagunaire. Ils n'étaient pas des criminels mais des héros.

Le Magnifique Amiral sortit de son hébétude.

– Pour le bien de l'État ! On peut *tout* faire, pour le bien de l'État !

– Qu'est-ce que le bien de l'État s'il fait le malheur du peuple ? dit Leonora.

Les torches n'étaient plus nécessaires, le jour était levé. Il fallait se décider. Le Magnifique Amiral prit ses pairs à témoin :

– Les Vénitiens peuvent bien se priver de poisson pendant quelques semaines encore pour la grandeur de notre République, non ?

Nul ne dit mot, chacun connaissait la réponse.

– Allons ! Nous ne sommes pas encore décadents au point d'échanger notre avenir contre un lot d'anguilles au vinaigre !

Dans un moment, les habitants du quartier de Castello allaient ouvrir leurs volets et découvrir la foule silencieuse massée devant leurs portes. Ils sortiraient de chez eux pour vaquer à leurs activités et se mêleraient aux protestataires postés sur l'esplanade de la Darsena. La situation n'était plus tenable.

Le troisième *Padron* ordonna de reconduire enfants et intrus vers la sortie et de leur ouvrir la porte.

Le Magnifique Amiral agita un doigt menaçant en direction de Leonora.

– Si vous dites un mot de ce que vous avez vu ici, je vous jure que…

Malgré les avertissements de sior Premarin, la sortie ne se fit pas en silence. Avant même que le portail ne s'ouvrît en grand, les garçonnets s'élancèrent hors de la forteresse en poussant des cris, sous les yeux d'une population médusée.

Leonora et Flaminio, en revanche, quittèrent l'Arsenal d'un pas tranquille. Quand ils parvinrent sur le campo, les enfants étaient dans les bras de leurs parents, les invectives contre l'*Eccelentissima Banca* commençaient tout juste à se mêler aux protestations de joie.

– Voilà une journée qui débute bien, dit la Frascadina.

Le touchant tableau des retrouvailles familiales faisait un contrepoids bienvenu à la fourberie des magistrats. Ces messieurs avaient franchi un nouveau pas dans l'abjection. Elle se demanda s'il en était de même partout ou si le cynisme était une spécialité locale, au même titre que les seiches aux petits pois. Peut-être était-ce une sorte de nécessité induite par la marche des temps, les défaites, la décadence. Seul l'avenir éclaircirait ce point.

– J'aime cette ville, j'aime cette ville, elle est belle, elle est tranquille, elle est harmonieuse, je l'aime infiniment, se répéta-t-elle d'une voix sinistre.

Il lui fallait maintenant éteindre l'incendie avant qu'il ne consume tous ceux qui s'en approchaient, elle la première.

XXIII

L a bonne humeur de Flaminio tenait principalement au fait que, contre toute attente, il était sorti de cette péripétie vivant, entier, intact de toute blessure physique, sinon morale. Il insista pour que Leonora se repose de ses émotions. Après tout, ils avaient passé la nuit à patauger dans de l'eau saumâtre, à errer dans des entrepôts labyrinthiques, à fuir des gardes armés de gourdins, à affronter d'ignobles rustres décidés à les estourbir. En un mot, ils avaient vécu un condensé éprouvant de leurs nuits ordinaires.

Leur première tâche fut de déposer la petite Epifania au couvent. Ils frappèrent à l'huis, l'abandonnèrent sur le seuil et s'enfuirent à toutes jambes pour ne pas avoir à rendre des comptes. Comble de bonheur pour le courtisan vénitien : il était débarrassé de la petite peste.

– Je n'ai pas envie de me coucher, je n'arriverai pas à dormir, dit Leonora quand ils eurent laissé derrière eux le campo de San Lorenzo.

– Qui vous parle de dormir ? répondit Flaminio. Allons au bal !

Ils passèrent se changer chez les dell'Oio. Leur équipée nocturne avait empêché Flaminio de se rendre à un bal costumé qui, sans doute, n'avait pas pris fin avec l'aube. Le thème en était « l'inversion des conditions » ; Leonora douta d'être la clientèle visée. Il lui expliqua le principe : les riches devaient se déguiser en pauvres, les pauvres en riches. Sa patronne n'était pas certaine du bon goût d'un tel divertissement et n'avait pas grand-chose à sa disposition pour s'habiller en riche.

– Vous n'aurez qu'à remettre votre habit de pensionnaire, ça ira très bien pour faire la pauvre.

La vaste salle du théâtre San Benedetto était remplie d'une foule bigarrée de miséreux et de gens de cour. Les costumes de mendiants, de pâtres et de matelots étaient aussi flamboyants que les pourpoints princiers arborés par le petit peuple. On dansait à la lueur des lustres, dont les bougies étaient renouvelées toutes les deux heures.

Leonora s'étonna qu'on dansât si tôt le matin.

– Ah bon ? C'est le matin ? dit un danseur vêtu en colporteur.

La jeune femme ne disposait pas de l'énergie inépuisable que ses contemporains déployaient pour leurs plaisirs. Elle avisa une chaise libre et s'y laissa tomber pour souffler. À côté d'elle, une demoiselle vêtue en marquise venait d'ôter ses souliers pour se masser les pieds. C'était Loreta, dans une toilette de sa maîtresse.

– Donna Soranza sait-elle que tu empruntes ses vêtements quand elle n'est pas là ? demanda la Frascadina.

– D'abord ce n'est qu'une vieille robe du printemps dernier, se défendit la servante des dalla Frascada. Ensuite je lui ai donné des effets à moi en échange. Et puis vous n'avez qu'à le lui demander vous-même.

Elle désigna de la pointe de son éventail une souillon de fantaisie, au tablier surchargé de petits nœuds de rubans multicolores, qui dansait une fourlane un peu plus loin. À deux pas de là, son mari en faisait de même, sous un chapeau de paille décoré d'épis de blé, une fourche à la main. Le morceau terminé, les danseurs vinrent s'asseoir eux aussi pour se reposer un peu. Leonora n'en croyait pas ses yeux.

– Vous êtes rentrés de villégiature ?

– Depuis deux jours, dit donna Soranza. Le Palais a rappelé tous les conseillers ducaux. Il n'y a plus moyen de profiter de la vie, dans ce pays !

Elle omettait de préciser qu'il avait fallu trois courriers, au ton de plus en plus comminatoire, pour les forcer à quitter la douceur de l'arrière-saison sur la Brenta.

Si Leonora fut dépitée de voir qu'ils étaient revenus à Venise sans prendre la peine de l'en informer, eux ne parurent nullement interloqués de la croiser au bal après l'avoir laissée au cloître. D'aucuns auraient estimé que, pour soixante ducats, les bonnes dames de San Lorenzo faisaient preuve d'une surveillance très relâchée. Par ailleurs, ils lui semblèrent bien gais et pleins d'entrain, pour des gens qui avaient passé la nuit à gigoter. Elle demanda s'ils fêtaient quelque chose. Ils ne répondirent rien, mais elle fut certaine d'avoir surpris un regard complice. Il y avait là, dans cette salle illuminée, entre la fausse soubrette et le faux moissonneur, un mystère plus inquiétant que les manipulations sordides des *Padroni* de la Darsena.

Il était presque midi quand la charmante petite famille rentra à Ca' Civran dans la gondole de *ser* Cesare. Leonora demanda si la villégiature avait été plaisante.

– La villégiature a été excellente, répondit son père, qui arborait sans conteste une mine enchantée.

Sa fille s'attendait de plus en plus nettement à quelque atroce nouvelle quant à ses propres affaires.

Alors qu'ils abordaient le ponton de leur maison du Grand Canal, une barque de police approcha à son tour. Leonora eut un mouvement de panique. Prise au piège entre deux masques en état de légère ébriété, elle ne pouvait s'enfuir sans pousser l'un des deux à l'eau. Elle n'avait pas encore décidé lequel quand elle aperçut son demi-frère Zermanico au milieu des *birri*. Assisté de Dalmates, un *fante* du Haut Tribunal leur ramenait le fils prodigue, qui était gris.

– Comme c'est aimable à vous ! déclara le conseiller ducal, une fois que tout le monde eut pris pied sur l'appontement.

Le capitaine des Dalmates avait le visage fermé.

– Le jeune seigneur nous a tenu des propos que nous n'avons pas compris, dit-il de son accent roulant.

Comme pour illustrer cela, Zermanico se mit à abreuver d'injures les deux soldats qui l'encadraient.

Par chance, la garde dalmate était composée de Slaves dont la langue maternelle n'était pas le vénitien.

– Vraiment, vous ne comprenez pas ? s'enquit *ser* Cesare avec embarras.

L'expression des Dalmates suggérait tout le contraire.

– Il est convenu que nous n'entendons pas certaine partie du vocabulaire vénitien quand il est utilisé par les nobles, précisa leur chef.

Zermanico joignit donc le geste à la parole. Le capitaine était excédé.

– Bien sûr, il peut arriver que des mots nous deviennent compréhensibles, ce qui est fort fâcheux.

Le conseiller s'empressa de leur faire perdre leur vénitien à l'aide de quelques ducats.

Il y avait plus grave. S'ils lui ramenaient son fils, ce n'était pas à cause de ses beuveries, mais parce qu'il s'obstinait à porter des habits brodés d'or et d'argent, un luxe ostentatoire interdit à la noblesse héréditaire. Zermanico avait déjà reçu plusieurs admonestations du secrétaire des inquisiteurs. Cette fois, c'était l'amende : deux cent cinquante ducats à verser au *fante* séance tenante. En cas de récidive, ce serait le double. Dalla Frascada fut contrarié de devoir payer une taxe plus onéreuse que le vêtement litigieux.

Il croyait en avoir fini avec les mauvaises nouvelles, mais le *fante* du Haut Tribunal ne bougeait pas de leur *portego*. Il y avait davantage.

– Allez-y, dit le conseiller ducal. Dois-je vous remettre ma tête sur un plateau, ou bien une tasse de café suffira-t-elle ?

Les inquisiteurs venaient de résoudre une affaire de mœurs assez embarrassante. Il s'agissait d'une bourgeoise séduite, enlevée, puis rendue à son mari après avoir été déshonorée par plusieurs inconnus. Son nom avait été tenu rigoureusement secret par égard pour sa réputation.

– Siora Antila Caldiera, oui, je sais, dit *ser* Cesare. Et alors ?

Dans ce genre de cas, il appartenait aux inquisiteurs de promettre récompense et immunité au bandit qui révélerait les noms de ses complices ; il était dans la nature des Vénitiens de dénoncer discrètement les coupables pour toucher la récompense ; et il était d'usage que les magistrats gardent ce renseignement par-devers eux pour faire comme s'ils ne savaient rien. Ainsi, chacun avait accompli son devoir, tout le monde était content et le scandale vite étouffé.

– Oui, je sais cela, dit le conseiller ducal, impatient d'aller se coucher et d'oublier la perte des deux cent cinquante ducats.

Il comprit soudain.

– En raison des services rendus par votre famille, dit le *fante*, Son Excellence Saverio Barbaran a souhaité vous informer des derniers retournements de cette triste affaire.

Ser Cesare bouillait intérieurement.

– Quel est le ruffian qui a osé dénoncer mon fils ?

Si l'expression du *fante* était aussi impénétrable que celle d'un sphinx aux portes de Thèbes, ses secrets étaient plus accessibles.

– Lui-même. Pour toucher l'argent, *lustrissimo*. Votre fils a eu raison de se dépêcher ; une heure de plus, il arrivait trop tard. Et vous savez ce qu'il advient des perdants, dans ces sortes d'affaires...

L'interrogatoire des prévenus avait permis d'établir qu'un seul des malotrus avait respecté la dame ; il s'était refusé à « sacrifier à sa beauté ». Il s'agissait précisément de Zermanico. La nouvelle horrifia son père.

– Imagine que ça s'ébruite ! Quelle honte pour notre famille !

Il était plus gêné par l'impuissance de son fils que par le reste.

– Je n'aime pas qu'on me regarde, protesta d'une voix avinée le délinquant. Je ne me donne pas en spectacle.

À le voir, on pouvait en douter.

– Nous, les nobles, sommes toujours en représentation, dit son père. Tu dois soutenir la réputation de notre famille en toute occasion. Voyons ! Qu'est-ce qui t'est passé par la tête ?

Il chargea le *fante* de remercier Son Excellence Barbaran de ses bontés et ordonna aux domestiques d'aider le fils prodigue à aller cuver son vin au lit. Ce ne fut qu'une fois le secrétaire parti qu'il s'aperçut que sa fille était toujours là, assise sur un banc, dans un coin du *portego*. Il la couva d'un regard paternel.

– Heureusement que je t'ai, ma petite chérie.

Dire qu'il fallait procréer des bâtards pour avoir une progéniture convenable ! « Petite chérie » n'avait pas perdu une miette de l'incident.

Au reste, le patricien aurait bien aimé savoir quels services sa famille avait récemment rendus à l'inquisiteur Barbaran pour que ce dernier leur prodiguât ses grâces.

C'était un point à examiner avec sa fille. Il l'emmena prendre le café dans le salon mauve de l'entresol. Il se fit aussi apporter une bouteille de tocai bianco dei Colli Berici et lui proposa d'en verser dans son café. Bien qu'elle eût refusé, ser Cesare empêcha le valet d'emporter la bouteille.

– Peut-être tout à l'heure, dit-il d'un air mystérieux.

« Petite chérie » était de plus en plus inquiète.

Son père voulut savoir comment elle avait meublé ses loisirs en leur absence. Elle répondit qu'elle avait « meublé » sa réclusion au couvent par une enquête sur les tentatives d'assassinat dont les petits-sages avaient été les cibles.

Dalla Frascada loua son goût pour les délassements utiles. Justement, petits et grands sages étaient conviés à la séance du Conseil des Dix prévue pour le lendemain ; il supposa qu'il y avait un rapport et accepta bien volontiers de lui répéter ce qui s'y serait dit. Il n'avait rien à refuser à celle qui avait si bien arrangé les ennuis de son cher fils avec ce Haut Tribunal à la morale étroite.

Le conseiller avait envie d'évoquer des sujets plus réjouissants que ses déconvenues filiales. Il avait, lui aussi, des confidences à lui faire.

– Tu n'es pas la seule à savoir te renseigner, ma chère enfant.

Tandis qu'il prenait le frais à la campagne, ses secrétaires Tron, Bon et Zen avaient lancé des recherches discrètes sur un sujet qui lui tenait à cœur.

– Sais-tu où est en ce moment ce bon Lazaro Corner, ton époux ?

Elle répondit que sa dernière lettre venait de Mantoue, où il s'était retiré pour échapper aux conséquences du procès intenté contre lui.

Tout en se reservant du café au tocai bianco, le conseiller ducal lui confirma que Corner avait « des attaches » dans cette ville.

– Des attaches ? répéta Leonora, à qui ce mot déplut infiniment sans qu'elle sût bien pourquoi.

Son père prit le temps de touiller son café et d'en siroter quelques gorgées avant de répondre, comme s'il annonçait l'arrivée d'un vague nuage de pluie :

– Il est chez sa femme.

La petite enquête auprès des autorités locales avait permis d'établir sans doute possible que le jeune marié avait déjà une épouse sur la Terre ferme. Il avait mis à profit un précédent bannissement pour convoler avec une bourgeoise fortunée. On se sent un peu moins en exil quand on dispose d'un foyer avec une femme pour vous choyer ; or Lazaro Corner avait toujours été doté d'un grand sens pratique.

Bien qu'une confiance aveugle régnât au sein de leur famille, *ser* Cesare eut soin de poser sur la table la copie de l'enregistrement du mariage, assortie des tampons officiels de l'administration mantouane.

La bouteille de tocai se révéla utile, comme il l'avait prévu. Leonora en versa une bonne rasade dans sa tasse, qu'elle vida d'un trait.

Bien sûr, l'antériorité de cette union impliquait la nullité *ipso facto* du mariage vénitien. *Ser* Cesare arborait cette expression de chagrin insurmontable qui lui servait beaucoup, au Conseil des Dix, quand on annonçait la perte d'un navire armé par la Sérénissime ou une augmentation des taxes commerciales aux frontières d'un royaume voisin. Cependant, la petite lumière qui brillait dans son œil brun ne trompait pas : il jubilait. Il était parvenu à récupérer sa fille, le palais de celle-ci et les loyers afférents, sans devoir l'enfermer à vie dans un couvent ; c'était inespéré, il triomphait sur toute la ligne.

Leonora n'en revenait pas – non que la nouvelle lui parût très surprenante, à vrai dire. Mais Lazaro lui avait semblé si tendre, si attentionné, voire presque franc, par intermittence.

– Je ne peux croire que j'aie été sa seconde épouse ! lança-t-elle dans un sursaut de révolte.

Ser Cesare eut bien du mal à garder sa mine consternée. Un rictus qui ressemblait fort à un sourire étira ses lèvres.

– Hum. Non, ma chérie. Sa seconde épouse vit à Bologne. Tu étais la troisième. Pour ce que nous savons.

Une nouvelle rasade de vin blanc permit à la jeune femme de surmonter cette épreuve supplémentaire. Elle se demanda combien coûteraient les services d'un *bravo* pour faire rompre les os au pendard dès qu'il remettrait le pied dans la Dominante. S'il avait deux sous de bon sens, on ne l'y reverrait plus.

Ser Cesare avait suivi le cours de ses pensées.

– Bannis, condamnés, honnis, exilés, les Vénitiens finissent toujours par revenir, ma chère enfant. Comment pourraient-ils s'en empêcher ? Un jour ou l'autre, ils reviennent. On en attrape chaque année, tapis dans des quartiers excentrés, inscrits sous de faux noms dans les auberges... Nos forteresses en sont remplies. Enfin ! ajouta-t-il avec un soupir. Te voilà débarrassée d'un vilain mari !

Restait à savoir qui la débarrasserait d'un vilain père, d'un vilain frère et du reste de la vilaine famille.

– Mon mari est bigame, dit-elle pour elle-même.

– Trigame serait plus correct. C'est un Pâris qui offre la pomme à tout le monde.

Lazaro Corner avait trouvé trop d'avantages à cette union pour s'arrêter à un détail aussi insignifiant.

– Pour lui, il faudrait créer un nouveau vocabulaire du crime, constata-t-elle.

– Ne me dis pas que tu es surprise ! dit son père avec la compassion du bourreau encapuchonné de cuir qui s'avance vers le condamné, la hache à la main.

Elle était déçue comme une chèvre découvrant inopinément que le loup a des intentions louches. Son mariage était incontestablement frappé de nullité, même en droit vénitien. Elle n'avait jamais été mariée.

– Si j'étais toi, je l'attaquerais en justice, suggéra le patricien avec une parfaite mauvaise foi. Tu n'obtiendras pas un sou, bien sûr, il est fauché ; mais tu le feras interdire pour longtemps dans les États de la République.

La vue des sourcils de son père, arqués dans une expression de commisération très bien imitée, la dissuada d'en rien faire. Si elle avait dû intenter des procès à tous les fourbes qu'elle connaissait, elle aurait passé sa vie au tribunal. Et si Lazaro ne revenait jamais, comment pourrait-elle lui arracher la peau pouce par pouce avec les ongles ?

– Il m'a tellement menti !

– Ma chérie, la personne avec qui l'on passe sa vie est celle à qui l'on ment le plus, lui rappela son père.

XXIV

Le lendemain matin, Leonora partit pour le Palais ducal avec l'intention de traverser par le pont du Rialto. C'était une promenade d'une heure. Comme les séances du Conseil des Dix se tenaient à huis clos, il n'était pas nécessaire de se précipiter pour en connaître le résultat.

À mi-parcours, elle fit une halte au marché au poisson. C'était la fête sous les colonnes de la Pescaria. Un premier arrivage fut écoulé en quelques minutes. On cédait à même les barriques les anguilles bien grasses et les grosses langoustes qui avaient eu le temps de profiter pendant la grève. Une atmosphère d'insouciance et de gaieté régnait dans les *calli*. Les Vénitiens estimaient que tout était rentré dans l'ordre puisque la criée était de retour. Ils étaient aussi affamés qu'à la rupture du jeûne qui marquait la fin du carême.

Sous les arcades du Palais, Leonora fit l'acquisition de *buzolai di cormons*, biscuits sucrés et croustillants, qu'elle grignota sur un banc en bois ciré, devant la salle du Conseil.

Le sol à ses pieds était couvert de miettes dorées quand son père apparut, enveloppé dans sa toge pourpre doublée d'hermine. Il l'entraîna dans la galerie extérieure pour discuter à l'abri des oreilles indiscrètes.

Il n'avait été question que du scandale de l'Arsenal. Depuis que les enfants avaient été rendus à leurs parents, tous les hauts magistrats savaient à qui ils devaient d'avoir été privés de *moleche* cette saison. Le Magnifique Amiral et les trois *Padroni* seraient officiellement réprimandés. Leurs charges seraient livrées aux votes du Grand Conseil dès le dimanche suivant. Leurs jours au sommet de l'administration étaient comptés.

Leonora avait du mal à croire à la sincérité de ces mesures. C'était trop et trop vite. La réaction des Dix n'était pas assez feutrée pour être honnête. Il devait y avoir autre chose, un fait plus grave que l'on voulait cacher au peuple.

Elle aperçut les petits-sages qui se hâtaient vers les escaliers dans leurs toges violettes. Elle remercia son père et s'élança après eux.

Sur le palier du premier, les cinq jeunes gens entendirent le bruit des souliers qui claquaient sur les marches de pierre et se retournèrent pour voir qui les talonnait ainsi. Elle s'apprêtait à leur faire signe de l'attendre, mais n'en eut pas le temps : les magistrats s'enfuirent comme si elle répandait la peste.

Par chance, il y avait un encombrement sous le portique de la sortie, si bien qu'elle les rejoignit sur le parvis de la basilique, alors qu'ils ôtaient leurs robes de patriciens avec l'espoir de se fondre dans la foule.

– Non, non ! Pas vous ! s'écria Zeno Soranzo de San Polo, son cher cousin de la branche convenable.

– Je ne suis pas un tueur masqué, tout de même ! protesta-t-elle.

L'un d'eux ouvrit la bouche pour dire quelque chose.

– Tu parles trop ! lui lança un autre. C'est de ta faute, tout ça !

– Je ne vole pas des documents secrets, moi ! se défendit celui que sa langue démangeait.

– Cet imbécile nous fera tous tuer ! se lamenta un troisième.

Ils commencèrent à s'injurier mutuellement. Leonora en déduisit que l'imbécile numéro un avait commis l'erreur d'élever la voix contre les sages-grands qui les commandaient. L'imbécile numéro deux avait fait pire en se livrant à un chantage mal entendu, et le reste des imbéciles avaient failli le payer de leur vie.

– Je comprends, dit-elle. Vous en saviez trop hier et vous en savez toujours trop aujourd'hui.

L'enseigne d'une *furatola* nettement moins huppée que les cafés de la Piazza battait au vent à deux pas de là. Ils poussèrent la jeune femme à l'intérieur de cet établissement discret, afin de s'entretenir à couvert des confidents, omniprésents dans les *calli* de ce *sestiere*. Ils prirent place dans l'un des cabinets particuliers où les Vénitiens avaient coutume d'emmener leurs courtisanes et se firent servir la soupe de poisson de la maison. Jamais Leonora ne s'était assise en compagnie de jeunes espoirs de l'administration vénitienne. Elle avait l'impression d'être à la foire aux bons partis. Eux, en revanche, étaient sur la sellette.

315

Leurs mines de six pieds de long étaient peu flatteuses pour les charmes de la jeune femme.

Pol Sagredo de Santa Ternita, celui qui avait été poussé sous les cornes du taureau de San Giovanni in Bragora, éclata le premier.

– On nous a ordonné de couvrir des actes inacceptables !

– La chasse aux petits garçons ? supposa Leonora.

– Leur navire de guerre ne peut voguer sans mousses ! Ils enlèvent des enfants ! Quant aux rameurs, nos tribunaux s'emploient à condamner des malheureux aux galères pour des délits mineurs ! Pour les marins, il est prévu de dépouiller la marine marchande de l'Adriatique. Et ces marins déserteront dans le premier port grec. Et on les pendra pour l'exemple. Combien de calamités, au nom d'un combat perdu d'avance !

Les vieux *Savii Grandi* étaient prêts à tout, eux moins. Leonora devina ce qui s'était passé.

– Lequel d'entre vous s'est-il permis d'émettre des objections ?

Ils désignèrent celui qui avait dû sauter dans un rio pour échapper à l'assassin.

– On nous donne la marine à gérer ! plaida Fosco Duodo de Santa Maria Zobenigo. Mais la marine est morte ! Nous gérons un cadavre ! Et il ne faut surtout pas dire que ce cadavre est froid ! Il faut s'efforcer de l'agiter pour faire croire qu'il remue encore !

La construction de tels navires de guerre ne répondait pas à la nécessité de moderniser la flotte, mais au rêve de restaurer l'hégémonie vénitienne en Méditerranée. C'était la course éperdue d'un État en proie à la panique, prêt à se jeter dans n'importe quelle folie pour reprendre espoir.

– Le pire, dit Mattio Pasqualigo de San Gregorio, c'est que nos chefs se trompent : ce n'est pas de la mer que peut venir le salut de Venise. Le commerce de Méditerranée est médiocre, les routes commerciales avec l'Asie se sont déplacées.

– Mieux vaudrait augmenter notre assise territoriale, renchérit Zeno Soranzo de San Polo. Notre Sérénissime République contrôle un territoire trop étroit par rapport aux royaumes qui l'entourent. Que sommes-nous face à l'Autriche, à l'Angleterre, à l'Espagne, à la France ?

– La seule solution, expliqua Nadalin Grimani de Francesco, est de développer ce qui fait notre richesse d'aujourd'hui : l'agriculture et l'industrie. Ce n'est pas la marine qu'il faut réformer, c'est l'esprit des gouvernants. Mais cela, c'est une autre paire de manches en hermine !

Déjà, en 1748, le Sénat avait tenté de supprimer les galéasses pour économiser cent trente mille ducats. Mais leur maintien avait été décidé et, cinq ans plus tard, on en avait armé cinq nouvelles ! D'un côté, les *Savii Grandi*, maîtres de la marine et de l'outre-mer, voulaient renforcer la flotte militaire pour combattre l'influence des Turcs. De l'autre, les *Savii di Terraferma*, qui géraient les finances et la guerre, convaincus de ce que cette partie était perdue depuis longtemps, voyaient la République dilapider des forces qui auraient été mieux employées dans le développement de son économie. Même Constantinople commençait à penser que cette concurrence nuisait à leurs deux empires. Et eux, les petits-sages, coincés entre ces deux groupes opposés, étaient censés obéir et se taire.

– Ce que vous n'avez pas fait, conclut Leonora.

Après que Fosco Duodo de Santa Maria Zobenigo avait eu protesté en vain contre ces enlèvements, leurs rapports avec les sages-grands étaient devenus épouvantables. C'est alors que le plus malin de leur groupe avait résolu d'agir sans remettre en question les décisions de leurs supérieurs.

Leonora se souvint du dossier qui manquait dans les papiers du *Savio Cassier*. Elle observa les cinq jeunes hommes : celui qui guettait la porte avec anxiété, celui qui fulminait, celui qui foudroyait ses collègues d'un regard où se lisait une colère froide, celui qui semblait attendre d'elle une solution qu'elle ne détenait pas... Le dernier dégustait paisiblement sa soupe de poisson.

– C'est vous qui avez dérobé la liste des fournitures de l'Arsenal, n'est-ce pas ?

Nadalin Grimani de Francesco ne dit rien, mais les mines inquiètes de ses compagnons étaient une réponse en soi.

Les magistrats compromis, les provéditeurs à l'Arsenal, les *Padroni*, les *Savii Grandi*, le Magnifique Amiral ignoraient qui des cinq détenait le dossier. Aussi avaient-ils appointé un tueur pour les éliminer tous.

Ironie du sort, Nadalin Grimani de Francesco était l'un des deux seuls à n'avoir pas été assailli, jusqu'à présent. Les autres redoutaient de voir surgir devant eux l'ombre fatale de l'assassin masqué, et lui se demandait combien de temps sa chance le protégerait encore.

– Maintenant, si vous le permettez, dit *ser* Nadalin, nous devons aller représenter l'État chez nos bons citoyens de Castello : c'est aujourd'hui la fête paroissiale de la Madonna dell'Arsenale.

Ils jetèrent quelques pièces sur la table pour les soupes et le pain, s'enveloppèrent de leurs capes noires qui les rendaient moins repérables et quittèrent la *furatola*, Nadalin Grimani de Francesco ouvrant la marche d'un pas ferme, les autres jetant des coups d'œil dans leur dos, pour le cas où un tueur maladroit et masqué les aurait poursuivis, un poignard au poing.

XXV

Il était temps pour Leonora de livrer la recette promise aux dames de San Lorenzo pour prix de leurs précieux services. Les nonnes se rassemblèrent autour d'elle à mesure que la nouvelle se répandait dans le couvent.

– Vous venez vous acquitter de vos dettes ? demanda sèchement la supérieure, qui ne croyait pas un mot de cette rumeur extraordinaire.

– Voyez vous-même, répondit la jeune femme en lui tendant un feuillet où figurait un texte manuscrit.

Les religieuses la regardèrent comme une faiseuse de miracles et manipulèrent le bout de papier avec autant de précaution que l'évêque de Turin lors de l'ostentation du saint suaire. Sœur Aracoelis parcourut la liste des ingrédients, à la fin de laquelle figurait l'« élément secret » qu'elle avait passé tant de temps à chercher.

– J'aurais dû le savoir ! s'exclama-t-elle.

Si mère Maria Nicopeia demeurait circonspecte, la cuisinière était persuadée que Leonora n'avait pas pu inventer cela, ni la personne inconnue qui avait volé la formule à leurs concurrentes de San Zaccaria. C'était tout simplement génial, peut-être même diabolique à force d'ingéniosité.

– C'est tout à fait ce qu'il nous fallait ! résuma-t-elle avant de s'éloigner vers les communs pour expérimenter sur-le-champ la prescription.

Jamais sa cuisine n'avait tant attiré de monde. Le gâteau qu'elle sortit du four une heure plus tard était délicieux et, surtout, il était parfaitement identique à celui avec lequel les « vipères » de San Zaccaria les humiliaient chaque année, le jour de la Sainte-Claire. Leonora quitta la pièce sous les applaudissements.

Elle en aurait moins reçu si les religieuses avaient su par quel moyen elle s'était procuré l'information providentielle.

La méthode était d'une simplicité aussi démoniaque que la recette. La « personne inconnue » qui lui avait remis le précieux document n'était autre que la cuisinière de San Zaccaria. Bien sûr, Leonora ne devrait pas oublier de quitter Venise à la Saint-Ignace, quand les dames de San Zaccaria produiraient un soufflé au fromage tout pareil à celui des bénédictines de San Lorenzo. L'idée que l'on n'a rien sans rien est une leçon valable pour tout le monde. La jeune femme se demanda s'il existait, en Vénétie, un trou de campagne assez perdu pour qu'elle y fût à l'abri. Peut-être serait-ce l'occasion de pousser jusqu'à Mantoue, où elle avait désormais des affaires en suspens, à défaut d'y avoir un mari.

On lui annonça que la petite Epifania, décidément incorrigible, avait encore disparu. La nouvelle l'inquiéta d'autant plus que, cette fois, elle n'y était pour rien. Elle espéra que leurs ennemis n'avaient pas fait disparaître la fillette au nom de leurs causes tordues.

Dans sa cellule, sœur Arcangela rangeait par ordre alphabétique, sur les rayonnages, les traités de philosophie qu'on lui avait restitués au Palais ducal. Cette petite bibliothèque était un havre de paix à l'intérieur d'un couvent en proie à la folie culinaire. Enfin quelqu'un qui ne s'exaltait pas pour un gâteau ! Des sujets plus élevés, tels que « génération spontanée des êtres vivants » et autres prodiges cités par l'Encyclopédie, retenaient son attention et celle de ses amis les *Illuministi*. Hélas, il ne leur était pas possible, ces temps-ci, de se réunir à San Lorenzo, par suite du scandale.

– Vous savez, cette perquisition mystérieuse dont nul n'a jamais su la cause, précisa la sœur philosophe avec un regard en coin.

Pour changer de sujet, Leonora demanda ce qu'ils étudiaient, au juste, au cours de ces réunions savantes.

Leur domaine de prédilection était les utopies, les communautés idéales, les sociétés imaginaires. Tous quatre étaient révoltés par l'état de la société, pour des motifs divers. Celui d'Arcangela, cloîtrée de force dès l'enfance, n'était pas difficile à deviner. Reno Reni était un grand admirateur de Jean-Jacques Rousseau, Anacleto Pontano ne jurait que par Leibnitz, Elio Bora possédait une ironie très voltairienne. Quant à la nonne, elle était d'accord avec tous les penseurs qui ne portaient pas soutane.

À ce propos, elle venait d'annoter un texte qu'elle aurait aimé soumettre à Elio Bora, mais ne pouvait aller le voir elle-même en ce moment. Il habitait un *casin* de San Marco.

– Ces garçonnières ont une réputation... vous savez... On serait capable de m'en faire reproche...

Tandis que recevoir des hommes au couvent, c'était beaucoup plus convenable. Leonora accepta d'autant plus volontiers de porter le message que ce regain de surveillance et d'intolérance était un peu de sa faute.

Le rendez-vous était dans le *sestiere* le plus couru de Venise, celui de San Marco, paroisse de San Moisè. Une pluie fine commença de tomber peu avant que Leonora ne trouve l'adresse indiquée, une maison discrète qui ouvrait sur une petite rue de ce quartier très passant.

Elle s'engouffra dans le vestibule juste avant d'être trempée, frappa chez le gardien et annonça qu'elle venait déposer un objet pour sior Bora. L'homme l'accompagna au second, lui ouvrit et lui suggéra de patienter quelques instants, le temps que la pluie cesse. Sior Bora était chez son marchand de plumes à écrire, il serait bientôt de retour.

C'était la première fois que Leonora pénétrait dans un *casin*, ces garçonnières coquines où les Vénitiens fortunés des deux sexes recevaient leurs amis. La première pièce était un boudoir joliment meublé. On avait prévu une table pour les soupers fins et, peut-être, pour les parties de cartes interdites. Il y avait aussi une alcôve avec un lit et des miroirs. Elle admit que ce n'était pas le lieu idéal à fréquenter pour une bonne sœur, et n'était pas sûre d'y être à sa place, elle non plus.

Elle remarqua une porte et se demanda quelle surprise lui réservait la pièce suivante. Telles les femmes de Barbe-Bleue, elle ne put s'empêcher d'ouvrir, et s'en repentit de même.

C'était la bibliothèque. Des ouvrages religieux rédigés par les Pères de l'Église voisinaient avec des traités de philosophie écrits dans toutes les langues. Il y avait aussi une table avec un nécessaire à écrire. Il s'y trouvait de plus, accrochés aux murs, une foule d'objets brillants qui faisaient de ce réduit une petite caverne d'Ali Baba. En bonne place trônaient un reliquaire en forme de corne encore taché de sang, la vilaine canne à pommeau d'argent volée à Flaminio à San Samuele, une fronde en fer-blanc, sans doute celle qui avait servi à assommer le petit-sage Mattio Pasqualigo de San Gregorio. Elle avait sous les yeux le catalogue complet des crimes perpétrés à Venise ces trois derniers mois.

La Frascadina venait de parvenir à cette inquiétante conclusion quand un bruit de pas retentit dans l'escalier. Sans prendre le temps de réfléchir, elle s'empara du premier objet lourd à sa portée, le chandelier de métal argenté à la lueur duquel l'assassin avait dû composer ses opuscules de dément. Elle se glissa derrière la porte juste avant que celle-ci ne s'ouvre sur le locataire. Dès que celui-ci eut fait un pas à l'intérieur, elle abattit de toutes ses forces le candélabre sur son tricorne de feutre. L'assassin poussa un cri aussi faible que celui d'une souris tombée sous la griffe du chat et s'affaissa sur le parquet dans le frou-frou de sa cape de soie.

Il ne portait pas de masque, si bien qu'elle vit immédiatement de qui il s'agissait. C'était Anacleto Pontano, l'un des trois amateurs de philosophie moderne.

Une grande joie l'envahit : elle venait de résoudre l'énigme du tueur masqué et avait même réussi à appréhender le coupable. Quelle réussite !

Puis elle se rendit compte que quelque chose n'allait pas. Ce Pontano était plutôt petit et très ventru. Elle l'imaginait mal se colletant avec les petits-sages, qui n'avaient pas trente ans. Sa carrure n'était guère impressionnante et correspondait peu à celle de l'inconnu qu'elle avait tenté de piéger à San Samuele.

Elle posa deux doigts sur le cou du philosophe avec l'espoir qu'il respirait encore. Comme c'était heureusement le cas, elle le tira à grand-peine vers l'alcôve. Elle venait tout juste de le hisser sur le lit quand un bruit de pas résonna de nouveau dans l'escalier. Elle n'eut que le temps de tirer les rideaux pour escamoter sa victime, saisit derechef le chandelier en argent et se rencogna derrière une armoire.

Elio Bora entra dans la pièce, ses plumes à la main, dépassant d'un papier. Il était plus grand et plus mince qu'Anacleto Pontano. Il accrocha cape et chapeau à une patère, puis s'immobilisa en découvrant la robe qui dépassait de l'armoire. La jeune femme quitta sa cachette, son arme à la main, prête à se battre pour sa vie.

Le philosophe la reconnut, lui aussi. Il fut d'autant plus surpris de la rencontrer dans ce *casin* qu'elle l'y accueillait avec du latin et munie d'un chandelier :

– *Vae victis* ! clama-t-elle en brandissant à deux mains l'objet au-dessus de sa tête.

– Plaît-il ? fit le savant, interloqué.

– Malheur aux vaincus !

– Certainement, j'avais compris, mais je ne vois pas en quoi... Vous vouliez me voir ?

Il jouait l'innocence avec une facilité qui aurait déconcerté la jeune femme si elle n'avait été sûre d'être en présence du pire assassin que Venise eût connu depuis au moins trois mois.

– Alors, on est allé se confesser à San Samuele ? rétorqua-t-elle sans baisser sa garde. On est prêt à estourbir un petit-sage ?

Elio Bora répondit qu'il ne s'était plus confessé depuis qu'il avait l'âge de prendre ses propres décisions. Les visites au curé de la paroisse s'inscrivaient mal, dans son emploi du temps, entre son étude de l'Être suprême et la rédaction d'articles sur la superstition à travers les âges – des œuvres que le Vatican inscrivait désormais à l'Index sans se donner la peine de les lire.

Une telle liberté de pensée ne cadrait plus du tout avec le caractère du meurtrier que ses remords poursuivaient jusque dans le confessionnal du père Santibusca. Déboussolée, la Frascadina baissa les bras. Peut-être le bandit était-il bien Anacleto Pontano, tout compte fait. Elle ouvrit le rideau pour jeter un nouveau coup d'œil au corps étendu sur le lit.

Elio Bora découvrit avec horreur son compère en philosophie, étendu en travers du matelas, qui gémissait mollement.

– Vous êtes folle ! s'écria-t-il en se précipitant sur le pauvre homme. Il faut vous enfermer !

Elle répondit qu'elle en sortait, merci.

– Cet homme a attenté à ma vertu ! déclara-t-elle pour se donner une excuse.

Étrangement, le savant ne douta pas un instant de la véracité de ses accusations.

– Je savais bien que l'amour de l'épicurisme pouvait porter à de regrettables extrémités, dit-il en appliquant un linge humide sur le crâne du pervers inconscient. Notre ami Reni sera furieux d'apprendre quel usage Anacleto fait de son *casin*.

Leonora sentit le sang refluer de ses joues alors qu'elle prenait une pâleur d'albâtre.

– Ce logement n'est pas le vôtre ? Pouvez-vous le prouver ?

Elio Bora avait justement besoin de renfort pour réanimer le mauvais sujet. Il ouvrit la porte du palier et cria au concierge, à travers l'escalier, que le signor Pontano avait eu un malaise. Quand l'homme fut monté, il le pria de prendre des sels dans le cabinet de toilette et lui demanda quand le signor Reni serait de retour chez lui.

– Pas avant la nuit tombée, répondit le gardien. Il est à la fête paroissiale de la Madonna dell'Arsenale, à Castello.

Leonora était abasourdie. Elle se laissa tomber sur le bord du lit où gisait le philosophe que l'un tentait de ranimer à coups de gifles pendant que l'autre lui ôtait ses chaussures trempées qui tachaient le drap.

Elio Bora expliqua que Reno Reni était, d'eux trois, le plus convaincu, et en tout cas le plus exalté.

– Il paraît qu'il a été moine, mais que les franciscains l'ont chassé parce qu'ils le croyaient un peu fou.

Il récoltait de l'argent pour fonder la communauté utopique qui lui tenait à cœur : une société idéale où l'on vivrait selon les principes de Jean-Jacques Rousseau, où nul n'aurait à subir d'oppression d'aucune sorte, où les lois seraient établies avec l'accord de tous, et où les gens d'esprit périraient d'ennui aussi sûrement qu'un pingouin perdu dans le désert.

– *De gustibus et coloribus non disputandum*, comme dirait notre cher latiniste.

À force de claques et de compresses froides, Anacleto Pontano revenait lentement à lui.

– Que m'est-il arrivé ? articula-t-il péniblement en posant une main sur son crâne douloureux.

– Tu as été victime d'une collision avec la réalité intrinsèque d'un chandelier en argent, répondit son compère Bora.

Leonora se demanda soudain si Reno Reni avait reçu l'ordre de cesser les tentatives de meurtre, pour autant que cet ordre eût jamais été donné. Le complot des amiraux avait du plomb dans l'aile, mais peut-être ces irresponsables avaient-ils négligé d'en avertir leur exécuteur des basses œuvres.

– Où avez-vous dit qu'il était allé ? À quelle fête ?

C'était celle-là même où les petits-sages étaient attendus.

XXVI

L a pluie ne tombait plus. À présent, il y avait du brouillard. Une brume épaisse engloutissait Venise. Dans ce magma cotonneux, les masques rieurs du carnaval ressemblaient à des spectres enfantés par le néant.

La course vers le *sestiere* de Castello fut un cauchemar. Il était presque impossible de progresser à travers les *calli* jonchées d'obstacles. Sur la Piazza, elle dut repousser des arlequins avinés qui prétendaient l'entraîner dans une sarabande. Le campo San Filippo e Giacomo était obstrué par les admirateurs d'un acrobate qui tenait sur le nez, tout en haut d'un amoncellement de chaises. Devant l'église des Grecs, un groupe de mendiants qui attendaient la fin de la messe firent assaut de lamentations et d'exhibitions affreuses pour exciter sa compassion, si bien qu'elle dut leur jeter une poignée de piécettes à la volée pour libérer le passage. Cette foule en liesse était assommante, Leonora en venait presque à regretter les taureaux – il n'était d'ailleurs pas exclu d'en voir surgir un au détour d'un pont.

Enfin elle perçut les flonflons des musiciens postés devant l'église de la Madone[1], un temple à la romaine édifié à l'entrée de l'Arsenal.

Chaque paroisse organisait une fois l'an sa *sagra*, la célébration de son saint patron, autour de son église illuminée et décorée de tissus précieux. Cette fête, conçue pour surpasser en magnificence celles des quartiers voisins, s'accompagnait de libations gratuites, de bals sur les *campi*, d'exhibitions de saltimbanques, de représentations de marionnettes, de comédies populaires ou même d'une régate, selon la générosité des donateurs et l'imagination de ceux qui l'organisaient.

Flaminio et sa mère s'amusaient comme les autres, les masques relevés afin de profiter des distributions de gâteaux.

– Ah, mais n'est-ce pas notre belle sioreta dalla Frascada ? dit siora dell'Oio, tout sourires. Vous aviez rendez-vous, n'est-ce pas, petits coquins ? Je vous laisse, je vous laisse, je ne voudrais pas déranger vos amours.

– N'est-elle pas gentille de protéger nos amours ? demanda « petit coquin » en tendant son verre au responsable du tonneau.

Leonora le mit en garde :

– Encore deux malentendus comme celui-là et nous n'aurons plus le choix : ce sera le mariage, pour vous et moi.

---

1. La Madonna dell'Arsenale fait partie des nombreuses églises détruites pendant l'occupation napoléonienne.

Jeune, noble et riche, elle avait tout pour plaire à une belle-mère telle que siora dell'Oio. En revanche, tant qu'à prendre une épouse, le jeune homme aurait préféré celle-ci vilaine, modeste, pauvre et surtout absente. Il allait devoir songer à se trouver un autre emploi.

Les petits-sages trônaient sur cinq fauteuils de velours vert qu'on avait apportés du Palais. La Frascadina fut rassurée de voir qu'ils étaient au complet. Elle s'était inquiétée pour rien. Reno Reni avait dû recevoir l'ordre d'arrêter ses attentats, peut-être même avait-il déjà fui la ville. Cette aventure était terminée, elle s'achevait dans la joie, les danses et le malvoisie. La vie à Venise était une fête permanente, au milieu de laquelle elle se sentait subitement comme une grincheuse impénitente enfermée dans ses mauvaises pensées.

Un énorme grincement et une marche militaire se mêlèrent à la gavotte que les musiciens étaient en train de jouer. Des gens annoncèrent qu'il se passait quelque chose d'extraordinaire sur l'esplanade de l'Arsenal. Il se fit un mouvement de ce côté.

Le pont-levis avait été relevé. La mélodie martiale qui émanait de l'intérieur de la forteresse couvrait à présent les violons du bal. Les amateurs reconnurent la fameuse *Marche des héros*, dont le couplet répétait à l'envi : « Mais oui, ma mie/J'ai regardé les Turcs se noyer/De retour sur la Piazza/La lumière de la victoire éclairait mon front ».

Une silhouette immense se détacha lentement du brouillard. C'était une forme monstrueuse, hérissée de pointes, si démesurée qu'elle frottait des deux côtés les pierres des quais, si bien que sa progression s'accompagnait d'un crissement insupportable.

Les paroissiens écarquillèrent les yeux. On n'avait jamais rien vu de tel, ni ici, ni ailleurs. Venise avait des basiliques de pierre, elle possédait désormais une cathédrale flottante, toute de bois bardé de fer. Halé par une cinquantaine d'*arsenalotti* qui le tiraient au moyen de cordes, le navire étrange et inquiétant parvint tout juste à s'extraire de la Darsena, comme un coucou trop gros qui peine à sortir d'un nid de mésanges. C'était un éléphant de mer, trop imposant, trop lourd, quoi qu'il ne fût pas encore armé, car on ne pouvait placer les canons qu'une fois en mer, faute d'un tirant d'eau suffisant. Ce spectacle inspirait moins de fierté que de crainte à ceux-là mêmes qu'il était censé conforter dans l'illusion de leur puissance recouvrée. Cette idée de navire était aussi incongrue qu'un rhinocéros sur un campo, ou qu'une chimère à bec d'aigle et pattes de lion marchant sur la Piazza.

Ses fiers concepteurs firent tirer le canon depuis le chemin de ronde de l'Arsenal pour saluer la naissance de la bête.

On put apercevoir, sur le pont, le Magnifique Amiral, en grand habit rouge, ainsi que les trois *Padroni* et les provéditeurs aux munitions, vêtus de leurs toges noires. Ils avaient décidé de montrer leur œuvre afin de gagner le soutien du peuple, de sauver leur projet et d'éviter les sanctions.

Un orchestre embarqué enchaînait les airs de musique martiale destinés à ranimer la flamme patriotique des spectateurs. De fait, hypnotisée comme les enfants de Hamelin, la foule suivit le mastodonte jusqu'au quai des Esclavons. Les curieux affluaient de toutes parts. Des magistrats accouraient en toute hâte du Palais ducal, où les séances avaient été interrompues. Leonora aperçut les inquisiteurs, parmi lesquels Saverio Barbaran, dans sa toge écarlate. Revêtu de son manteau brodé, le doge était assis dans sa gondole, entouré des conseillers avec qui il conférait à l'arrivée de la nouvelle.

Quand le monstre de bois et de métal se présenta dans le *bassino di San Marco*, les navires de toutes tailles durent s'écarter à force de rames et de halage pour lui faire place. Gaelazzo Premarin contempla leur retraite d'un œil satisfait, comme si déjà la flottille turque fuyait devant son chef-d'œuvre, né des derniers sursauts de l'art militaire vénitien et de sa propre folie.

Le sage-grand Vettor Manolesso profita de l'effet pour vanter les mérites du projet auprès des inquisiteurs :

– Et tout cela pour la somme modique de dix mille sequins !

Au prix de mille efforts, les *arsenalotti* parvinrent à tirer jusqu'à la mer ce navire pour lequel tant de méfaits s'étaient déjà commis. Triomphant, le Magnifique Amiral entama un discours improvisé qu'il avait préparé avec soin :

– Peuple de Venise ! Peuple courageux ! Peuple victorieux ! Voici l'instrument de ta renaissance ! Tes souffrances vont enfin être récompensées ! Ta décadence va prendre fin ! Jamais plus tes ennemis n'oseront rire de toi !

Certes, personne n'avait envie de rire. Pourtant, le tableau qu'offrait ce petit bonhomme en perruque, gesticulant sur cette coque mal proportionnée, tout en haut de cette muraille de fer, ne manquait pas de ridicule. Au troisième « Réveille-toi, peuple de la lagune ! », la population eut l'impression que le « symbole de sa renaissance » donnait de la gîte.

– L'horloge de notre histoire est de nouveau à son zénith ! clama Gaelazzo Premarin, le doigt vers le ciel.

Sur le cadran de l'histoire, les mâts indiquaient plutôt midi trente. Puis ce fut une heure. Quand ils furent rendus à une heure et demie, la panique s'empara de tous ceux qui étaient à bord.

Le bateau géant se renversait avec lenteur. Tout à son discours, le Magnifique Amiral ne paraissait pas s'en apercevoir, bien qu'il dût s'accrocher au bastingage pour ne pas glisser sur le plancher tout neuf. On entendit Polisseno Vendelin multiplier les ordres autour de lui, puis appeler à la rescousse ses braves *arsenalotti* interdits, immobiles sur le quai.

Les instruments de musique se turent un à un. Le premier à s'échapper fut une viole, propulsée en l'air par son propriétaire. Le reste de l'orchestre sauta à l'eau pour sauver sa vie, violon, fifre ou tambour à la main. Malgré le souci de leur dignité, les provéditeurs ne tinrent qu'une minute de plus, ils ne se sentaient pas des âmes de martyrs. Ce fut ensuite le tour de deux des trois *Padroni* en toge noire. Les embarcations qui peuplaient le *bassino di San Marco* s'écartè-rent davantage, du plus vite qu'elles purent, afin de ne pas être englouties par la muraille chancelante qui penchait sur elles.

– Ce n'est pas un gros bateau, c'est une erreur monumentale, dit l'inquisiteur Pisani.

Sur le pont oblique, Gaelazzo Premarin et Polisseno Vendelin échangeaient des taloches d'une main en s'agrippant de l'autre à ce qu'ils pouvaient. On n'entendait pas ce qu'ils se disaient, à cause des clameurs de la foule affolée ; on supposa qu'il s'agissait d'un mélange de reproches et d'injures. Le *Padron* finit par être assommé par un fût qui roulait dans la pente. Quant au Magnifique Amiral, il essaya de se tourner vers le « peuple victorieux », à présent tout à fait « réveillé », pour une ultime allocution. L'eau qui emplissait les soutes lui ferma immédiatement la bouche et avala ce mastodonte en moins de temps qu'il n'en faut pour réciter la liste des victoires de Venise contre les Ottomans. Quelques *arsenalotti* dévoués se jetèrent dans le chenal pour secourir leurs maîtres, mais l'épave leur était inaccessible. Elle acheva son retournement avec un craquement épouvantable, s'ouvrit en deux comme une figue pourrie et disparut dans les flots. Il n'en resta bientôt plus que des morceaux de bois, la perruque du *Padron* et le tricorne rouge de l'Amiral. La croisade contre le Turc perfide venait de faire deux morts sans qu'on eût seulement quitté la rade.

Les *popolani* étaient atterrés, les magistrats, abasourdis.

– Avec la brume qu'il y a, aujourd'hui, les gens du Lido n'auront peut-être rien vu, espéra l'inquisiteur Tiepolo en scrutant l'horizon ouaté. Si nous parvenons à faire peur à tous ces gens, cette calamité pourra rester entre nous.

Seul Saverio Barbaran demeurait impassible.

– Bon. Eh bien, messieurs, je crois qu'il est temps de retourner aux affaires de la République.

Déjà les *barcaroli* du doge ramaient en direction du Palais.

– Nous sommes dans un tel état de décadence que même les bateaux se suicident ! se lamenta un sénateur.

Les sages-grands étaient pétrifiés.

– Dix mille sequins, avez-vous dit ? répéta le *Savio Casser*.

– Cet incident n'a jamais eu lieu, déclara le chef de la Quarantie criminelle. Nul n'en a été témoin. D'ailleurs, je ne suis pas là.

Les membres des conseils se retirèrent dans un silence de mort, laissant la foule muette d'horreur sur la *riva*. De l'administration tout entière, il ne restait que les petits-sages.

– Tout ça pour ça ! dit Nadalin Grimani de Francesco.

Leonora supposa que ce « tout ça » incluait les attentats dont ils avaient été la cible.

C'est alors qu'un détail la frappa. Ils n'étaient plus cinq. Ils étaient quatre. L'un d'eux manquait.

Sans prendre le temps de déterminer lequel, elle retourna à toutes jambes sur le campo où s'était déroulée la fête. Il n'y avait plus personne, hormis quelques mendiants plus affamés que curieux, qui pillaient les restes de polenta abandonnés sur les tables du buffet. L'Arsenal était resté grand ouvert. Elle s'en approcha et perçut un bruit de pas. Les *arsenalotti* étant tous sortis aider à la mise à l'eau, les corridors de brique étaient déserts. La jeune femme refusa d'écouter la voix intérieure qui lui hurlait de s'enfuir dans l'autre direction et s'enfonça plus loin dans ce sinistre dédale.

Ce fut un bruit de course qu'elle entendit en passant à proximité du premier bassin. Puis un appel au secours, alors qu'elle arrivait en vue des ateliers de réparation. Puis un cri désespéré.

Il n'y avait plus le moindre ouvrier pour manier marteaux, câbles ou pinceaux. Dans ce terrifiant silence s'éleva une psalmodie latine. D'abord immobilisée par la surprise, Leonora se dirigea de ce côté à travers la forêt de barques, de rames et de voiles.

Une forme sombre masquée était penchée sur un corps étendu au bord de l'eau. Celui dont la tête disparaissait dans le bassin était vêtu d'une toge violette. Aucunement gêné par les mouvements désordonnés de ses bras, le masque le maintenait dans cette position tout en poursuivant sa récitation. Le malheureux jeune homme parvint un instant à se redresser pour reprendre haleine, mais fut aussitôt replongé dans l'eau par son bourreau.

– *Ad augusta per angusta*[1] ! déclara celui-ci d'une voix vibrante d'émotion, comme s'il avait conçu du chagrin de ce qu'il était en train de perpétrer.

---

1. « Vers de grandes choses par des voies étroites », c'est-à-dire : la fin justifie les moyens.

La Frascadina devait agir avant qu'il n'expédiât sa victime *ad patres*. Comment empêcher un fou de commettre un meurtre ? Elle ne pouvait compter ni sur sa force physique – elle n'en avait pas – ni sur sa puissance de persuasion.

Il ne lui restait qu'une poignée de secondes pour trouver les bons arguments. Comme aucun ne lui venait, elle se jeta sur l'homme au *tabarro*, mais ne parvint qu'à lui arracher son masque. C'était bien Reno Reni. Son visage était trempé et ses yeux rouges. Il pleurait.

Leonora tenta de lui faire lâcher prise, d'écarter ses bras, de le bousculer, mais il était aussi ferme, raide et immuable que la statue équestre du Colleone devant Zanipolo.

Un moellon d'aspect solide gisait à quelques pas. Elle s'en empara, décidée à briser la tête déjà fort atteinte du meurtrier. Elle s'apprêtait à abattre son arme quand une détonation se répercuta sur toutes les hautes murailles qui les entouraient.

Le latiniste en *tabarro* poussa un cri, lâcha sa victime et s'affaissa sur le flanc gauche. Leonora se hâta de retirer le petit-sage de l'eau. À vingt pas en face d'eux se tenait l'arquebusier qui avait tiré.

– *Servum pecus*[1] ! lui lança Reno Reni, incapable de se relever.

Leonora constata avec horreur que le noyé était son cousin, Zeno Soranzo de San Polo. Elle le fit rouler sur le ventre. Le jeune magistrat cracha de l'eau,

---

1. « Troupeau servile ».

puis hoqueta. Il était vivant. « C'est donna Soranza qui va être contente ! » songea la cousine.

Elle l'aida à s'asseoir, le dos contre une coque renversée, et put se consacrer à l'assassin, qui l'intéressait davantage.

Il avait reçu la balle en pleine poitrine. Sa respiration était sifflante, il perdait son sang. Ses traits paraissaient beaucoup plus apaisés que lorsque c'était lui qui tentait de tuer les autres.

– Allez chercher un chirurgien ! cria-t-elle à l'*arsenalotto* qui approchait avec prudence, fusil au poing.

L'homme fit demi-tour et disparut dans les corridors.

Reno Reni savait qu'il allait mourir et que cette jeune femme serait la seule à assister à ses derniers instants. Il s'excusa d'avoir essayé de l'étrangler dans les couloirs de San Lorenzo. Et aussi de lui avoir adressé la main de Zanni Merlini dans un baril de *moleche*. Elle lui demanda s'il regrettait aussi d'avoir tué le pêcheur.

– Ah, lui, c'était un « confident », un traître à la solde des inquisiteurs. *Uno spione ! Un soffione ! Un briccone !* On n'a pas à demander pardon pour avoir écrasé une mouche.

Il contempla Leonora.

– Vous, vous êtes gracieuse et intelligente. Vous auriez pu entrer dans la communauté que j'aurais fondée, si j'avais réussi. Les *Padroni* me couvraient d'or.

Un filet de sang coula de ses lèvres.

– *Acta est fabula*[1], murmura-t-il.

---

1. « La comédie est jouée. »

Leonora tâcha de lui rendre courage. On allait quérir un médecin, il recevrait des soins.

– N'en faites rien. *Dulce et decorum est pro patria mori*[1].

Elle devina qu'il ne parlait pas de Venise, mais de cette patrie imaginaire qu'il avait souhaité peupler d'illuminés, de déments et de latinistes. Elle en avait déjà son lot là où elle était.

– Maintenant, je suis sage et je suis calme, reprit l'assassin. *Ira furor brevis est*[2].

– Vous savez, dit-elle, je sors de deux couvents, je peux vous assurer qu'il n'y a pas de communauté parfaite.

Il sourit. Ses yeux se brouillèrent. Elle fut certaine qu'il ne la voyait plus. Pourquoi fallait-il que la créature fût meilleure que son créateur ?

– Tenez bon ! cria-t-elle en le secouant. *Sursum corda*[3] !

Il poussa son dernier soupir dans ses bras. Dur métier.

Quand les *arsenalotti* furent de retour pour découvrir dans leur Darsena un mort par balle, un demi-noyé et une jeune femme à la robe souillée de sang, Leonora leur ordonna de préparer une civière. Une fois qu'ils y eurent étendu Reno Reni, elle déclara que ce cadavre appartenait aux *Savii Grandi* et qu'il fallait le leur apporter.

---

1. « Il est doux et beau de mourir pour la patrie. »
2. « La colère est une courte folie. »
3. « Haut les cœurs ! »

Flaminio la vit sortir de la forteresse à la tête de cet étrange cortège funèbre composé de porteurs à bonnets rouges. Il les suivit jusqu'à l'entrée du Palais ducal, mais les laissa gravir seuls l'escalier des Géants, sous le regard stupéfait des huissiers, trop perturbés par cette succession de catastrophes pour réagir.

Les sages-grands étaient réunis pour mettre à jour leurs dossiers en vue de la passation de pouvoir. À peine rentré de la riva degli Schiavoni, le Conseil des Dix avait exigé leur démission immédiate. Six sages remplacés d'un seul coup, on n'avait jamais vu ça.

– Que signifie cette intrusion ? s'exclama Vettor Manolesso en voyant entrer cette demoiselle sans châle ni masque, dont la robe portait une immense tache rouge en son milieu.

– Ce n'est pas une intrusion, Excellentissime, répondit Leonora : c'est votre employé Reno Reni qui vient au rapport.

Les porteurs et la civière pénétrèrent à leur tour dans la salle. Quand les magistrats eurent reconnu le corps qui gisait à leurs pieds, ils ordonnèrent de fermer la double porte. Leonora était seule face à eux, hormis quelques clercs qui avaient reçu l'interdiction de toucher à leurs plumes d'oie.

– Qui est le plus coupable ? lança la Frascadina aux ministres de Venise qui posaient sur leur séide un regard dégoûté. Le fou qui tue des gens ou ceux qui le manipulent ?

– C'est la faute des petits-sages ! se défendit Vettor Manolesso.

Pour accéder à ces fonctions, il fallait être d'ancienne noblesse et se prévaloir d'une conduite exempte des dérèglements habituels à la jeunesse dorée.

– À vouloir retenir les plus paisibles d'entre nos fils, nous avons choisi les plus fragiles, les plus timorés ! Une bande de lavettes ! Nous les voulions réfléchis, mais pas...

– Honnêtes ? suggéra Leonora.

– Paralysés par une morale étroite !

Toutes les parties du tableau étaient maintenant visibles. Avec les enlèvements d'enfants, on avait dépassé ce que ces « honnêtes jeunes gens » pouvaient accepter. L'un s'était permis de contredire ses maîtres, un autre avait dérobé les comptes de l'Arsenal pour faire pression sur les instigateurs du complot. On avait résolu de se débarrasser d'au moins l'un d'entre eux pour effrayer les autres. Mais comment se défaire discrètement d'un garçon qui appartient à une puissante famille ? Il s'agissait de ne pas désobliger le *commendator* Sagredo de Santa Ternita, le *governator* Pasqualigo de San Gregorio, ni le *proveditor* Duodo de Santa Maria Zobenigo, tous gens d'influence.

Leonora compatit.

– Assassiner est une chose, se fâcher avec ses confrères en est une autre. Qui sait s'ils n'auraient pas eu l'idée de se servir des mêmes expédients pour se venger de vous ?

En fin de compte, le tueur avait reçu l'ordre d'estourbir un haut personnage qui avait des scrupules. Ils n'étaient pas nombreux. Le scrupule était, à

Venise, la maladie la plus dangereuse. On pouvait réchapper de la peste, de la vérole, mais, du scrupule, non. Une fois que le scrupule s'était développé, il vous désignait à l'horreur publique, chacun se détournait de vous, on vous fuyait et, si vous n'y preniez garde, vous finissiez comme repas pour les limandes au fond de la lagune. La ville disposait heureusement d'établissements dédiés aux soins de cette épouvantable affection : les *casini*, les *ridotti* et les innombrables officines des petites femmes, tout autour de la basilique.

Faire appel à un illuminé prêt à tout pour fonder sa communauté idéale avait été une solution commode. S'il avait été arrêté, il aurait été facile de le faire déclarer fou.

Les sages-grands la contemplaient d'un œil sombre. Leonora avait de la chance que leur bras armé fût inanimé sur la civière et que son père siégeât auprès du doge.

– À présent que la petite leçon de morale est finie, déclara le doyen des six, nous avons notre départ à régler.

Il fit signe aux clercs de les débarrasser des deux objets gênants, celui qui respirait encore et celui qui ne respirait plus. L'un fut poussé vers le vestibule tandis que l'on escamotait l'autre par la petite porte, vers une inhumation discrète dans la chapelle d'un quelconque îlot inhabité.

Une fois dehors, Leonora eut besoin de s'asseoir sur l'un des bancs adossés aux boiseries. Un naufrage, une noyade, un meurtre, c'était beaucoup en une heure de temps.

À peine assise, elle fut happée par deux *fanti* des inquisiteurs.

– Si l'illustrissime demoiselle des dalla Frascada veut bien nous faire l'honneur de nous suivre.

Ils se montraient polis et respectueux. Elle s'attendit au pire.

Cette amabilité ne pouvait avoir que deux significations : soit c'était de la pitié parce qu'elle venait d'être condamnée à l'exil en terre lointaine, soit elle était sur le point d'être élue inquisitrice du Haut Tribunal. L'une de ces deux éventualités avait plus de logique que l'autre.

Pour des hommes qui venaient d'assister à la ruine du plus grand navire vénitien jamais bâti, Tiepolo, Pisani et Barbaran affichaient des mines peu contristées. Ils s'étaient fait servir un petit vin de Corfou qu'ils offrirent à Leonora de partager avec eux, car elle leur paraissait un peu pâle. On la fit même asseoir sur un tabouret, signe que l'humeur était aux réjouissances.

Le vin était excellent. C'était un vin de victoire. Des « circonstances fortuites » les avaient débarrassés des comploteurs qui dilapidaient les fonds de la République, une collection de concurrents dont ils n'étaient pas parvenus à se défaire jusqu'à ce jour.

Les trois hauts juges la félicitèrent d'avoir contribué à la conclusion de cette affaire – ils ignoraient au juste en quoi, mais la civière transportée jusque dans la salle des *Savii Grandi* n'était pas passée inaperçue.

L'inquisiteur Pisani affirma que tout était bien, puisque tous les coupables, *tous les coupables*, avaient été punis. Il n'était donc plus nécessaire de poursuivre les recherches, l'enquête était finie.

Leonora posa son verre sur la table du Sanctuaire, tira de son sac le petit mémento de la Sérénissime qu'elle s'était composé et commenta ce qu'elle pouvait y lire :

– Si je regarde l'organigramme de l'administration vénitienne, je vois que l'Arsenal dépend non seulement des trois Patrons, tous patriciens, comme vous, mais aussi de trois provéditeurs, nobles eux aussi. Quelle est leur punition, exactement ? Et les gouverneurs des galéasses ? Et le *Capo di mar*, le « chef de la mer » ? Et le provéditeur de l'armée ? Et le *Proveditor general da mar* ? Et le lieutenant général de marine ? Tous aveugles ? Tous sourds ? Tous innocents ?

L'inquisiteur Tiepolo bondit de sa chaise.

– Qu'est-ce que vous avez là ? Un récapitulatif des charges publiques ? C'est interdit ! Donnez-moi ça ! Nul ne doit savoir qui dirige Venise !

La grosse araignée noire tendait ses pattes velues vers le papier.

– Voilà près de mille ans que personne ne sait qui gouverne Venise, renchérit l'inquisiteur Pisani. Ce n'est pas une petite fille qui va éventer le secret !

Ce n'était plus le Magnifique Amiral qu'ils avaient envie de voir se noyer dans le *bassino di San Marco*. L'incident les confirma dans la résolution qu'ils avaient prise avant son arrivée.

– Elle en sait trop, résuma Tiepolo, avec un calme plus inquiétant que sa fureur.

Tout en la regardant droit dans les yeux, Saverio Barbaran déclara que la République avait décidé, en récompense de ses efforts, de payer son entretien chez les bénédictines de San Lorenzo.

Leonora sauta sur ses pieds. Elle se tourna vers la porte, irrésistiblement tentée de s'enfuir à toutes jambes.

– Calmez-vous ! lui lança l'Inquisiteur rouge. Nous vous dotons, non pour entrer, mais pour sortir.

Elle se rassit, quoique avec circonspection.

– Nous sommes arrivés à la conclusion, poursuivit Barbaran, que votre vocation religieuse gâcherait un talent dont nous avons parfois l'usage.

On avait d'abord pensé la faire enfermer à vie, mais cela aurait coûté des frais de pension et on ne pouvait exclure les risques d'évasion. Un autre moyen de lui fermer la bouche définitivement, c'était de l'embaucher. Ce ne serait pas plus cher et, au moins, elle serait utile à quelque chose.

– Il n'y a pas de femme dans la police de la Sérénissime, objecta-t-elle.

Les trois inquisiteurs retrouvèrent leur sourire en entendant cette absurdité.

– Il y a de tout, dans la police de la Sérénissime, rectifia Pisani. Vous seriez surprise d'apprendre qui travaille pour nous.

– Vous avez une belle écriture, vous avez du style, vous serez parfaite ! renchérit Saverio Barbaran. L'existence de Venise est fondée sur l'écriture.

– Sur les lettres classiques ? demanda la Frascadina. Sur l'édition des chefs-d'œuvre de l'Antiquité ? Sur la poésie ?

– Sur les billets de dénonciation ! déclara Tiepolo. Venise est la cité de la liberté : nous devons protéger cette liberté.

– Par sa suppression, compléta Leonora.

– Par son encadrement ! Sans bornes, point de liberté.

– Mais avec de telles bornes, il n'en est pas non plus.

Étant donné le mauvais esprit dont elle continuait de faire preuve, ils se dirent qu'ils avaient bien fait de l'embrigader.

– Maintenant que vous travaillez pour nous, expliqua Son Excellence Barbaran, vous allez devoir rédiger des rapports sur tout ce que vous verrez, entendrez, supposerez. Ne nous épargnez aucune de vos élucubrations.

Tiepolo et Pisani paraissaient affligés par avance.

– Vous ne nous avez pas beaucoup écrit, jusqu'ici, lui reprocha l'Inquisiteur rouge. C'est un grand tort. Il faut écrire, beaucoup, sur tous les sujets, sur tout le monde. Faites-vous la main sur votre famille, il y a de quoi !

Leonora comprit qu'elle était censée déposer des billets dans les innombrables *bocche* chaque fois qu'elle remarquerait quelque chose de notable. Bel emploi ! Elle se demanda si on la recrutait parce qu'elle avait le don d'en apprendre beaucoup ou parce qu'elle en savait déjà trop.

Flaminio l'avait attendue sous la monumentale Porta della Carta, principale sortie du Palais, pour s'assurer qu'on ne la retiendrait pas contre son gré.

– Il y a peu de chance que cela arrive, le prévint Leonora : vous avez devant vous le nouvel agent du Haut Tribunal !

Sa patronne, une espionne au service de l'ordre public ! Une gardienne de la moralité ! Un apôtre des bonnes mœurs ! Il fallait décidément qu'il se trouve une autre source de revenus.

Afin de digérer cette atroce nouvelle, ils marchèrent jusqu'au môle de la Piazzetta, là où les vagues venaient se briser contre le quai bordé de marbre. Un grand navire appareillait pour les îles grecques. Les mousses s'élançaient à l'assaut des cordages. L'un d'eux leur fit des signes. Ils reconnurent Epifania, en culotte grise et large ceinture rouge, les cheveux coupés. La fillette avait troqué le couvent pour la marine, elle quittait Venise sur un vaisseau de guerre chargé de protéger des Barbaresques les convois marchands.

– Croyez-vous qu'elle fera un bon mousse ? demanda Flaminio.

– Je gage qu'elle fera même un jour un grand capitaine ! répondit la Frascadina.

Elle venait de retrouver toute sa foi dans la vie à la vénitienne.

La vie des Vénitiens au XVIIIe siècle

L'histoire de Venise est si extraordinaire que la vérité dépasse l'imagination des romanciers. On peut lire, par exemple, dans *Histoire de la République de Venise*, ouvrage publié par Pierre Daru en 1819 : « Pendant la guerre contre les Barbaresques, on manquait de mousses : on fut obligé d'enlever la nuit des enfants de pêcheurs ; les pères, irrités, se retirèrent sur les terres du pape. »

L'omniprésence des canaux rendait cette ville beaucoup plus commode qu'une autre. Les gamins pouvaient diriger seuls des bateaux plus chargés que vingt charrettes. Tout vieillard, femme ou enfant parvenait à gagner sa vie du moment qu'il disposait d'une petite barque. Même les moines des ordres mendiants faisaient la quête dans des embarcations qu'ils manœuvraient eux-mêmes.

C'était par ailleurs la fête permanente. Il y avait chaque jour des réjouissances publiques. La fête des mariées, par exemple, commémorait une victoire remportée sur des pirates qui avaient enlevé de jeunes mariées. Au jeudi gras, on se partageait douze porcs achetés aux frais du patriarche. Le jour anniversaire des grandes batailles, les trois mâts de la place

Saint-Marc s'ornaient des pavillons des régions conquises, même si elles avaient été perdues depuis longtemps.

La course aux plaisirs n'épargnait pas les couvents. Pendant le carnaval, les nonnes se déguisaient, leurs amants venaient les chercher en gondole, elles se rendaient au bal et rentraient quand bon leur semblait. Plus les masques étaient bouffons et ridicules, mieux ils étaient reçus dans les parloirs. Pour amuser les recluses, les jeunes gens allaient de couvent en couvent, déguisés de la façon la plus extravagante possible, et tout ce joli monde dansait joyeusement au son des fifres et des trompettes.

L'un des espions appointés par les inquisiteurs écrivit en 1705 : « Les familiarités continuent entre M. l'ambassadeur de France et Donna Maria Candida Canal, religieuse de S. Alvise, qui dispose absolument de Son Excellence. Donna Canal se conduit en maîtresse de maison, comme si elle était la femme de l'ambassadeur, se faisant servir, en particulier, par l'Excellentissime Balbo Pasini. La semaine dernière, on a pu observer qu'elle tenait de longues conversations au parloir avec M. l'ambassadeur. »

Ce qui intéressait vraiment la police secrète, c'était les voyageurs. Dans une ébauche de livre intitulée *Quelques agréments de Venise*, un contemporain, Giuseppe Gorani, écrivit : « Je ne connaissais point de ville dans le monde où l'honnête homme pût mieux cacher sa vie. La police était d'abord informée sur chaque étranger qui y arrivait, mais celui-ci ne s'en apercevait point : il était surveillé et ne voyait personne autour de lui. De tous les espions, il n'y en avait point qui sussent si bien leur métier, et de toutes les polices imaginables il n'en avait jamais existé de plus exactement informée et de moins incommode. »

Quant au peuple, il vivait dans une telle impression de liberté que les forces de l'ordre étaient pratiquement inutiles. Dès 1364, Pétrarque admirait « ces fêtes vénitiennes qui se déroulent sans confusion, même en l'absence de soldats ». Quatre siècles plus tard, il en était toujours ainsi.

Les espions étaient pourtant si nombreux qu'il suffisait de critiquer un magistrat en présence de trois personnes pour courir le risque d'être réprimandé le lendemain. Si les « confidents » des inquisiteurs étaient les mieux rétribués, leur profession était considérée comme la pire imaginable : « *spia d'Inquisitori* » était l'injure la plus dégradante. Aussi les dénonciateurs qui voulaient rester anonymes conservaient-ils un morceau de leur lettre de délation. Pour obtenir paiement, ils adressaient aux magistrats la seconde moitié, on vérifiait que les deux parties correspondaient, et l'on remettait au porteur la récompense promise.

Les prévenus restaient parfois deux ou trois ans au cachot avant de passer en jugement. Les juges pouvaient les condamner à des séjours à perpétuité dans ces « prisons obscures » des Puits, où les détenus vivaient sous le niveau de l'eau, avec une petite lampe pour toute lumière. Comme la République avait besoin de forçats, on pouvait aussi être envoyé aux galères pour des fautes légères... à moins d'acheter sa grâce, ce qui était la porte ouverte au crime.

Au reste, les autorités s'intéressaient davantage à instruire les procès qu'à arrêter les suspects, qui avaient tôt fait de traverser la frontière de ce petit pays, si bien que l'on jugeait souvent les délinquants par contumace. Le jugement était alors assorti de conditions : « Le condamné ne pourra jamais acheter de grâce comme il se pratique d'habitude à Venise. Celui qui le tuera dans les États de la République recevra une somme considérable. Elle sera portée au double s'il le tue dans quelque autre pays. »

Le royaume d'Italie a englobé Venise, mais c'est en fin de compte le régime républicain qui s'est imposé à toute la Péninsule. Certes pas sous sa forme vénitienne aristocratique – quoique – mais la république, dont Venise et Gênes étaient les uniques représentantes en Italie, a fini par remplacer la monarchie venue de Turin. L'organisation pluraliste à la vénitienne, qui apparaît finalement plus moderne et pérenne que la royauté, présentait la particularité d'avoir été choisie par ses concitoyens, contrairement au régime de Naples imposé par l'Espagne, à la théocratie romaine ou à cette dépendance envers un pouvoir lointain que subirent la Corse génoise, la Sardaigne piémontaise ou la Sicile napolitaine. On peut aussi estimer que la Sérénissime était en avance sur la France du Directoire, qui la détruisit en 1797, ou sur le sultanat de la Sublime Porte, avec qui elle se disputa pendant des siècles. Le système vénitien était compliqué mais intelligent. Il présentait l'avantage de renouveler souvent le personnel administratif, dans les limites,

hélas, d'un groupe d'individus désignés par la naissance et par la fortune. Il ne lui manquait peut-être
que le suffrage universel pour offrir un modèle plus
démocratique que cette sorte de monarchie électorale
qui constitue le régime actuel de bien des États euro-
péens.

Un biscuit vénitien :
Ossa da morto, ou « os du mort »

D ans de nombreuses régions d'Italie, il est d'usage de préparer des *ossi da morto* le 2 novembre, jour des morts. La version vénitienne est un peu différente des autres, car on y emploie de la farine de maïs plutôt que de blé.

On croit généralement que les pâtes sont le socle de la cuisine italienne. Dans le Nord, c'est plutôt la polenta qui constituait la nourriture de base, surtout chez les paysans pauvres. Jusqu'au XVIIIe siècle, on la préparait avec du grain et des légumes réduits en bouillie, assaisonnés d'huile, d'oignon, de fenouil, de miel ou de ce qu'on avait sous la main. S'il était peu fait pour susciter l'enthousiasme, ce plat était assez riche pour permettre aux petites gens de subsister.

Lors de l'introduction du maïs, les propriétaires terriens découvrirent qu'ils pouvaient s'en servir pour nourrir leurs fermiers et consacrer plus de terres à un usage commercial. La polenta fut donc désormais fabriquée à partir de farine de maïs, qui devint l'aliment principal, voire exclusif, des moins fortunés. Malheureusement, le maïs moulu est plus bourratif que nutritif. Les Amérindiens savaient de quelle manière le préparer pour permettre à l'intestin d'assimiler ses nutriments, mais leurs techniques n'ont pas traversé l'Atlantique en même temps que leur plante. Ce régime déséquilibré conduisit à une maladie due à une avitaminose PP appelée pellagre, dont les effets furent bientôt observés par les médecins. Elle se traduisait par des douleurs de tête et de dos, par l'engourdissement des extrémités, par des maux de ventre ; la vue et l'ouïe déclinaient, des tremblements survenaient et le patient finissait par sombrer dans la dépression, dans la folie, avant de succomber. Cette particularité historique fait de la polenta la base tout indiquée pour le biscuit nommé *ossa da morto* (pl. : *ossi da morto*).

Temps de préparation : 20 minutes
Temps de cuisson: 1 heure et 20 minutes

Ingrédients :
une livre de farine de maïs
une poignée de farine de blé
une cuillerée à thé de sel

Pour préparer la polenta, faites bouillir deux litres d'eau salée. Jetez-y doucement la farine de maïs en pluie fine sans cesser de tourner dans le même sens à l'aide d'une cuiller en bois pour éviter la formation de grumeaux. Continuez à tourner pendant une vingtaine de minutes. Arrêtez dès que la polenta atteint la consistance d'une purée très légère – elle ne doit pas devenir ferme.
Laissez reposer pendant environ deux heures.

Tournez à nouveau en ajoutant une bonne pincée de poivre et, selon le goût de chacun, un peu d'huile ou de beurre, du sucre ou du miel, voire même des graines d'anis. On peut aussi ne rien y mettre. En revanche, il faut y ajouter une poignée de farine de blé pour l'épaissir.

Préchauffez votre four à 180°. Façonnez la pâte en bâtonnets rétrécis au centre pour évoquer des ossements. Disposez-les sur une plaque légèrement farinée et faites cuire sans vous éloigner : il faut s'assurer qu'un réseau de fissures apparaît en surface. On peut arrêter la cuisson au bout de quinze minutes et cuire à nouveau les bâtonnets une fois qu'ils ont refroidi, ce qui permet de les conserver plus longtemps, mais les « os du mort » ainsi obtenus seront plus durs, secs et craquants.

Imprimé en France
FROC022248021220
25888FR00029B/240